Ioga

Emmanuel Carrère

Ioga

TRADUÇÃO
Mariana Delfini

7ª reimpressão

ALFAGUARA

Copyright © 2020 by Emmanuel Carrère

Grafia atualizada segundo o Acordo Ortográfico da Língua Portuguesa de 1990, que entrou em vigor no Brasil em 2009.

Título original
Yoga

Capa
Violaine Cadinot

Ilustração de capa
Matthieu Bourel

Preparação
Natalie Lima

Revisão
Huendel Viana
Marise Leal

Dados Internacionais de Catalogação na Publicação (CIP)
(Câmara Brasileira do Livro, SP, Brasil)

Carrère, Emmanuel
Ioga / Emmanuel Carrère ; tradução Mariana Delfini. — 1ª ed. — Rio de Janeiro : Alfaguara, 2023.

Título original : Yoga.
ISBN 978-85-5652-161-3

1. Ficção francesa I. Título.

22-133927 CDD-843

Índice para catálogo sistemático:
1. Ficção : Literatura francesa 843

Cibele Maria Dias – Bibliotecária – CRB-8/9427

Todos os direitos desta edição reservados à
EDITORA SCHWARCZ S.A.
Praça Floriano, 19, sala 3001 — Cinelândia
20031-050 — Rio de Janeiro — RJ
Telefone: (21) 3993-7510
www.companhiadasletras.com.br
www.blogdacompanhia.com.br
facebook.com/editora.alfaguara
instagram.com/editora_alfaguara
twitter.com/alfaguara_br

Sumário

Se manifestares o que existe dentro de ti, isso que tu manifestares te salvará. Se tu não manifestares o que existe dentro de ti, isso que tu não tiveres manifestado te matará.

Evangelho apócrifo de Tomé

I
O retiro

A CHEGADA

Já que é preciso começar por algum lugar o relato desses quatro anos, durante os quais tentei escrever um livrinho simpático e perspicaz sobre a ioga, enfrentei coisas tão pouco simpáticas e perspicazes quanto o terrorismo jihadista e a crise dos refugiados, mergulhei a tal ponto numa depressão melancólica que precisei ser internado por quatro meses no hospital Sainte-Anne e, por fim, perdi meu editor, que pela primeira vez em trinta e cinco anos não vai ler um livro que escrevi, já que é preciso começar, então, por algum lugar, escolho esta manhã de janeiro de 2015 em que, ao fechar a mala, me perguntei se seria melhor levar o telefone, do qual de todo modo eu teria de me desfazer no lugar para onde eu estava indo, ou se deveria deixá-lo em casa. Escolhi a opção radical, mal tinha saído do nosso prédio já achava excitante andar fora do alcance do radar. Mais uma mudança foi pegar o trem na gare de Bercy, um satélite da gare de Lyon, modesta e já provinciana, especializada na França profunda. Vagões obsoletos, compartimentos à moda antiga, seis lugares na primeira classe e oito na segunda, as cores marrom e azinhavre lembrando os trens da minha infância longínqua nos anos 1960. Cadetes dormiam estendidos nos bancos, como se não tivessem sido avisados de que o serviço militar não existia mais. Virada para a vidraça empoeirada, minha única vizinha assistia ao desfile, sob uma chuva fina e cinza, dos prédios grafitados da saída de Paris, depois do subúrbio leste. Era uma moça com físico e trajes de quem faz trekking, equipada de uma mochila enorme. Me perguntei se ela ia caminhar no Morvan, como já fiz em outros momentos, saindo de Vézelay e em condições não mais amenas, ou se, quem sabe?, ela iria para o mesmo lugar que eu.

Eu deliberadamente não tinha trazido nenhum livro e passei a viagem toda — uma hora e meia — deixando meu olhar e meus pensamentos flutuarem, numa espécie de impaciência tranquila. Eu esperava muito, sem saber bem o quê, desses dez dias em que estaria desconectado de tudo, indisponível, fora de alcance. Observava minha expectativa, observava minha impaciência tranquila. Era interessante. Quando o trem parou em Laroche-Migennes, a moça com a mochila imensa desceu ao mesmo tempo que eu e, como eu, bem como umas vinte outras pessoas, se dirigiu ao canteiro na frente da estação onde um ônibus de traslado viria nos buscar. Nós o aguardamos em silêncio, ninguém conhecia ninguém. Todos olhavam para os seus companheiros se perguntando até que ponto eles pareciam normais. Eu diria que sim, bem normais. Quando o ônibus chegou alguns se sentaram juntos, eu, sozinho, mas logo antes de o ônibus sair uma mulher de uns cinquenta anos, de rosto bonito, grave e fino, subiu por último e se sentou ao meu lado. Um olá rápido, em voz baixa, e depois ela fechou os olhos, indicando sem hostilidade que não estava a fim de entabular conversa alguma. Ninguém falava. O ônibus saiu rápido da cidade e passou a percorrer estradas bem pequenas, atravessando aldeias em que nada parecia aberto, nem mesmo as venezianas das janelas. Depois de meia hora pegou um caminho de terra margeado por carvalhos e parou numa área com cascalho na frente de uma casa térrea de fazenda. Descemos, tiramos as bagagens do compartimento embaixo do ônibus antes de entrar na construção por portas separadas: uma para os homens, uma para as mulheres. Nós nos reunimos, os homens, em uma sala grande, disposta como um refeitório de escola, com luz fria, paredes pintadas de um amarelo pálido e enfeitadas com pequenos cartazes com frases de sabedoria budista escritas à mão. Havia rostos novos, pessoas que não estavam no ônibus e deviam ter chegado de carro. Atrás de uma mesa de fórmica, um rapaz de expressão franca e simpática, vestindo uma camiseta de mangas curtas enquanto todo mundo usava pelo menos um pulôver ou uma blusa de fleece, recebia quem chegava, um por um. Antes de se apresentar a ele, era preciso preencher um questionário.

O QUESTIONÁRIO

Depois de ter pegado chá, de que nos servíamos em copos baixos de vidro girando a torneira de um grande samovar de metal, me sentei diante do questionário. Quatro páginas frente e verso. As primeiras perguntas não exigiam reflexões profundas: estado civil, pessoas a serem avisadas em caso de urgência, problemas de saúde, tratamentos em curso. Declarei que eu estava com saúde, mas tinha sofrido de depressão em várias ocasiões. Em seguida pediam que disséssemos: 1) como tínhamos conhecido o Vipassana; 2) qual nossa experiência com meditação; 3) em que momento da vida estávamos; 4) o que esperávamos da sessão. Os espaços reservados para as respostas não chegavam a um terço de página, e pensei que, se quisesse discorrer seriamente sobre pelo menos a segunda questão, precisaria escrever um livro inteiro, e que eu tinha vindo aqui justamente para escrever esse livro — mas disso eu não ia falar. Fui cauteloso e me contentei em dizer que praticava meditação havia cerca de vinte anos, que por muito tempo essa prática esteve ligada à do tai chi chuan (especifiquei, entre parênteses, "pequena circulação", para que entendessem que eu não era um iniciante) e hoje à da ioga. No entanto, minha prática ainda era irregular e eu esperava me aprofundar nela, razão pela qual tinha me inscrito em uma sessão intensiva. Quanto ao "momento da vida em que eu estava", a verdade é que era um momento bom, um ciclo extremamente favorável que já durava uns dez anos. Aliás, depois de tantos anos em que eu responderia essa pergunta invariavelmente dizendo que estava mal, muito mal, e que o momento da vida em que eu estava era particularmente catastrófico, era surpreendente poder responder, sem mentir e até minimizando um pouco minha boa sorte, que estava tudo bem com a minha fé, que eu não tinha passado recentemente por nenhum episódio depressivo, que não estava com problemas amorosos, de família, profissionais nem materiais — meu único problema de verdade, e era apenas um, claro, mas mesmo assim um problema de gente endinheirada, era um ego avultado, despótico, cujos domínios eu buscava restringir, e a meditação é ótima para isso.

Há cerca de trinta homens ao meu redor, em cuja companhia vou me sentar e ficar em silêncio durante dez dias. Eu os observo discretamente. Me pergunto quem, entre eles, está em crise. Quem, como eu, tem família. Quem foi abandonado, é sozinho, pobre, infeliz. Quem é frágil, quem é firme. Quem, na vertigem do silêncio, corre o risco de perder o prumo. Todas as idades estão contempladas, entre vinte e, eu diria, setenta anos. Quanto às condições sociais, também são variadas. Alguns tipos facilmente reconhecíveis: o professor que gosta de acampar, naturista, vegetariano, entusiasta dos místicos orientais; o cara de dreadlocks e gorro peruano que podemos encontrar no meio dos ativistas No Border de Calais, onde fiz recentemente uma reportagem; o osteopata ou cinesioterapeuta obcecado por artes marciais; e ainda outros que poderiam ser tanto violinistas quanto bilheteiros do metrô, impossível dizer. Em suma, o tipo de clientela bastante misturada que encontramos ao mesmo tempo nos dojôs e nos alojamentos que escoltam o caminho de Santiago. O Nobre Silêncio, como eles chamam, ainda não estava em vigor, podíamos falar, e ouço conversas de pequenos grupos que se formaram, enquanto a noite começa a cair, muito cedo, muito escura, atrás das pequenas vidraças embaçadas das janelas. Todas giram em torno do que nos espera a partir da manhã seguinte. Uma pergunta se repete: "É a sua primeira vez?". Eu diria que metade dos que estão ali é de neófitos e a outra metade, de veteranos. Os primeiros, curiosos, entusiasmados, inquietos; os segundos, com a auréola do prestígio da experiência e, entre esses, um homenzinho que me lembra não sei quem e no qual eu, negativo que sou, me concentro imediatamente: barbicha, vestindo um pulôver de jacquard em tom bordô, representando com uma autossatisfação repugnante o papel do sábio sorridente, bondoso, cheio de impressões sobre o alinhamento dos chacras e os benefícios do desapego.

TELETRANSPORTE PARA TIRUVANNAMALAI

A primeira vez que ouvi falar em Vipassana foi na Índia, na primavera de 2011. Para terminar um livro, eu tinha alugado uma casa em Pondichéry, onde fiquei por dois meses, sem falar com quase ninguém. Meus dias, invariavelmente regrados, começavam com a leitura do *Times of India* no único café que servia expressos, até onde sei. Depois, seguindo as ruas que se cruzavam em ângulo reto e que, margeadas por construções coloniais decrépitas, se chamavam Avenue Aristide-Briand, Rue Pierre-Loti ou Boulevard du Maréchal-Foch, eu voltava, pensativo, a trabalhar no meu romance de aventuras russo, *Limonov*. Ia dormir muito cedo, na hora em que os inúmeros cachorros errantes de Pondichéry encetavam um concerto de latidos do qual aprendi a distinguir algumas vozes, e acordava também muito cedo, despertado pelo nascer do dia e pelo coaxar dos lagartos. Essa rotina caseira, sem visitar museus nem monumentos, sem obrigações turísticas, é o meu ideal de estadia no exterior. Mesmo assim, fui uma vez a Tiruvannamalai, que é um lugar importante da espiritualidade indiana pois foi lá que viveu e ensinou o grande místico Ramana Maharshi e onde ainda se encontra seu ashram. Esse lugar importante me causou uma impressão muito ruim: circo de gurus e seminários espirituais, atraindo uma matilha de falsos sadhus ocidentais macilentos, abatidos, imundos, exalando ao mesmo tempo pretensão e sofrimento — e é sempre nisso que penso quando praticantes de ioga me falam de retiros na Índia onde esperam adquirir o ensinamento ancestral dos grandes mestres. Tiruvannamalai ou Rishikesh, supostamente o berço da ioga, são, na minha opinião, os lugares onde há a menor chance no mundo todo de se adquirir o ensinamento de um grande mestre, uma chance tão pequena quanto a de se deparar com um pintor original na Place du Tertre, em Montmartre. Bertrand e Sandra, os únicos amigos que fiz em Pondichéry, me apresentaram um francês que morava lá. Usava uma túnica lilás, seu nome era Didier e pedia para ser chamado de Bismillah. Quando perguntei sobre sua trajetória espiritual, Bismillah me confidenciou que uma etapa importante para ele tinha sido um retiro Vipassana: dez dias de meditação intensiva que, segundo sua expressão, promoviam uma grande faxina na cabeça. Como eu praticava meditação na minha pequena escala e não era a princípio contra uma grande faxina na cabeça, quis saber mais sobre isso, mas fui um pouco desencorajado ao tomar conhecimento de que Bismillah, na etapa seguinte da sua trajetória espiritual, estava em Tiruvannamalai por se sentir atraído pela perspectiva de um seminário de teletransporte. Ele confessou que tinha se decepcionado. Isso me fez devanear. O teletransporte consiste em se deslocar de um lugar a outro instantaneamente, apenas pelo poder do espírito. Desaparecer em Madras, no instante seguinte aparecer em Mumbai. Uma variação disso é a bilocação: estar em dois lugares *ao mesmo tempo*. Diversas tradições atribuem tais façanhas a poucos e grandes santos, como José de Cupertino, mas as autoridades religiosas são prudentes quanto a esse assunto, para não mencionar os cientistas. Fiquei me perguntando se esperar tal experiência ao se inscrever pela internet em um seminário aberto a todos, mais ou menos como esperaria ver uma jamanta ao se inscrever em um mergulho submarino, indicava alguém com o espírito aberto ou se, para engolir uma lorota dessas — e depois se dizer decepcionado —, só sendo meio idiota.

MEU QUARTO

A questão do alojamento me preocupa. Há quartos individuais e dormitórios coletivos, e é claro que eu preferiria um quarto individual, mas todo mundo, imagino, prefere um quarto individual, e não há nada que eu possa dizer para defender que eu, mais do que qualquer outra pessoa, preciso de um. Em outro contexto, o dinheiro resolveria a questão: os melhores lugares iriam para os mais ricos, e eu não teria com que me preocupar. Mas aqui somos recebidos gratuitamente. O ensinamento, o alojamento, a alimentação, tudo é gratuito. Apenas se sugere fazer uma doação ao final, dentro das possibilidades de cada um e sem que ninguém além da própria pessoa saiba o montante. Deve haver outro critério. Depende da ordem de chegada, talvez, ou será aleatório? Tira-se a sorte? Ao entregar meu questionário preenchido para o rapaz simpático que desempenha o papel de anfitrião, pergunto a ele com um sorriso de divertida curiosidade, cúmplice, sobre o caso que acredito ser pouco provável de que dependa simplesmente de sua boa vontade, e ele me responde, também sorrindo, que não, não é tirado na sorte: os lugares são distribuídos em função da idade, os quartos individuais vão para os mais velhos. Não há mais nada com que me preocupar, portanto. O rapaz simpático entrega minha chave, e com ela em mãos saio para o jardim encharcado que se estende atrás da construção principal. À esquerda se encontra o grande galpão onde passaremos uma dezena de horas por dia, durante dez dias; à direita, três fileiras de bangalôs de madeira pré-fabricada. O meu fica na primeira fila. Dez metros quadrados, piso de linóleo, uma cama de solteiro, uma cesta de plástico sobre a cama contendo lençóis, edredom e travesseiro, um chuveiro, uma pia e um vaso sanitário, um armário pequeno: o mínimo possível, perfeitamente limpo. E bem aquecido, o que tem sua importância no inverno do Morvan. Uma única fonte de luz, além da bandeira de vidro em cima da porta, que pode ser coberta por uma cortina: um globo de vidro jateado no teto. Não é muito agradável, eu teria adorado uma luz de leitura, mas uma vez que se parte do princípio de que não vamos ler... Faço minha cama, guardo minhas coisas no armário: roupas quentes e confortáveis, suéteres grossos, calças de moletom, pantufas, não é hora de vaidades. Meu tapete de ioga. Uma estatueta de argila, representando gêmeos. Doze centímetros de altura, formas robustas e arredondadas: uma mulher querida me deu de presente esse discreto fetiche, que levo comigo para todo canto. Sem livro, sem telefone, então, nem tablet, nem nenhum dos carregadores. O rapaz simpático, ao me receber, perguntou se eu tinha trazido algum desses objetos, que deveriam ser deixados no depósito: há um guarda-volumes para isso. Respondi com orgulho que não, já tinha me desfeito de tudo antes de vir. Será que todo mundo observa com tamanho escrúpulo essas instruções de que tomei conhecimento ao me inscrever, dois meses antes? É verdade que demos nossa palavra, nos comprometemos a abrir mão dessas distrações durante dez dias, a não nos comunicar com o exterior, mas, se alguém trapacear, quem vai conferir? Me espantaria se fizessem batidas de surpresa nos quartos e dormitórios para confiscar livros ou celulares introduzidos clandestinamente.

Ou será que fazem?

A COREIA DO NORTE?

Os retiros Vipassana: um treinamento "tropa de elite" da meditação. Dez dias, dez horas por dia, em silêncio, isolado de tudo: nível hard. Nos fóruns de internet, muitos se declaram satisfeitos e às vezes transformados por essa experiência exigente, outros acusam-na de ser uma espécie de recrutamento para uma seita. Descrevem esse lugar como um campo de concentração e a palestra diária como uma lavagem cerebral, sem deixar espaço para qualquer discussão — para não mencionar contradição. É a Coreia do Norte. O silêncio obrigatório, o isolamento, uma alimentação insuficiente baixam a guarda dos participantes e os transformam em zumbis. Mesmo sentindo-se muito mal é proibido ir embora. Não, alegam os defensores, se alguém tem vontade pode ir, ninguém vai impedi-lo, apenas é fortemente desaconselhado e, mais que isso, as pessoas se comprometem consigo mesmas a não fazê-lo. Essas discussões me intrigaram, mas sem me causar preocupação: acredito estar protegido de um recrutamento de seita, estou curioso para ver como é. "Venha e veja", disse Jesus Cristo às pessoas que tinham ouvido todo tipo de boato contraditório sobre ele, e isso me parece ser sempre a melhor política: venha ver, com tão pouco preconceito quanto possível, ou ao menos tendo consciência desses preconceitos.

ZAFU NA BRETANHA

Eu me casei duas vezes, e nas duas montei álbuns de fotografias de família. Quando as pessoas se separam, não se sabe com que lado esses álbuns vão ficar. As crianças os olham nostálgicas porque eles mostram uma época em que elas eram pequenas, em que os pais se amavam como se deve amar, em que as coisas ainda não tinham dado errado. Anne, minha primeira mulher, e eu passávamos as férias de verão na Bretanha, na ponta de L'Arcouest, onde alugávamos uma casa decadente e malconservada por ser propriedade conjunta de uma família e nenhum dos coproprietários entender por que apenas um deles, e não seus irmãos ou irmãs, deveria trocar uma lâmpada, mas era uma casa maravilhosa. Diante da ilha de Bréhat, ela imperava sobre o oceano, ao qual se chegava por uma trilha na floresta tão íngreme e pouco utilizada que a cada verão era preciso desobstruí-la com uma foice. Anne era inacreditavelmente bonita, com roupas estilo marinheiro e uma capa de chuva amarela, e eu tinha uma mecha no cabelo e usava óculos redondos e pequenos: queria parecer um homem maduro, parecia um adolescente. De manhã íamos à padaria da cidadezinha comprar crepes, de noite ao viveiro comprar caranguejolas. Entre tantas imagens dos nossos filhos ainda pequenos, no meu álbum se veem Gabriel, com três ou quatro anos, fazendo comigo, na praia, a sequência canônica de posturas de ioga chamada de saudação ao sol e Jean-Baptiste dando uma boa gargalhada alegre, uma gargalhada de criança feliz, sentado em um zafu. Essas fotos revelam a data das práticas de que falo aqui. Elas atestam que, nesse começo dos anos 1990, eu já tinha um zafu. Já me sentava nele de manhã bem cedo, tomando o cuidado de acordar antes de todo mundo para observar minha respiração e o fluxo dos meus pensamentos. Um zafu, se você não sabe, é uma almofada japonesa redonda e compacta especialmente concebida para que, sentado nela, você se mantenha com mais facilidade na posição vertical durante a meditação. Nossos filhos se divertiam chamando esse zafu preto de Zafu, como se ele fosse um animal de estimação, o segundo cachorro da casa — o primeiro era um vira-lata caolho e sarnento que morava em algum lugar nas redondezas e vinha nos visitar todos os dias, e que chamávamos de "o pobre coitado". Sei que essas lembranças só interessam a mim, a Anne e aos meninos, que somos as únicas quatro pessoas do mundo a quem elas poderiam fazer sorrir ou chorar, mas fazer o quê, fazer o quê, leitor, é preciso aguentar os autores contando esse tipo de coisa, decidindo não cortá-las quando as releem, como seria razoável, porque elas são preciosas para eles, e é também para conservá-las que as pessoas escrevem.

TAI CHI NA MONTAGNE

Como escrevi no questionário, comecei a meditar graças ao tai chi. Sabe o que é tai chi? Esses movimentos muito lentos que pessoas geralmente idosas, vestidas com trajes japoneses, executam em parques? É uma dança? Uma ginástica? Uma arte marcial? Originalmente, uma arte marcial, mas infelizmente costuma ser ensinada sem essa dimensão. Sou grato ao acaso que, por causa da proximidade, me conduziu ao dojô da Montagne, Rue de la Montagne-Sainte-Geneviève, em vez de me levar a um desses grupos new age que começavam a se multiplicar, em que você é incitado a abrir seus chacras queimando bastões de incenso. Essa coisa de incenso não fazia o tipo da Montagne, que é o mais antigo dojô de caratê de Paris, fundado nos anos 1950 por um pioneiro chamado Henry Plée e dirigido, quando lá cheguei, pelo filho dele, Pascal. Pascal havia recebido sua faixa branca de presente ao completar três anos de idade e desde então formara uma geração de caratecas, mas, com o tempo, constatando que o treinamento intensivo acabava com as costas, os joelhos, as articulações, ele começou a pesquisar técnicas mais leves, menos angulosas, que trabalhassem menos com a força e mais com a flexibilidade. Assim chegou ao tai chi, que estudou sob a orientação de um mestre chinês chamado Yang Jin-Ming, o *doutor* Yang Jin-Ming, que não era apenas praticante mas também um pesquisador de altíssimo nível no campo quase infinito das artes marciais ditas "internas". Ainda tenho uma meia dúzia de livros seus, que na época eu estudava com fervor. Pois, depois de alguns meses na Montagne, me viciei, e fiquei viciado durante quase dez anos. Passei cerca de uma década, à razão de três ou quatro treinamentos por semana, sem contar o seminário anual do dr. Yang, nessa sociedade esquisita que é um dojô. Mais que jantares, mais que festas, sempre adorei esse tipo de confraria em que as pessoas se encontram não apenas para jogar conversa fora e, como dizem, *se ver*, mas para fazer alguma coisa juntas. Não importa o quê, alpinismo, futebol, motociclismo, o meu ideal de socialização teria sido tocar música de câmara com alguns amigos. Tocar viola em um quarteto de cordas amador: a gente chega na casa de um ou de outro, troca algumas palavras por educação, rapidamente monta as estantes, abre as partituras e retoma a partir do décimo sexto compasso do *andante con moto*. Invejo meu colega Pascal Quignard por conhecer tais alegrias, é uma pena que eu ame tanto a música mas não saiba nem tocar nem ler as notações. Mas a prática do tai chi, eu acho, se parece bastante com a de um instrumento ou a da voz. Exige a mesma perseverança, a mesma mistura de rigor e abandono, e penso com carinho em todas essas pessoas de origens e temperamentos tão diferentes com as quais passei muitas horas ensaiando e refinando movimentos infinitamente lentos, como um pianista ensaia e refina aquilo que, no piano, é o equivalente a essa lentidão infinita: um *pianissimo*. Eu ia dizer que buscávamos todos a mesma coisa, que um mesmo desejo nos reunia, mas não, não exatamente. Havia na Montagne dois tipos de frequentadores: de um lado, os históricos, a guarda próxima de Pascal, caratecas robustos que iam, de fato, para aprender a dar pontapés nos outros, e, de outro lado, aqueles que, em oposição aos chutadores, chamarei de espiritualistas: não os tagarelas new age, que logo desanimavam diante das severas exigências do dojô, mas pessoas que se interessavam pelo zen, pelo Tao, pela meditação. E o bonito é que, sob o duplo apadrinhamento de Pascal e do dr. Yang, essas duas famílias não apenas conviviam pacificamente como intercambiavam seus interesses. Com muita naturalidade, e mesmo que uns e outros pudessem ficar aturdidos se alguém tivesse previsto tal evolução, os espiritualistas se viram, como eu, fazendo caratê *além* do tai chi, para tornar seu tai chi mais marcial, e os chutadores, por sua vez, observando sua respiração, imóveis, em cima de uma almofadinha.

É COMPLICADO

Observar sua respiração, imóvel, em cima de uma almofadinha é o que se chama de meditação, prática cada vez mais difundida e que deveria ter sido o único tema deste relato se a vida não a tivesse arrastado, como você verá, para paragens mais tempestuosas. O dr. Yang a ensinava com prudência. Ele era chinês, amava a técnica — que Deus o abençoe —, não gostava que se fizessem as coisas na afobação e considerava a meditação a coroação das artes marciais, mas também uma prática perigosa, por causa das forças muito poderosas que ela desperta. Ele nos alertava sobre esses perigos que, me parece, eu nunca corri, ou então dos quais não me dei conta, ou mais provavelmente nunca atingi nem nunca atingirei o ponto a partir do qual eles se tornam ameaçadores. Como ele não queria que desgarrássemos para caminhos arriscados que descem e bifurcam e se prolongam em abismos no interior de nós mesmos, e um pouco também como se dá às noviças um gostinho do arrebatamento que elas no futuro conhecerão, o dr. Yang nos ensinava os fundamentos da meditação com diagramas de força, caminhos dos meridianos, respiração normal (budista) e respiração invertida (taoista), pequena e grande circulação — e, como acabei de escrever na página do questionário acerca do meu nível de prática, é a pequena circulação que conheço um pouco. Em seguida me aproximei de outro mestre, Faek Biria, que adquiriu seu conhecimento profundo da Iyengar ioga do próprio fundador dela, B. K. S. Iyengar, e Faek Biria vai ainda mais longe que o dr. Yang. Ele diz que para começar a meditar é preciso no mínimo dez anos de prática assídua. É preciso ter aberto a bacia, aberto o peito, aberto os ombros, ter alinhado os bandhas, alinhado os chacras, ter dominado todas as técnicas de pranayama, e somente então essa grande coisa misteriosa e transformadora que é a meditação viria, e ela vem por si só. Tudo aquilo que se faz antes não tem outro objetivo senão torná-la possível. Se alguém aparece em uma escola de Iyengar ioga perguntando ingenuamente se além das posturas vai ter um pouco de meditação, essa pessoa é recebida com indulgência e ainda assim como uma imbecil. Explica-se a gentilmente que fazer isso que os gurus da moda e os livros de desenvolvimento pessoal chamam de meditar ou não fazer nada dá no mesmo: se você não fez o longo trabalho preparatório, pode passar milhares de horas sentado em um zafu se concentrando na sua respiração ou no espaço entre as sobrancelhas, assim como pode só tirar um cochilo.

É SIMPLES

Esses dois mestres que conheci pessoalmente são verdadeiros e grandes mestres, e são também, ao mesmo tempo, pesquisadores e artistas em suas disciplinas: não questiono a autoridade deles. No entanto, acredito do alto da minha ínfima experiência que é possível atingir a meditação por um caminho menos escarpado, um caminhozinho de nada, que pode ser praticado por todos e exige uma técnica que se aprende em cinco minutos. Ela consiste em se sentar e passar um certo tempo imóvel e em silêncio. Tudo aquilo que acontece durante esse tempo em que se permanece sentado, imóvel e em silêncio é meditação. Busquei com frequência uma boa definição para ela — a mais precisa, simples e abrangente possível — e encontrei muitas que vou tirar da cartola ao longo deste relato, mas essa me parece ser a melhor para começar, por ser a mais concreta e a menos intimidadora. Repito: a meditação é tudo aquilo que acontece durante esse tempo em que se está sentado, imóvel, em silêncio. O tédio é meditação. As dores nos joelhos, nas costas, na nuca, são meditação. Os pensamentos aleatórios são meditação. Os barulhos estranhos na barriga são meditação. A impressão de estar perdendo tempo ao fazer um troço de espiritualidade trambiqueira é meditação. A preparação mental para o telefonema e a vontade de pegar o telefone são meditação. Resistir a essa vontade é meditação — mas ceder a ela, não. E isso é tudo. Nada além disso. O que for além disso já é demais. Se praticamos regularmente, dez minutos, vinte minutos, meia hora por dia, então isso que acontece durante esse tempo em que se está sentado, imóvel e em silêncio muda. Os pensamentos mudam. Tudo isso muda porque tudo muda, mas tudo isso muda também porque nós estamos observando. Não se faz nada na meditação, não se deve inclusive fazer nada além de observar. Observamos, no campo da consciência, o aparecimento dos pensamentos, das emoções, das sensações. Observamos o desaparecimento deles. Observamos seus pilotis, seus pontos de apoio, suas linhas de fuga. Observamos enquanto eles passam. Não aderimos a eles, não os recusamos. Seguimos a corrente sem nos deixar levar. Ao fazermos isso, é a própria vida que muda. De início, não nos damos conta. Temos a vaga impressão de estar a bordo de alguma coisa. Pouco a pouco, fica mais claro. Nos descolamos um pouco, só um pouquinho, disso que chamamos de "nós mesmos". Só um pouquinho já é bastante. Já é enorme. E vale a pena. É uma viagem. No começo dessa viagem, diz um poema zen, a montanha ao longe parece uma montanha. Ao longo da viagem, a montanha muda de aspecto sem cessar. Não conseguimos mais reconhecê-la, uma fantasmagoria substitui a montanha, não sabemos mais absolutamente em direção a que estamos nos encaminhando. No fim da viagem, é de novo a montanha, mas ela não tem nada a ver com aquilo que víamos de longe muito tempo antes, quando nos pusemos a caminho. É *realmente* a montanha. Enfim podemos vê-la. Chegamos. Estamos aqui.

Estamos aqui.

MEDITAR BÊBADO

Nós bebíamos muito nos verões em L'Arcouest, e os amigos que nos visitavam também não bebiam pouco. Menos que Jean-François Tevel, em todo caso, com quem cruzávamos no mercadinho Codec, em Paimpol, empurrando um carrinho lotado exclusivamente de garrafas de vinho barato, sendo ele apoplético, sem pescoço, carrancudo, e com tudo isso ainda capaz de escrever livros deslumbrantes por sua lucidez e inteligência mordaz. Não há quem conheça mais Proust que ele, nem alguém com percepções mais precisas e mais orwellianas sobre o totalitarismo e a obscenidade dos intelectuais de esquerda, e adoro que esse homem, como Simon Leys, com quem ele compartilhava o espírito independente, tenha cultivado curiosidades tão variadas. Mal sabia eu que sua maravilhosa antologia da poesia francesa praticamente salvaria a minha vida trinta anos depois. Assim como também não sabia que ele era pai de Matthieu Ricard: ninguém naquela época sabia quem era Matthieu Ricard, nem que ele era o braço direito do Dalai Lama, nem que se tornaria o disseminador mais conhecido do budismo e da meditação na França — de um jeito que me irrita um pouco, porque sempre implico com essas vestes cor de açafrão e os religiosos que dizem: "Religiões são sectárias e especializadas, mas eu, o que eu ensino não é uma religião, é simplesmente a verdade". Para resumir, nós bebíamos muito, nós bebíamos demais, de modo que, ainda que eu fosse fiel à prática, com frequência eu meditava de ressaca ou completamente bêbado. Era completamente bêbado que eu me exercitava fazendo circularem o ar e a energia, primeiro subindo ao longo da coluna vertebral até o topo da cabeça, depois descendo de volta para a parte posterior do corpo (grosso modo, é isso a pequena circulação), tudo com a ajuda de uma boa quantidade de autossugestão e num turbilhão de pensamentos dispersos, os quais eu não só fracassava em acalmar mas que, além disso, naquele momento me pareciam formidáveis. Depois eu caía na real, claro. Eu estava sempre embriagado ou chapado, você acredita que encontrou uma pedra preciosa e descobre que está com um pedaço de merda na mão. Hoje em dia estou um pouco mais tranquilo, é a idade. Ainda adoro ficar bêbado, mas tenho tolerado cada vez menos o álcool, levo três ou quatro dias para me recuperar de uma bebedeira, enquanto na época de L'Arcouest eu recomeçava bravamente na noite seguinte. É um absurdo meditar bêbado, concordo, mas me parecia razoável uma vez que eu tinha consciência da minha embriaguez. Pois o benefício da meditação — essa poderia ser uma segunda definição — é suscitar uma espécie de testemunha que espia o turbilhão dos próprios pensamentos sem se deixar levar por eles. Você não é nada mais que caos, confusão, uma geleia de lembranças e medos e fantasmas e antecipações vãs, mas alguém mais tranquilo, dentro de você, está vigiando e fazendo um relatório. É claro que o álcool e as drogas transformam esse agente secreto em agente duplo, nada confiável. No entanto eu continuava, meio que sempre continuei, e se me agarro à decisão de escrever este livro, a minha versão desses livros de desenvolvimento pessoal que vendem tão bem nas livrarias, é para lembrar o que esses livros de desenvolvimento pessoal quase nunca dizem: que os praticantes de artes marciais, os adeptos do zen, da ioga, da meditação, essas coisas grandes e luminosas e que fazem tão bem, que durante a minha vida toda cortejei, não são necessariamente sábios nem pessoas tranquilas, em paz e serenas, mas às vezes, mas frequentemente, pessoas como eu, pateticamente neuróticas, e que isso não importa, e que é preciso, segundo a máxima de Lênin, "trabalhar com o que se tem", e que mesmo que esse caminho não o conduza a lugar algum ainda assim há motivo para buscá-lo com obstinação.

FORA DE PERIGO?

Escrevi essas linhas desencantadas na primavera de 2017, dois anos depois dos acontecimentos que conto, em um quarto do hospital

Sainte-Anne onde, entre dois eletrochoques, eu remendava este relato na tentativa de segurar com rédea curta meu espírito errático e em ruínas. Mas não é com esse olhar cruel que vejo as coisas naquela noite de 7 de janeiro de 2015, enquanto uma chuva pesada fustigava a terra macia e escura do jardim e eu, deitado na cama estreita do meu bangalô numa fazenda isolada do Morvan, esperava a hora do jantar. Naquele momento eu talvez não me visse como um homem tranquilo, em paz e sereno, com certeza não, ainda não, mas pelo menos como um homem que não era mais pateticamente neurótico. A saúde psíquica, segundo Freud, é ser capaz de amar e trabalhar, e logo faria dez anos que, para minha grande surpresa, eu havia me tornado capaz disso. Se, quando eu era mais jovem, tivessem me avisado que isso aconteceria, não teria acreditado. Não esperava tanto assim da vida. Tinha acabado de escrever, um depois do outro e sem intervalos longos e torturantes de seca, quatro livros grandes que muitas pessoas acharam bons, e todo dia eu agradecia aos céus por um casamento que me fazia feliz. Depois de tantos anos de errância sentimental, eu acreditava ter encontrado um porto. Acreditava que o meu amor estivesse protegido das tempestades. Não sou louco: sei bem que todo amor está em risco — que tudo, de todo modo, está em risco —, mas imaginava esse risco como algo vindo do exterior, mais que de mim. Freud tem uma segunda definição da saúde psíquica, tão espetacular quanto a primeira: é quando não se lida mais com a infelicidade neurótica, só com a infelicidade ordinária. A infelicidade neurótica é aquela que nós mesmos produzimos de uma maneira terrivelmente repetitiva, e a infelicidade ordinária é aquela que a vida lhe reserva sob formas tão diversas quanto imprevisíveis. Você tem um câncer, ou, ainda pior, um dos seus filhos tem um câncer, você perde seu emprego e cai na miséria: infelicidade ordinária. No que me diz respeito, fui bastante poupado da infelicidade ordinária: nenhum grande luto por enquanto, nenhum problema de saúde nem de dinheiro, filhos bem encaminhados, e tenho o raro privilégio de trabalhar com algo que adoro. Já quanto à infelicidade neurótica, por outro lado, sou imbatível. Sem querer me vangloriar, sou excepcionalmente dotado da capacidade de transformar em um verdadeiro inferno uma vida que teria tudo para ser feliz, e não permitirei que ninguém trate esse inferno como alguma coisa boba: ele é real, terrivelmente real. E então, contrariando todas as expectativas, parecia que eu tinha escapado dele. Parece mesmo, em janeiro de 2015, que posso me considerar *fora de perigo*. Sou cauteloso, é claro, não fico me pavoneando, sei que talvez seja uma ilusão — mas uma ilusão que dura dez anos é ainda uma ilusão? O que faz, então, este momento da vida ser tão favorável? A que se deve esse progresso? À psicanálise? Sinceramente, não acredito nisso. Passei quase vinte anos deitado em divãs sem nenhum resultado digno de nota. Não, acho que se deve simplesmente ao amor. E talvez à meditação. À ioga, à meditação: uso essas duas palavras quase sem distinção. Acredito que a ioga e a meditação, como o amor e o trabalho com a escrita, vão me acompanhar, me sustentar, me levar até a minha morte. Coloco o último quarto da minha vida, já que aos sessenta anos se pode considerar, estatisticamente, que entrei nessa fase, sob a invocação desta frase de Glenn Gould, tantas vezes copiada em tantos cadernos consecutivos: "O objetivo da arte não é a descarga momentânea de uma injeção de adrenalina, mas a construção paciente, de uma vida inteira, de um estado de serenidade e maravilhamento".

BEZERROS, VACAS, PORCOS

"A construção paciente de um estado de serenidade e maravilhamento": é bastante agradável vislumbrar a própria vida nesses termos. Esses pensamentos são agradáveis, sim, são pensamentos de gratidão, são pensamentos harmoniosos, são pensamentos bons. Ao mesmo tempo, eu me conheço, sei de cor para qual direção eles me arrastam, quais imagens complacentes eles não demoram a convocar. Imagino, ao me aproximar dos sessenta anos, essa versão melhor de mim, esse Emmanuel com upgrade: um homem sereno, bem-intencionado, que desenvolveu um centro de gravidade de onde emanam uma voz e um discurso que têm realmente peso — não esse "som oco" de que fala Nietzsche, que produz entranhas cheias de vento. Um homem que terá feito as pazes com seu pequeno eu medroso e narcísico, escrevendo livros cada vez mais límpidos e universais, coberto de glórias também universais, recebendo os amigos debaixo do caramanchão na sua casa simples e linda de Patmos e se aproximando da morte, imperturbável, nesse famoso estado de serenidade e maravilhamento que ele dedicou a vida para construir. É isso, em resumo. Ria à vontade. Quanto a mim, me esforço para não me comprazer demais com essas imagens, mas também não as afasto como um anacoreta do deserto rejeita as tentações da carne. Era isso que eu teria feito em outro momento, quando era cristão e crispado pela culpa. Hoje em dia penso: claro, não passam de devaneios narcisistas e de um afago no ego, mas isso é tão preocupante assim? Esse devaneio é sobretudo inocente, esse eu ideal não é assim tão lamentável. E, principalmente, mesmo que se comprazer com ele não leve a lugar algum, seria ainda pior censurá-lo. Porque é essa a revolução, uma das revoluções da meditação. Em vez de encarar com animosidade os pensamentos de que não nos orgulhamos tanto, em vez de buscar erradicá-los, nos contentamos em observá-los sem fazer drama. Porque eles existem, porque eles estão bem aqui. Nem verdadeiros nem falsos, nem bons nem ruins: microacontecimentos psíquicos, bolhas na superfície da consciência. Se os olharmos assim, mesmo sem nos darmos conta eles perdem seu poder e deixam de ser nocivos. Não julgar seus próprios pensamentos, assim como não julgar ao próximo. Tomá-los pelo que são, vê-los como eles são. Sim, essa é uma terceira e talvez a definição mais precisa da meditação: ver os pensamentos como eles são. Ver as coisas como elas são.

AS COISAS COMO ELAS SÃO

Ver as coisas como elas são: é isso que quer dizer Vipassana. E *As coisas como elas são* é o título do livro do meu amigo Hervé Clerc sobre o budismo. Já tracei um perfil de Hervé em *O reino* e, como preciso lutar contra a minha tendência pretensiosa de imaginar que meu leitor leu e recorda meus livros anteriores, vou fazê-lo de novo, mas de um jeito um pouco diferente, começando por citar Pitágoras, que coloca a seguinte questão: "Por que o homem existe sobre a terra?". Resposta: "Para contemplar o céu". Para contemplar o céu? Se isso é verdade, a maioria dos homens não sabe. A maioria pensa que existe sobre a terra para encontrar o amor, ficar rico, exercer algum poder, gerar picos de crescimento ou deixar sua marca nas areias do tempo. São raras as pessoas que sabem que existem para contemplar o céu. Se você não está nesse grupo, é uma sorte conhecer alguém que esteja. Isso amplia o horizonte. Eu tenho essa sorte: conheço Hervé, homem pacato, lacônico, absorto, que vive como se pudesse morrer a qualquer momento e tem sempre medo de acumular demais. Como Diógenes, pensa que é melhor beber fazendo uma concha com a própria mão do que usando uma cumbuca. Quando está viajando, ele arranca e joga fora as páginas dos livros assim que as lê, para ficar mais leve. Jornalista na Agence France Presse, morou na Espanha, na Holanda, no Paquistão, tendo o cuidado de não fazer carreira e continuar, como ele diz, abaixo do alcance do radar. Hoje ele se divide entre Nice e um vilarejo do Valais, Le Levron, onde tem um aposento em um chalé a partir do qual se descortinam dois vales de uma só vez. É um panorama de rara beleza, diante do qual ele meditou bastante e escreveu três livros que exploram aquilo que os místicos falaram sobre a Realidade última, há tempos designada com o codinome que mais nos convém: Deus. Há trinta anos, Hervé e eu nos encontramos no Levron para caminhar pelas trilhas da montanha, conversar um pouco e ficar muito tempo calados. Tem uma piada do Valais que adoro: três camponeses estão sentados em um banco e veem uma vaca passar. "É a vaca do Pierrot", diz o primeiro. Passam-se quinze minutos, o segundo diz: "Não, é a vaca do Fernand". Mais quinze minutos e o terceiro se levanta e vai embora, dizendo: "Cansei dessas brigas de vocês". São assim as nossas conversas, à exceção das brigas. Nós não brigamos, nossa amizade, que é uma dádiva na minha vida e, eu acho, na dele, não conheceu nem tempestades nem eclipses, e sim se nutre das nossas profundas diferenças e mesmo de certa discordância. Hervé acredita que nós existimos sobre a terra não apenas para contemplar o céu, mas para encontrar uma saída desse cativeiro que é a vida terrestre. Ele acredita que alguns exploradores encontraram a saída e mostram o caminho. Esses exploradores se chamam Platão, Buda, Mestre Eckhart, Teresa D'Ávila e Patanjali, de quem falarei em breve, e nada é mais urgente ou necessário do que ler os relatos deles, estudar os mapas que eles traçaram para que na nossa vez seguíssemos o caminho. Em palavras indianas, pois nenhuma civilização meditou sobre isso com mais profundidade e precisão do que a da Índia: a única tarefa a que um homem dotado de bom senso deve se dedicar é tentar sair do samsara, essa roda de mutações e sofrimentos que chamamos de condição humana, para alcançar o nirvana, que é a vida enfim real, liberta da ilusão, onde se veem as coisas como elas são. É isso a ioga, diz Hervé. Enfim: isso é a ioga para quem a leva a sério, não para quem a toma por ginástica.

COLINA

Não refuto isso, raramente refuto quem quer que seja, mas também não tenho tanta certeza de que existe uma saída, nem de que o único objetivo da vida é procurá-la, nem de que essa é a única razão para se fazer ioga. Eu oscilo, é o meu jeito de ser. Num dia eu acredito, no outro não mais. Não sei o que é verdadeiro nem se existe uma verdade. E mesmo que me encaminhe em direção à montanha, não acredito que vou chegar ao topo dela. Nunca serei um desses alpinistas do espírito, que chamamos de místicos, e tudo bem, porque entre a neve eterna e o fundo do vale onde também não quero apodrecer existe um caminho do meio. Existe aquilo que se chama, às vezes com desdém, de colina. Eu sou um meditador de colina. Adoro praticar caminhada, na colina, como uma meditação, tentando conciliar o passo, a respiração, as sensações, as percepções e os pensamentos, e é isso que também me leva, toda manhã ou quase, a me sentar de pernas cruzadas no zafu. Simplesmente adoro isso. Nesse lugar, me sinto no meu lugar. Durante essa meia hora, me sinto bem e sei, pela experiência, que esse bem-estar vai se espargir pelo resto do dia. Que ele vai me tornar um pouco mais presente, um pouco mais atento àqueles que me rodeiam. Há pessoas que, ao meditar, viveram experiências. Coisas fortes, que as transportaram para fora de si mesmas ou para uma região de cuja existência não desconfiavam. Talvez existam até pessoas que foram teletransportadas, como meu colega de Tiruvannamalai esperava fazer. Eu, não. Já me aconteceu de sentir uma paz, de instaurar uma relação mais tranquila comigo mesmo e com os outros, mas nunca nada de extraordinário, nunca ser transportado, nunca nada da ordem da interrupção dos pensamentos, da experiência do vazio, da iluminação ou seu pressentimento, da luz no fim do túnel. Bom, na verdade, aconteceu uma vez, sim, no hotel Corvanin, de Genebra: devo falar disso no momento apropriado, que não sei absolutamente quando será, no movimento tateante deste relato. Enquanto isso, colina: estou bastante satisfeito com isso.

O QUE SE ESPERA

Mas então, se estou bastante satisfeito com isso, se essa prática tranquila e rotineira me basta, por que me inscrever nessa versão "tropa de elite" da meditação? Para voltar a uma daquelas quatro perguntas que fizeram — simples e pertinentes: o que eu espero da sessão? Respondi: um impulso, um empurrãozinho que me dará o estímulo para retomar a prática abandonada há alguns meses. Poderia ter acrescentado, se precisasse me estender, que no outono anterior eu tinha publicado um livro, *O reino*, que havia feito sucesso, e que vivi um período de exibicionismo, ostentação, ocupação incessante, em que teria sido ainda mais proveitoso meditar toda manhã, mas não consegui e me conformei com isso. A meditação, quarta definição, consiste em examinar quem se é de verdade, esse magma que chamamos de identidade, e quem eu era de verdade naquele momento não tinha cabeça para meditar, é isso. Uma vez finda toda a agitação, portanto, a ideia é retomar os bons hábitos. Por meio desse treinamento intensivo, me pôr de volta num bom caminho. É isso, esse é o motivo confessável. Mas estou enrolando e preciso mesmo falar de outro, que é mais inconfessável: estou aqui para escrever um livro.

A QUARTA CAPA

Como já falei algumas vezes nos meus livros, en passant, de ioga e meditação, um jornalista veio me entrevistar sobre esses assuntos da moda. Duas coisas me surpreenderam: antes de tudo, o prazer que senti ao falar sobre isso, e depois a ignorância desse rapaz, por outro lado curioso e culto. Ele ficou boquiaberto com o fato de a ioga não ser apenas um tipo de aeróbica e a meditação uma curiosidade esotérica. E quando, carregado pela minha animação, cheguei ao tai chi e às versões chinesas dessas práticas indianas, ele se pôs a escrever no seu caderno as palavras "yin" e "yang" com um entusiasmo espantado, como se eu estivesse decifrando diante dele os caracteres cuneiformes. O mais surpreendente é que eu já tinha observado essa mesma ignorância em muitos praticantes de ioga, e pensei que seria uma tarefa tanto útil quanto agradável escrever, em um tom de conversa pessoal, um livrinho sem pretensão, um livrinho simpático e perspicaz para esclarecer tudo isso a partir da minha própria experiência — experiência de aprendiz, é óbvio, e não a palavra de um mestre. Até cheguei a escrever aquilo que se chama de quarta capa, isto é, o texto que vai na parte de trás do livro. É bem esquisito copiá-lo aqui, por este livro ter se distanciado tanto do que eu imaginava. Ei-lo:

> O que eu chamo de ioga não é apenas a ginástica salutar que tantos de nós praticamos, mas um conjunto de disciplinas que visam à ampliação e à unificação da consciência. A ioga diz que nós somos outra coisa além do nosso pequeno eu confuso, fragmentado, amedrontado, e que nós podemos acessar essa outra coisa. Trata-se de um caminho, outros o tomaram antes de nós e o indicam. Se o que eles dizem é verdade, vale a pena irmos até lá e conferirmos nós mesmos.

Tarefa agradável, sim, tarefa útil. E além disso, eu pensava no meu ávido foro íntimo, uma multidão de pessoas pratica ioga hoje em dia, uma multidão de pessoas vai gostar de saber mais o que estão fazendo quando praticam ioga: este livro pode estourar.

A PALESTRA DE BOAS-VINDAS

Antes que ficássemos em silêncio por dez dias, houve uma palestra de boas-vindas, que tratou das resoluções com que nos comprometemos ao embarcar na sessão. Quem faz essa palestra é o rapaz simpático. Sem qualquer solenidade, sem pretender assumir a autoridade de um mestre. Ele e os dois homens ao redor dele são apenas praticantes que, depois de terem feito uma, duas ou três sessões como nós, escolheram voltar como servidores. Eles também meditam, claro, todo mundo está aqui para isso, mas em vez de descansar entre as sessões eles trabalham voluntariamente na cozinha, na faxina, em diversos afazeres de gestão, em suma, eles fazem a casa funcionar. Isso é o que se chama carma ioga, a ioga da ação ou do serviço: uma maneira humilde e eficaz de retribuir o benefício que se recebe. "Talvez isso os surpreenda", diz o rapaz simpático, "mas, a crer nas estatísticas, e considerando que temos algum distanciamento para fazer a análise, dados os vinte anos desde o estabelecimento do Vipassana na França, um quarto de vocês voltará aqui como servidores. Essa breve palestra que endereço agora a vocês será endereçada por vocês aos novos alunos daqui a não muito tempo." Em seguida, lembrou os diferentes compromissos que assumíamos: não sair dos limites do centro e, dentro dos limites do centro, o que inclui um pedaço de floresta, nos mantermos nos caminhos delimitados; respeitar a separação entre a parte reservada aos homens e a reservada às mulheres; respeitar o silêncio; não se comunicar com o exterior ou entre nós, nem mesmo não verbalmente; evitar, tanto quanto possível, a troca de olhares; em caso de algum problema, abrir-se com o professor e apenas com ele; por último, e esse ponto é essencial, permanecer até o final.

"Ainda dá tempo de ir embora", diz o rapaz simpático, e o rosto sorridente dele se torna grave. "Se você estiver em dúvida, se não tem certeza de que pode respeitar esses compromissos, pedimos que vá embora agora. Ninguém vai julgá-lo. Você não prejudica nem aos outros, nem a si mesmo. Você pode voltar quando considerar que está pronto. Ir embora agora não é ser fraco, pelo contrário. É bom. É a prova de que você avalia a situação com honestidade, é uma atitude honesta. Por outro lado, se por uma razão ou outra você decidir ir embora no meio, você vai incomodar os outros e, principalmente, colocar a si mesmo em perigo. É bastante sério o que acontece ao longo de uma sessão Vipassana. Nós trabalhamos com energias psíquicas muito poderosas, e isso pode criar perturbações enormes. Você talvez sofra durante os próximos dez dias. Vai se sentir desorientado, perdido, vai chorar e ter medo, vai pensar que foi um erro ter vindo, é possível, inúmeras reações são possíveis, não se pode prevê-las. Se algo der errado, os professores estão aqui para ajudá-lo. Mas você deve permanecer fiel ao voto que faz esta noite: o que quer que aconteça, você vai ficar até o fim. Então pense nisso, por favor. E depois de pensar, vá embora se achar que deve ir, mas se decidir ficar, então fique."

Segue-se então um instante de silêncio, mais longo do que o que se costuma ver depois da pergunta-padrão sobre se alguém tem algo contra um casamento. Ninguém pergunta: mas se eu quiser mesmo ir embora, neste minuto, eu posso ir? Vocês não vão me impedir? A resposta seria, sem dúvida: o problema não é se alguém vai ou não impedi-lo; você *não deve* ir. Como nesses países dos Bálcãs em que os políticos são alvo de atentados sem fim e votou-se uma lei que diz: "Atirar no ministro da Fazenda, quinze anos de prisão. Atirar no ministro do Interior, vinte anos. Atirar no chanceler-mor, dez anos. *É proibido atirar no primeiro-ministro*".

Ninguém se levanta. Ninguém vai embora. Eu não faço ideia de que, quatro dias depois, serei eu o primeiro a ir.

JOGAR O JOGO

O Nobre Silêncio começou. Em carrinhos de metal os servidores trazem grandes tigelas de arroz e legumes cozidos, que podemos temperar com soja, levedura de cerveja ou gomásio. Cada um pega uma cumbuca ou um prato de uma pilha e não o lava depois de usar, contentando--se em colocá-lo dentro de uma bacia de louça suja que os servidores levarão embora. Restrições materiais reduzidas ao mínimo, não há nada, absolutamente nada a fazer além de ficar calado e direcionar o olhar para dentro de si. O dos companheiros, evita-se. Olha-se para o prato, come-se muito devagar, mastigando por bastante tempo — prática pela qual se podem identificar os control freaks alimentares e à qual há anos tento me converter, sem muito sucesso. Quando acaba a refeição, hora de ir deitar. De olhos baixos, cada um ganha seu bangalô ou dormitório. Às oito horas da noite, estou deitado na minha cama sem nenhum livro para ler, nada para fazer e nenhuma vontade de dormir, é claro. Olho para o bloco de noite emoldurado pela bandeira de vidro à minha frente. Olho para a estatueta dos gêmeos, que postei na estante vazia como se em um pequeno altar. O que eu queria fazer, na realidade, era transcrever o mais fielmente possível a palestra do rapaz simpático e minhas impressões da noite. Eu estava certo em jogar o jogo? Em não ocultar na minha mochila um caderno de anotações? Sim: isso teria sido transformar a experiência em reportagem. Ao mesmo tempo, seria ridículo mentir para mim mesmo: o que estou fazendo aqui é, *sim*, uma reportagem. Ou melhor: é *também* uma reportagem. Estou numa encruzilhada. Vim atrás do material para o meu livro, e tomar notas ou não nada muda, pois aquilo que merece ser lembrado, na minha opinião, será lembrado. A questão, na verdade, não é bem essa. A questão, que não é a primeira vez que me coloco, é saber se existe contradição ou até incompatibilidade entre a prática da meditação e o meu trabalho, que é escrever. Durante os próximos dez dias, vou assistir aos meus pensamentos desfilarem sem me apegar a eles ou, ao contrário, vou tentar fixá-los — justamente o que não deveria fazer, exatamente o contrário da meditação? Será que vou tomar notas mentais constantemente? Durante esses dez dias, o meditador vai observar o escritor ou o escritor vai observar o meditador? É uma grande questão, que me atormenta e com a qual adormeço.

PROFUNDIDADE ESTRATÉGICA

Prevendo como seria a vida sem telefone, comprei em uma vendinha indiana na Rue du Faubourg-Saint-Denis um relógio grande com despertador — o modelo mais primitivo e barato, aquele que faz tique-taque. Ajustei para despertar às quatro e quinze, mas às quatro e quinze eu já tinha acordado fazia tempo, na verdade eu mal tinha dormido. Quando acordava no meio da noite, não importava a que horas, Charles de Foucauld tinha por princípio se levantar e considerar o dia começado — maneira radical de tratar a insônia. Tento fazer como ele, mas nunca tenho coragem. Em Paris, saio da cama antes do amanhecer e, sem acender a luz, sem fazer barulho, vou para meu escritório. Adoro ser o único desperto na casa adormecida, principalmente no inverno, quando ainda está escuro e o aquecedor entorpece um pouco, para me sentar no zafu e observar minha respiração e o que passa pela minha cabeça. Essa câmara entre o sono e a vigília dura cerca de meia hora, no fim da qual o corpo pede para se mexer. Movimentos sutis de início, que pouco a pouco ganham amplitude e imperceptivelmente se transformam em *ásanas*, como se chamam as posturas de ioga. Já fiz muitas aulas antigamente, hoje em dia pratico sozinho, cedo e de acordo com a minha vontade. Faço as posturas que me agradam, da maneira que prefiro, uma levando a outra e se transformando em ainda outra naturalmente. Nos dias bons, ao fazer isso nos sentimos como um animal que se alonga. Nos menos bons, nos refugiamos na rotina, nos padrões, nas preferências — é melhor que nada. Há, segundo o humor, dias estáticos e dias dinâmicos, dias de pé e dias sentado. A vantagem de fazer aula é ser corrigido, a vantagem de praticar sozinho é aprender a se corrigir por si mesmo e escutar o que o corpo está dizendo. O corpo tem trezentas articulações. A circulação sanguínea mobiliza noventa e seis mil quilômetros de artérias, veias e vasos sanguíneos. Existem dezesseis mil quilômetros de nervos. A superfície dos pulmões, se esticada, equivale à de um campo de futebol. Pouco a pouco a ioga o leva a descobrir tudo isso. A preenchê-lo de consciência, de energia, de consciência da energia. Ninguém faz ideia disso quando se inscreve em uma aula pela primeira vez. Espera-se melhorar a saúde e ficar mais calmo. Espera-se ganhar um pouco de profundidade estratégica — é assim que os militares chamam a zona de recuo possível em caso de ataque às fronteiras: a Alemanha, que está encravada no meio do continente, tem pouca profundidade, já a Rússia tem um monte, algo que explica em parte a questão da Segunda Guerra Mundial e que pode ser transposto para o plano individual. Diante das agressões externas, cada um tem uma capacidade maior ou menor de resposta, mais ou menos profundidade estratégica. Saúde, tranquilidade, profundidade estratégica, obtém-se tudo isso praticando ioga, mas esses benefícios são apenas repercussões, efeitos colaterais. Sem necessariamente saber disso e mesmo se, como eu, você opta pelo caminho fácil, na colina, ainda assim está avançando em direção a outra coisa.

O GONGO

Nem ioga nem meditação nesta noite: fico na cama, encolhido em posição fetal, um pouco angustiado, esperando o despertador tocar. Ele toca, eu o desligo. Com os olhos fixos no mostrador, observo o ponteiro dos segundos, que avança aos solavancos: tornou-se raro observar um mecanismo antigo, que não funciona digitalmente. 4h20: me permito mais cinco minutos. Mas, antes de esses cinco minutos chegarem ao fim, um som irrompe da noite, extraordinariamente grave, extraordinariamente cheio, extraordinariamente profundo. Parece que uma pedra muito pesada caiu nas águas pesadas de um lago escuro e lentamente desenha círculos nele. Parece que esses círculos nunca mais vão parar de se expandir, que suas vibrações vão continuar para sempre. Elas me hipnotizam. Tenho a impressão de que vão me cobrir, elas nunca mais vão parar de me cobrir. Depois começam a refluir. Não dá para saber exatamente em qual momento esse refluxo começou, é como quando uma inspiração chega ao seu limite e se transforma em expiração. Pouco a pouco o som se ameniza, mas ao se amenizar ele ganha ainda mais gravidade, mais profundidade. Em algumas aulas de ioga, começa-se pelo canto do "Om", que é o som primordial do hinduísmo, um mantra reduzido à sua expressão mais simples. Por muito tempo isso me aborreceu, como se me pedissem para cantar cânticos, mas reconheço que deixar todo o seu corpo ser atravessado pela vibração desse som tem um efeito poderoso. A vibração do gongo é o equivalente instrumental disso, e percebo que ele acabou de tocar apenas pela segunda vez, que o lago sonoro no qual me banho há quase um minuto não passava do vestígio de um só golpe da baqueta. Então me levanto, me visto às pressas, abro a cortina que cobre a janela. Postes com globos de vidro branco margeiam o caminho que singra o jardim. Debaixo da chuva, silhuetas saem dos bangalôs e caminham lentamente em direção ao galpão. É como se estivéssemos em um filme de zumbis.

O GALPÃO

O chão está preto, enlameado, fico feliz por ter trazido sapatos bons. Todos nós usamos gorros, casacos impermeáveis: aquilo poderia lembrar o clima da partida, antes do amanhecer, de um refúgio de montanha, a não ser pelo fato de que em um refúgio de montanha as pessoas bebem chá ou café em garrafinhas térmicas, comem barras de cereal e principalmente olham umas para as outras, trocam palavras, fazem expressões engraçadas para mostrar como foi difícil se desentranhar do saco de dormir. Aqui, não. Ninguém se olha. Olha-se para o chão, ou em direção ao céu, que está tão escuro quanto o chão, sem estrelas. Depois de um terceiro golpe, o gongo parou. Na entrada do galpão, o rapaz simpático começa a chamar nossos nomes: cada um tem um lugar numerado na sala e vai permanecer nesse mesmo lugar durante toda a sessão. Quando seu nome é chamado, você entra no vestiário, onde guarda o casaco e os sapatos e pega nas prateleiras almofadas e cobertores, com os quais entra na sala. É um galpão muito grande, dividido em duas metades por um tramo de três ou quatro metros. À esquerda, nós, os homens; à direita, as mulheres, que entram por uma porta oposta. Em cada espaço, almofadas planas, quadradas, de cerca de oitenta centímetros. Contei essas almofadas assim: seis em cada fileira, dez fileiras, vezes dois, o que significa que somos cento e vinte. Essas almofadas de base são todas azuis, assim como os zafus que cada um vai empilhar de acordo com a exigência dos seus joelhos para a postura ficar reta, mas os cobertores em que os homens se enrolam são azuis e os das mulheres, brancos. Eles são quentes, macios, é um prazer se embrulhar neles — mas poderíamos muito bem prescindir deles porque o galpão, como meu quarto, é perfeitamente aquecido. No fundo, na frente de cada grupo, há um tablado em que, sentados de pernas cruzadas, estão postados um homem embrulhado num cobertor azul, diante dos homens, e uma mulher enrolada em um cobertor branco, diante das mulheres. O homem é magro, pomo de adão saliente, rosto calmo. A mulher tem cabelos curtos brancos, mas só pude observá-la bem de longe, inclusive porque meu lugar fica no lado contrário na seção dos homens. De resto, perco bem rápido qualquer interesse pela seção das mulheres. Um após o outro meus vizinhos conquistam o espaço delimitado por suas almofadas quadradas, que têm o mesmo papel que o tapete nas aulas de ioga: todos os movimentos devem se desenrolar dentro desse espaço, sem nunca ultrapassar seu limite, sem se apossar do espaço do outro. Há algo de muito atraente nessa ideia de que é possível se contentar com um perímetro de cento e oitenta por cinquenta centímetros. Você pode pensar que, estando na prisão, bastaria esticar um tapete de ioga para determinar, no espaço sufocante de uma cela, uma forma de liberdade. Um dos meus vizinhos agarra suas nádegas com as mãos abertas e as separa para melhor distribuir seu períneo pela almofada — gesto que pode parecer um despautério beirando a profanação, mas pelo qual se reconhece sem qualquer dúvida um praticante de Iyengar ioga. Ele faz isso sem cerimônia e eu faço também, indicando minha escola antes de entrar na postura.

A POSTURA

Falei que meditar era simples, que se resumia a permanecer sentado por um tempo, imóvel e em silêncio. Preciso agora acrescentar que há muitos jeitos de se sentar: do jeito clássico, de pernas cruzadas, em meia-lótus, em lótus, na posição seiza, do jeito japonês ou sentado em uma cadeira se você não é tão flexível... Todas são boas se oferecem um mínimo de conforto e permitem se manter ereto, se preciso com a ajuda de almofadas. O mais ereto possível. Esticar a coluna vertebral para o alto, como se quisesse empurrar o teto com o topo do crânio. Ao mesmo tempo, se enraizar: fazer com que a bacia, de onde a coluna irrompe, seja por sua vez atraída na direção do chão. A parte de cima da coluna empurra em direção ao céu, a parte de baixo puxa em direção ao chão. Esticada assim, a coluna se arqueia de leve, se alonga, o espaço entre as vértebras se expande. Acompanhamos o percurso dela do sacro ao osso occipital. Observamos suas curvaturas. Observamos o que acontece se tentamos invertê-las: se projetamos os segmentos côncavos, se recolhemos os segmentos convexos. Quando me alongo assim, sinto e ouço uma das minhas vértebras estalar. É um barulho agradável, a sensação que o acompanha também é agradável, encorajadora. Não há a menor dúvida de que faz bem. Manter a coluna assim é um trabalho de período integral. Mas, ao mesmo tempo que nos entregamos a esse trabalho de período integral, também precisamos nos entregar a um outro, que consiste em relaxar: o rosto, os ombros, a barriga, as mãos, tudo que pode ser relaxado, e isso é muita coisa — na realidade, não acaba nunca. Quando começamos a fazer um inventário de tudo que está tenso, percebemos que isso também é um trabalho de período integral. Esticar a coluna vertebral tanto quanto possível, relaxar tanto quanto possível todo o resto — então são dois trabalhos de período integral para realizar ao mesmo tempo. Bom, no início, *quase* ao mesmo tempo, digamos que lado a lado, como ao conduzir dois cavalos atrelados juntos que querem ir cada um para uma direção. É o sentido original da palavra "ioga": o fato de atrelar juntos, sob um jugo, dois cavalos ou dois búfalos. Passa-se de um ao outro, do outro ao um. Se tentamos prestar atenção ao que estamos fazendo, ter um pouquinho de consciência que seja, que é o objetivo da coisa toda, não dá tempo de sentir tédio. Quanto mais exigente a postura se torna, mais se toma gosto por ela. Adoramos fazê-la a cada dia, retomá-la com hora marcada. Nós a mantemos cada vez por mais tempo. Sentimos quando ela começa a ceder. Então a corrigimos, a aperfeiçoamos, nos tornamos mais conscientes dos equilíbrios que a compõem. Em alguns dias é um prazer, em outros é insuportável. Nada funciona. O corpo todo reclama, resiste à imobilidade, não percebe mais sequer um dos seus equilíbrios tensos, delicados, que é tão prazeroso observar. O melhor que se poderia fazer, então, seria prestar atenção nessa rebelião, nessa inapetência, nessa repulsa. Se prestarmos atenção nelas, elas farão parte da meditação. Mas o que mais acontece quando sentimos isso é que, em vez de prestar atenção, nós nos apressamos em pôr fim nelas. Nos levantamos, vamos checar os e-mails. Tudo bem.

O REGULAMENTO DAS ATIVIDADES PRÁTICAS

Todo mundo está em silêncio menos meu vizinho da direita, que vem se sentar depois de mim e faz um escarcéu. Pigarros, barulhinhos com a boca, respiração muito pesada — e, no que diz respeito à respiração, tenho a impressão de que ele respira assim de propósito, que pensa que é como se deve respirar e não está nem aí por ser o único que respira assim. Dez dias ao lado desse sujeito é como dividir um dormitório com alguém que ronca ou cheira mal: não sei como vou suportar. Abro os olhos furtivamente, dou uma espiada à minha direita e não me surpreendo ao reconhecer o homenzinho de casaco de jacquard e barbicha que já tinha me irritado, no passado longínquo em que ainda falávamos, com seu discurso sobre o desapego. Desapegar, viver no momento presente: conheço esse bordão, e mesmo que a ideia me pareça legítima percebi que ela é constantemente defendida, como os discursos libertários, por obsessivos aterrorizantes. Percebi também que o sujeito, desejando tanto nos oferecer sua serenidade como exemplo, realizava toda ação, qualquer uma — fosse pegar uma cumbuca ou colocar a levedura de cerveja na sopa —, com o dobro de gestos que teriam sido suficientes. Desde ontem à noite ele me lembra alguém e então, de repente, descubro quem: o sr. Ribotton, meu professor de ciências naturais do oitavo ano. Os professores maravilhosos, inspiradores, existem, mas são raros, é sorte grande encontrar ao menos um ao longo dos anos de escola. Mas nós também deparamos com os loucos, e a loucura do sr. Ribotton se exprimia de uma maneira bem particular. O ensino de ciências naturais envolve atividades práticas, que consistem especificamente na dissecação de rãs. Para nos preparar, o sr. Ribotton tinha concebido um "regulamento das atividades práticas", que apresentou já no primeiro dia de aula para superestimar sua importância e que, a partir do segundo, começou a ditar para nós. Esse regulamento era tão detalhado, tão copioso, antecipava tantas situações que poderiam ocorrer nas atividades práticas, que o ditado se estendeu ao longo de todo o sétimo, o oitavo e o nono ano, e a primeira avaliação escrita do trimestre tratava não do programa, mas do regulamento das atividades práticas. Nossas respostas decepcionaram o sr. Ribotton: nós não havíamos entendido direito, não havíamos assimilado bem o regulamento das atividades práticas. Foi necessário revisá-lo, aprofundá-lo, completá-lo. Ditá-lo de novo, copiá-lo mais uma vez. Nossos cadernos engrossavam no mesmo ritmo que o regulamento das atividades práticas, que cada vez mais se assemelhava a esses contratos onde se declara, antes de assinar, que estamos cientes de tudo mesmo que eles contenham mil páginas e ninguém nunca os tenha lido. Passamos o ano inteiro assim, copiando esse regulamento das atividades práticas em perpétua expansão, estudando-o, sendo avaliados a seu respeito, sem nunca realizar sequer uma sessão das atividades práticas tão rigorosamente regulamentadas. O sr. Ribotton deve ter morrido há bastante tempo, mas sinto que estou com sua reencarnação ao meu lado e penso que não vai ser bolinho meditar por dez dias ao lado do sr. Ribotton, exposto à sua respiração barulhenta e às suas vibrações maníacas. Mal pensei isso e imediatamente pensei outra coisa, que minha companhia não é exatamente bolinho e o espírito da meditação é justamente considerar benéfica a presença do sr. Ribotton ao meu lado: não um motivo de aborrecimento ou ironia cheia de desdém, mas uma oportunidade para a boa vontade e a equanimidade. Pois uma outra definição da meditação, acredito estarmos na quinta, é aceitar os obstáculos da vida em vez de fugir deles. É atravessar os obstáculos, trabalhar com eles assim como com a respiração. É também, sexta definição, aprender a não julgar, ou de todo modo julgar menos, um pouco menos. É abdicar dessa posição de quem olha de cima, que é ao mesmo tempo um defeito moral e um erro filosófico. Como diz um sutra budista de que gosto tanto a ponto de tê-lo citado duas vezes nos meus livros: "O homem que se julga superior, inferior *ou igual* a outro homem não compreende a realidade".

A VOZ

Agora estamos todos sentados. Nossa espera coletiva flutua no ar, perceptível. Cada período de meditação dura duas horas, e me pergunto, curioso, como vou passar duas horas imóvel. Meu limite, na vida normal, são vinte minutos, meia hora. Espero que o homem ou a mulher no tablado tome a palavra e, ao menos no início, nos guie. Me esforcei para escutar o que o rapaz simpático disse na noite de ontem, me esforcei para prometer a mim mesmo que deixaria meu senso crítico no vestiário por dez dias, tenho medo de ouvir uma dessas vozes místicas e complacentes que me exasperam, vozes de párocos de todas as obediências, e os párocos new age são os piores. Independentemente das minhas resoluções — "o homem que se crê superior ou inferior" etc. —, sei que isso não vou aguentar. Mas o que de repente surge do silêncio é uma voz retumbante, cavernosa, uma voz proveniente do fundo das eras ou dos oceanos, que muito lentamente se põe a salmodiar alguma coisa que deve ser uma reza ou uma invocação, suponho que em sânscrito — na verdade em páli, descobrirei depois. Entendo que é uma gravação e que essa voz cavernosa deve ser a do falecido S. N. Goenka, o velho mestre birmanês que está para o método Vipassana como B. K. S. Iyengar está para o método de ioga que leva seu nome. A invocação dura muito, muito tempo. Então, depois de um silêncio também longo, o mestre começa a falar em inglês, em um inglês da Índia, aquele de Peter Sellers em *Um convidado bem trapalhão*, e o que ele diz é traduzido para o francês simultaneamente por uma voz também gravada — uma voz de homem, clara, de belo timbre, nada contra essa voz, eu imediatamente a aceito.

Inhale, exhale, diz a voz de S. N. Goenka.

Inspire, expire, traduz o intérprete.

Sinta o ar que entra nas narinas, o ar que sai das narinas.

Respire tranquilamente, sem tentar controlar a sua respiração.

Inspiração, expiração: deixe o ciclo se completar naturalmente.

Não tente controlar. Não tente conduzir.

Apenas observe.

Observe o que acontece. Observe as sensações.

As sensações no interior das suas narinas.

Talvez no início você pense que não está experimentando nenhuma sensação no interior das narinas, mas as sensações existem o tempo todo em cada milímetro do seu corpo. Na superfície da sua pele, no interior do seu corpo.

Nas regiões pelas quais o interior e o exterior do seu corpo se comunicam.

Você está experimentando uma sensação de calor no interior das narinas? Uma sensação de frescor? Você sente vontade de coçar o nariz? Vontade de assoar o nariz?

Não ceda a essas vontades. Observe-as.

Considere essas vontades como sensações. Há sensações agradáveis e sensações desagradáveis. A vontade de se coçar é uma sensação desagradável. Observe o incômodo que ela provoca. Não tente mudar nada. Essa sensação desagradável é a realidade do momento, você está aqui para observá-la. Somente observá-la.

Talvez depois de um momento você não acompanhe mais a sua respiração. Talvez não esteja mais atento a suas sensações.

Retorne a elas. Retorne às sensações delicadamente. Com delicadeza, com diligência, com perseverança.

Traga seu espírito de volta para sua respiração, para o interior das suas narinas.

Traga seu espírito de volta para o presente.

O presente é a sua respiração.

Inhale, exhale.

O BARDO

Segundo a tradição tibetana, os dias que se seguem à morte são muito mais cruciais do que aqueles que a precedem. Quem acaba de morrer penetra em um território intermediário, tenebroso, um labirinto psíquico cuja saída pode ser tanto a libertação do samsara, também conhecido pelo nome de "condição terrestre", quanto uma nova encarnação, mais ou menos positiva, quanto simplesmente o inferno. Essa *twilight zone* que cada um deve atravessar quando morre se chama Bardo. Os budistas tibetanos a mapearam com extrema precisão: rotatórias enganadoras, deslizamento de terra, matilhas de cães selvagens, caminhos que não levam a lugar algum, luz no fim do túnel... Esse guia do Bardo, que se chama *Bardo Thodöl*, o *Livro tibetano dos mortos*, era lido no ouvido do defunto durante os três dias depois de sua morte para acompanhá-lo em sua viagem. Imagino S. N. Goenka cumprindo esse ritual. Tenho a impressão de que, se eu tivesse acabado de morrer, meu corpo deitado no caixão, minha alma errando pelo Bardo, seria reconfortante escutar no meu ouvido, em uma língua incompreensível mas tão velha quanto a humanidade, o murmúrio dessa voz cavernosa, pacífica, absorta, maravilhosamente regular, e começo a me acostumar com o ritmo dela como alguém se acostuma com a música indiana. Em vez de segui-la como uma melodia que se desenvolve linearmente, mais ou menos rápido ou devagar, esses pedaços estendidos ao infinito que se chamam ragas nos submergem em uma imobilidade que se irradia em todos os sentidos, de modo que nunca sabemos em qual estamos, de modo que estamos ao mesmo tempo e sempre no centro. O intervalo entre as frases de S. N. Goenka se tornou tão grande que pensamos que cada uma delas com certeza é a última, e depois, como não era a última, que S. N. Goenka ou o avatar dele vai continuar a nos conduzir até a saída do samsara. Embalado pela voz de S. N. Goenka, nos sentimos em segurança, prontos para nos aventurarmos no Bardo ou nas profundezas de nós mesmos, que são provavelmente a mesma coisa. Encantados pela voz de S. N. Goenka, os macaquinhos que saltam sem cessar de galho em galho e que, no imaginário budista, representam a agitação e a dispersão mental, se acalmam e vêm docilmente se sentar aos nossos pés. E então chega o momento em que S. N. Goenka e o tradutor dele se calam em definitivo. É preciso aceitar que a última frase era mesmo a última e que fomos entregues a nós mesmos.

PRESTAR ATENÇÃO

Sétima definição da meditação: prestar atenção. Simone Weil dizia que estudar serve para isso: não para aprender as coisas, todo mundo sabe bem disso, mas para aguçar a faculdade da atenção. O Oriente sabe disso há mais tempo que o Ocidente. O Oriente desenvolveu técnicas, identificou pontos em que se apoiar. Todo mundo pode se servir dessa provisão. Alguns repetem um mantra em silêncio. Outros preferem meditar sobre um koan zen, essas frases enigmáticas e iluminadas que um mestre oferece para seu discípulo ruminar durante anos: "Como era seu rosto antes que você tivesse um rosto? Antes que seus pais o concebessem? Qual o som de uma só mão batendo palmas?". À medida que se desgastam, essas questões supostamente provocam um tipo de curto-circuito mental: em determinado momento os fusíveis queimam, o pensamento discursivo se apaga, é o satori — o nome japonês para a iluminação. Também pode-se olhar fixamente para a chama de uma vela, seguir seus movimentos mais ínfimos, conectar seu cérebro com a chama até se tornar a chama. A pessoa senta-se diante de um objeto, qualquer um, digamos que os meus pequenos gêmeos, e olha para ele. Olha com o máximo de atenção possível e depois fecha os olhos e tenta visualizá-lo. Procura reconstituir, debaixo das pálpebras, tão precisamente quanto for possível, o contorno dele, que alguns instantes antes viajava pelo nervo óptico dos olhos abertos até o cérebro. Forma então essa imagem mental, depois de um tempo abre os olhos, retorna à imagem real, impressa pela retina, fica impregnada dela o melhor que pode para depois fechar os olhos novamente, deixando a imagem mental ainda mais precisa, aprofundando-a. Descobre que no interior das pálpebras, assim como no relevo simples de uma escultura pequena, existe o infinito. Todas essas técnicas têm seu valor, existe uma para cada tipo de temperamento. A mais difundida, a mais universal, concentra a atenção na respiração. Foi seguindo o fio de sua respiração que Buda entendeu "o mundo, a aparência do mundo, o fim do mundo e o caminho que conduz ao fim do mundo", ou, dito de outro modo, que atingiu o nirvana. De todos os fenômenos físicos, a respiração é o mais acessível à consciência. Tente fazer isso com a digestão ou a circulação do sangue: não digo que elas não possam também ser apoios para a meditação, inclusive tenho certeza de que podem, digo apenas que isso não está ao alcance de iniciantes como você e eu. A respiração está sempre à mão, uma vez que nunca se para de respirar. Podemos aprender a conduzi-la. Ao praticar o tai chi e depois a ioga, aprendi de maneira bem rústica alguns fragmentos de técnicas muito delicadas: pequena circulação, pranayama. Mas não é isso que nos pedem aqui. O que nos pedem aqui é outra coisa, é até o oposto e, como diz o capitão Haddock: "É ao mesmo tempo muito simples e muito complicado". Respirar normalmente: a princípio, parece mais simples que conduzir sua respiração ao longo dos meridianos, mas na verdade é mais complicado. Não fazer nada em especial soa simples, mas é muito mais complicado do que fazer alguma coisa em especial, inclusive algo difícil. Quanto a observar sua respiração sem que a observação a mude, isso não é difícil, é impossível. É impossível, mas nós insistimos. Estamos aqui para isso.

AMIZADE COM AS NARINAS

O ar entra nas minhas narinas. Observo sua entrada. O ar sai das minhas narinas. Observo sua saída. É calmo, regular. Observo de que modo o ar toca o interior das narinas. É leve, delicado. As narinas são um bom apoio para a atenção porque são regiões ricamente enervadas. Tem sempre alguma coisa acontecendo nas narinas. Pode-se meditar durante duas horas sobre as narinas sem sentir tédio. Esta sessão começa bem: minhas narinas são minhas melhores amigas. Quando nos afastamos da entrada para nos embrenharmos um pouco em suas cavidades, elas se tornam cavernas imensas. Quanto mais exploramos, quanto mais ladeamos suas paredes, mais elas crescem e se preenchem de sensações: comichão, fervilhamento, formigamento. Pulsação: sim, uma pulsação que encobre praticamente todo o resto. Alguma coisa pulsa. Observo essa alguma coisa. Me identifico com essa pulsação. Não é desagradável, pode-se observá-la sem pesar. É bom. É bom, só que a postura cedeu. Ruiu. Preciso corrigi-la, sem no entanto deixar de acompanhar a passagem do ar pela entrada das minhas narinas, sem no entanto abandonar a pulsação no fundo das minhas narinas. Estico a coluna vertebral, empurro para o céu o topo do meu crânio. É muita coisa para fazer ao mesmo tempo, a mente aproveita esse engarrafamento para escapar. A mente escapa o tempo todo. Ela escapa do presente, ela escapa do real — que são a mesma coisa, porque só o presente é real. O mestre tibetano Chögyam Trungpa costumava dizer que dedicamos apenas vinte por cento da nossa atividade cerebral ao presente. Quanto aos outros oitenta por cento, alguns os direcionam mais para o passado, outros mais para o futuro. Eu, por exemplo, antecipo muito e recordo pouco. A nostalgia me é estranha. Pode-se ver nisso o traço de uma personalidade confiante, otimista, que olha para a frente, mas temo que esteja mais para uma personalidade obsessiva, porque todo mundo sabe que não se pode mudar o passado, já o futuro, pode-se alimentar a ilusão de controlá-lo. Para me impedir de descer ladeira abaixo, repito frequentemente a sentença judaica magnífica: "Quer fazer Deus rir? Conte para ele seus planos". Isso não me impede de continuar a fazê-lo rir. Tenho certeza de que, quando Deus está a fim de espairecer e dar uma boa gargalhada, ele olha para mim, sentado no meu zafu, acompanhando o fio da minha respiração, escaneando o interior das minhas narinas e ao mesmo tempo pensando no meu livrinho simpático e perspicaz sobre a ioga. No formato dele, seus capítulos, seus intertítulos. Já estou fazendo frases, me perguntando a quantas definições da meditação já cheguei, e é nesse momento que me dou conta de que fui carregado pelos meus pensamentos: passado, presente, Chögyam Trungpa, conte para Deus seus planos, o próximo livro, frases do próximo livro, sucesso do próximo livro... Está na hora de voltar para as narinas. Está na hora de voltar para o ar que passa nas minhas narinas.

Inspire, expire, *inhale*, *exhale*. O ar é um pouco mais fresco quando entra, um pouco mais quente quando sai, depois do longo circuito que fez dentro de mim. Fora. Dentro. Quando ainda é fora, quando já é dentro? Oitava possível definição da meditação: observamos os pontos de contato entre aquilo que somos e aquilo que não somos. Entre o interior e o exterior.

OS IRMÃOS TERIÔ

O sr. e a sra. Teriô tiveram dois filhos gêmeos. Como eles se chamam?

Eles se chamam Win Teriô e Wes Teriô.

Adoro essa piada.* Sempre que escrevo um livro, acabo pensando, em algum momento, que ele poderia se chamar *Os irmãos Teriô*. Sempre que estou fazendo alguma coisa, me pergunto se estou fazendo isso mais no campo do Wes ou no do Win. Uma reportagem sobre a selva de Calais e é o Wes que vai para lá; uma sessão Vipassana no Morvan, é o Win. Wes faz trabalho de campo, Win observa sua respiração sentado no zafu. Wes Teriô é *yang*. Win Teriô é *yin*. Os dois respiram. Mas então quem faz o quê? Quem inspira? Quem expira?

A EXPIRAÇÃO

Carreguei esse sintoma comigo durante toda a minha vida. A inspiração é fácil para mim. Ampla, regular. As laterais se afastam, a barriga infla, parece que eu poderia continuar me enchendo sem parar. Só que chega o momento em que essa inspiração vasta deve se transformar em expiração, e essa expiração é, por sua vez, estreita, apertada. Ela se revela curta. Aquilo que ela deveria relaxar, do diafragma ao baixo-ventre, ela contrai, comprime, oprime. Parece ficar

---

* "O senhor e a senhora... tiveram um filho" é uma piada comum na França, propondo uma adivinhação que associe o som das palavras para formar nome e sobrenome. No original, a brincadeira é com "Alex Térieur" (*à l'extérieur*) e "Alain Térieur" (*à l'intérieur*): "*Monsieur et Madame Térieur ont deux fils, des jumeaux. Comment les appellent-ils? Ils les appellent Alex et Alain*". (N. T.)

presa em um gargalo, um nó abaixo do esterno, um nó como o de uma mangueira de jardim. Por muito tempo me perguntei se esse nó teria origem orgânica ou psíquica. Sistema circulatório ou inconsciente? Os médicos me receitaram pequenos comprimidos contra refluxo ácido, comum em pessoas ansiosas. Esses comprimidos não tiveram efeito algum sobre o que considero constitutivo da minha identidade e que a ioga sabe tratar melhor. Pois inspirar, diz a ioga, é pegar, conquistar, se apropriar, e é por isso que não tenho nenhuma dificuldade: é a única coisa que sei fazer, e minha caixa torácica está à altura da minha avidez. Expirar é outra questão. É dar em vez de pegar, é entregar em vez de manter. É desapegar. Nesse ponto, como em outros, Hervé é meu oposto. A expiração é o forte dele. Ele deseja apenas se esvaziar, se tornar mais leve. Estamos todos de passagem pela vida, mas ele tem consciência disso. Ele não se estabelece na vida, ele se sente locatário, quiçá sublocatário, enquanto eu tenho o instinto do proprietário sequioso por expandir minhas posses e, como os patriarcas bíblicos, "crescer e prosperar". Minha inclinação natural é crescer, a dele é decrescer. Eu aspiro à luz, ele, à sombra. Eu busco a encosta mais exposta ao sol, ele gosta da mais ensombrada. Duas maneiras de ser, dois tipos de homem, e essa diferença das nossas personalidades é a base da nossa amizade: homem do *yang*, homem do *yin*, homem da inspiração, homem da expiração. Expirar, no fim das contas, é soltar o último sopro, soltar o último suspiro, é soltar a alma. Essa angústia alojada abaixo do meu plexo não é outra coisa além do medo da morte, e acho que é este o trabalho dos anos de vida que me restam: aprender a expirar.

PATANJALI NO CAFÉ DE L'ÉGLISE

Existe um texto canônico sobre a ioga, que data de três séculos antes ou dois séculos depois de Cristo, não se sabe bem, e é atribuído a Patanjali, que dizem ter sido também um gramático. É uma pequena coletânea de sutras, isto é, aforismos, lacônicos, abruptos, em que a ioga nunca é tratada no sentido como a entendemos, isto é, como uma disciplina física. A ioga no sentido em que a entendemos já devia existir nessa época, uma vez que Plutarco relata que os soldados de Alexandre, o Grande, ao chegarem na planície do Ganges, surpreenderam-se ao descobrir o que chamaram de "gimnofistas", pessoas que se contorciam para obter a sabedoria, ou seja, iogues. Mas essas contorções não interessam a Patanjali. Como postura, ele conhece apenas a lótus, imóvel. Diante da perspectiva de escrever este livro sobre a ioga e a meditação que me propus a escrever e que, você sabe por quê, deveria portanto se chamar *A expiração*, fui todas as manhãs do inverno de 2015 ler Patanjali no café de l'Église, na praça Franz-Liszt, comparar várias traduções de Patanjali (considerando todos os aspectos, recomendo a edição francesa de Françoise Mazet, da editora Albin Michel) e fazer anotações sobre Patanjali num caderno reservado para isso. Além de me informar, essa atividade me permitia ter uma imagem gratificante de mim mesmo, talvez mais lisonjeira do que o necessário. Hoje, com minha vida à deriva, relembro essas sessões matinais no café de l'Église com uma mistura de nostalgia, incredulidade retrospectiva e ironia amarga. Eu me gabava delas. Eu era feliz. Eu achava que isso ia durar. Patanjali, como todo o pensamento indiano desde a época dos Upanishads, e como Hervé, só se interessa por uma única questão: existe uma saída desse cativeiro que chamamos de mundo, condição humana, samsara? O descondicionamento é possível? Qualquer outra pergunta é inútil, qualquer outra preocupação é inútil. "À exceção disso", dizem Patanjali e Hervé, "nada merece ser conhecido." A boa notícia é que, ainda segundo Patanjali e Hervé, a resposta é sim. Existe uma saída. O descondicionamento é possível. Não é fácil, é trabalho de uma vida, ou de muitas vidas, mas é possível, e a ioga visa a isso. Ela é uma técnica de ultrapassagem da consciência por meio da observação da consciência. Patanjali é um observador sem par, ele conhece o inconsciente pelo menos tão bem quanto Freud e expõe suas descobertas da maneira indiana, ou seja, organizando listas: as seis darçanas (são as categorias do pensamento bramânico: a ioga é uma delas), as três gunas (os modos de ser da consciência), os cinco yamas (as abstinências necessárias), as cinco niyamas (as disciplinas não menos necessárias), as cinco matrizes de cittavritti (tudo aquilo que o rio da mente arrasta consigo), os oito troncos da ashtanga (que é a árvore da ioga)... Os indianos amam listas, classificações infinitas, que a nós parecem arbitrárias. É sua maneira de se apropriar do universo, enquanto a nossa é principalmente a cronologia, que para eles é totalmente estranha. As listas e classificações dos fenômenos psíquicos e espirituais que Patanjali concebe são muito interessantes e merecem ser estudadas em detalhes. A elas dediquei inúmeras horas no café de l'Église, tendo em vista meu futuro livro sobre a meditação e a ioga. Agora, se você quiser uma definição condensada do que é a ioga e uma nona definição, real, do que é a meditação, ela se resume a quatro palavras em sânscrito que são o segundo versículo dos ioga sutras. Eis aqui as quatro palavras: *Yogas citta vritti nirodha.*

YOGAS CITTA VRITTI NIRODHA

Yogas: certo, é a ioga: o objeto da definição.

Citta: a mente, o campo da mente e da atividade psíquica.

Vritti: as flutuações da consciência, as ondas na superfície da consciência.

Nirodha: cessar, extinguir, estabilizar.

Você entendeu tudo: a ioga é o cessar das flutuações mentais.

Podemos problematizar nirodha. Cessar ou estabilizar? Extinção ou controle? Trata-se de pôr um termo definitivo ao caos incessante de nossos pensamentos ou, mais modestamente, de acalmá-lo, desacelerá-lo, domesticá-lo? Patanjali tem um ponto de vista radical. O único objetivo dele, e, segundo ele, o único de todo homem de bom senso, é atingir o nirvana, e não tornar um pouco mais confortável a estadia no samsara. A ioga é uma máquina de guerra contra as vritti, isto é, os movimentos que agitam a mente: marulho, marola, ondas, correntes profundas, golpes de vento ou borrascas que enrugam a superfície da consciência. Pensamentos dispersos, um falatório incessante que nos impede de ver as coisas como elas são: vipassana. Partindo de um trabalho bastante concreto com o corpo e a respiração, a ioga visa a princípio acalmar as vritti, depois torná-las mais escassas, por fim fazê-las desaparecer. O espírito então se torna (ao que parece) claro e transparente como um lago de montanha. Livre da espuma dos nossos medos, das nossas reações, dos nossos comentários incessantes, ele não reflete nada além do Real. Chama-se isso de libertação, iluminação, satori, nirvana. Mas ninguém é obrigado a seguir Patanjali até o topo — ele, que é um guia de montanhas elevadas. Como já disse, a mim basta a colina, e já acho muito conquistar, pela meditação, um pouco de estabilidade psíquica e profundidade estratégica. Já acho muito acalmar um pouco, um pouquinho que seja, as vritti. E a técnica para acalmar as vritti, esses macaquinhos que saltam constantemente de galho em galho e nos dão vertigem e nos exaurem, é em primeiro lugar observar sua respiração, em segundo lugar observar as sensações, em terceiro lugar observar os pensamentos. Décima definição da meditação: para acalmar as vritti, observar as vritti.

VRITTI

Há quanto tempo estou sentado no meu zafu? Com certeza menos de duas horas, talvez uma hora e meia. Fisicamente está tudo bem, estou aguentando. Respiro tranquilamente, está até bastante agradável. Me esforço para respirar tranquilamente e explorar o fundo das minhas narinas, o pequeno carrossel continua girando. Ele gira o tempo todo, nós mal percebemos, mas na meditação nós o observamos girar. Nós nos tornamos um pouco mais conscientes disso, é um progresso. Desde que S. N. Goenka encerrou sua espécie de raga, quais vritti agitaram a superfície da minha consciência? Bom, como você sabe, primeiro pensei no sr. Ribotton, meu antigo professor de ciências naturais. O sr. Ribotton e seu regulamento das atividades práticas. O filho dele estava na mesma sala que eu, ele se chamava Maxime. Maxime Ribotton: um garoto pesado, dissimulado, suado, que sonhava ser inspetor de polícia. Não faço ideia do que conseguiu se tornar, mas não faço ideia do que a maioria dos meus colegas do colégio Janson se tornou. Perdi o contato, mesmo com os mais próximos, me sinto mal de ter sido tão pouco fiel a essas amizades da juventude. Pouco fiel a Emmanuel Guilhen, por exemplo, que era meu melhor amigo no oitavo e nono ano. Nós dois éramos leitores assíduos do *Charlie Hebdo*, cuja verve derrisória nós amávamos e imitávamos. Como não morávamos longe um do outro, nos encontrávamos para ir juntos ao colégio. Da Rue Raynouard, onde morava, eu entrava na Rue Vineuse, subia e no alto dela encontrava Emmanuel Guilhen, que tinha vindo da Rue Franklin, e desse ponto era só seguir reto, Rue Scheffer, Rue Scheffer, Rue Scheffer, e ao percorrê-la nós cruzávamos a Avenue Paul Doumer, a Rue Louis David, a Rue Crotambert, ruas tranquilas e abastadas do 16º Arrondissement, e depois caíamos na Avenue Georges Mandel, que bastava atravessar, debaixo dos seus castanheiros-da-índia, para entrar no colégio Janson-de-Sailly pela porta da Rue Decamps. Quantas vezes fiz esse percurso? Duas vezes por dia, cinco dias por semana, umas trinta semanas por ano durante seis anos... Eu o visualizo com perfeição. Levava mais ou menos vinte minutos, e eu poderia passar vinte minutos percorrendo-o mentalmente. Visualizo perfeitamente também o apartamento onde cresci, em que meus pais não moram há muito tempo. Preciso ir visitar meus pais quando voltar. Não os vejo muito. Preciso levar meu pai para almoçar, como fazíamos uma vez por mês, em um restaurante do Quai des Grands Augustins. Será que vou contar para ele o que fiz durante esses dez dias? Dez dias sentado em silêncio ocupado com as minhas narinas em cima de uma almofadinha? Será que isso vai diverti-lo? Será que ele vai se interessar se eu conseguir fazê-lo entender o desafio dessa prática aparentemente grotesca? Ou vai ficar preocupado? Ele pensaria que acabei sendo cooptado por uma seita? É o que minha mãe pensaria, com certeza, a menos que eu garanta a ela que estou fazendo isso por causa de um livro. Se é para um livro, ok, minha mãe é sempre a favor. Um livro autoriza tudo. Quando minhas irmãs e eu éramos pequenos, ela nos dizia com tranquilidade que não havia problema em ir mal na escola desde que lêssemos livros. Ainda que lamente estar declinando com a idade, meu pai tem uma memória assombrosa: para adormecer, ele consegue visualizar nos mínimos detalhes um apartamento em que viveu cinquenta anos antes, cômodo por cômodo, parede por parede, quadro por quadro, até o que tinha dentro das gavetas. Às vezes, antes de dormir, faço uma coisa bem parecida, que consiste em recordar com tanta precisão quanto possível o dia que passou. Não se deve ir rápido demais ao se dedicar a esse exercício, não se deve ser sintético demais, ou o assunto se esgotaria em dois minutos. Exemplo: levantar-se, ioga, café da manhã em família, leitura de Patanjali no café de l'Église, trabalho, almoço com meu amigo Olivier, mais trabalho, depois jantar em família, dois episódios da série *In Treatment* e agora cama, onde recapitulo o dia. Pronto, acabou, acabou rápido demais. Mas não devemos também ir devagar demais, entrar em detalhes demais, porque se começamos a esmiuçar todos os gestos implicados na preparação do café da manhã, por exemplo, isso pode nunca ter fim, é possível dizer sem muito exagero que um dia inteiro e talvez até uma vida inteira não bastariam para descrever *por completo* esses quinze minutos dedicados à preparação do café da manhã. Como sempre, é preciso encontrar um meio-termo. Um relato bastante rico em detalhes, mas que não ultrapasse, digamos, quinze ou vinte minutos. Vinte minutos é a duração média, para mim, de uma sessão de meditação: uma duração boa, uma duração natural, como uma hora e meia para um filme. Me pergunto se um exercício assim pode ser considerado uma forma de meditação, ou se é seu contrário: algo voluntarista demais, obsessivo demais? Vinte minutos é também o tempo médio necessário para executar a forma do tai chi. Será que vou falar do tai chi no meu livro? Sim, com certeza. Lembranças do tai chi têm naturalmente lugar em um livro sobre a ioga. Entendo a palavra "ioga" em um sentido bastante amplo: o tai chi é uma forma de ioga. O sexo pode ser uma forma de ioga. Será que vou falar da mulher que me presenteou com os gêmeos? Da luz no hotel Cornavin? O que sei é que ainda falarei do Bardo e, por causa do Bardo, de um conto fantástico que li na adolescência e me impressionou e de que me lembro, de um jeito confuso mas intenso, como uma representação do Bardo tão potente quanto *Ubik*, de Philip K. Dick. O autor se chamava George Langelaan, ele é (um pouco) conhecido por ter escrito *A mosca*, cujas duas adaptações são excelentes, a de Cronenberg com certeza, mas também a mais antiga, o curto filme B com Vincent Price. Penso em todas essas histórias fantásticas que li desde a adolescência e que continuam arraigadas em mim. Não me esqueci de nenhuma. Por que gosto tanto disso? Por que elas me dizem tanto? Por que esse tipo de história me ajuda a compreender a minha? Transmiti esse gosto aos meus dois filhos, e às vezes me pergunto, com inquietação, por que os dois são também tão sensíveis. Esse horror que ronda sob a superfície da minha vida, será que a meditação pode domá-lo? A meditação pode influenciar todas as experiências humanas ou existem portas que ela não consegue transpor? O que ela pode fazer pelas pessoas que foram traídas por seus corpos ou seu psiquismo? Existe essa fantasia: ser precipitado para um de seus abismos — esclerose múltipla, esquizofrenia, síndrome do encarceramento, estado de choque — e, por meio da meditação, domar essa situação de desespero. Aprender a habitar esse eu inabitável. Há dois exemplos disso: Stephen Hawking, pelo que li, diz que a meditação lhe permitiu viver na prisão de seu corpo paralisado. Confrontado com essa situação, acredito que eu desabaria e desejaria apenas me suicidar. Me pergunto como pode ser a meditação de um esquizofrênico. A que ela se assemelharia, adentrar em completa lucidez o interior de si mesmo quando esse interior é um território inimigo, ameaçador, o lugar de um horror sem nome? Sem nome, sem fim, sem limite. Um horror que não para nunca e que toma conta de todos os espaços, cem por cento dessa espécie de camembert mental do qual, segundo Chögyam Trungpa, apenas vinte por cento são dedicados ao presente. De onde Chögyam Trungpa tirou essa porcentagem? Ela é obviamente absurda, e mesmo assim me interessa. Tudo aquilo que ajuda a compreender e representar melhor a atividade mental me interessa. Sempre estou interessado na minha atividade mental, a ponto de ter feito disso o meu trabalho. Muito tempo atrás, quando estava começando, deparei, em um livro que adoro, *Passeios com Robert Walser*, de Carl Seelig, com esse conselho oferecido aos aprendizes de escritor por um certo Ludwig Börne, que era um personagem menor do Romantismo alemão. Este parágrafo é como a frase de Glenn Gould sobre o estado de serenidade e maravilhamento, uma espécie de mantra que me acompanhou durante toda a minha vida: "Pegue algumas folhas de papel e por três dias seguidos escreva, sem deturpar e sem hipocrisia, tudo o que passar pela sua cabeça. Escreva o que você pensa de si mesmo, das suas mulheres, da guerra turca, de Goethe, do crime de Fonk, do Juízo Final, dos seus superiores, e ao fim de três dias você ficará surpreso de ver quantos pensamentos novos, nunca antes expressos, terão brotado. É nisso que consiste a arte de se tornar um escritor original em três dias". Tornar-se um escritor original — fosse em três dias, três anos ou trinta anos — era a obsessão da minha juventude, e ela não me abandonou. Me perguntei com frequência quem era Fonk, que crime ele tinha cometido (nem a Wikipedia sabe dizer) e se Ludwig Börne havia contribuído para a literatura com alguma coisa além desse conselho memorável (não). Os escritores que escrevem aquilo que passa pela sua cabeça são os meus preferidos, sendo Montaigne nosso santo padroeiro, ele que faz exatamente isso, escreve o que passa pela sua cabeça na mais pura indiferença à opinião das pessoas que dizem não estar nem aí para o que passa pela sua cabeça e que é preciso ser muito pretensioso, muito egocêntrico, para registrar isso, pois Montaigne pensa que nada é tão interessante quanto isso, e ainda mais interessante por ele ser um homem comum, não alguém cujas memórias se leem por suas grandes ações, mas alguém que não tem nenhuma outra particularidade além de ser um homem e, apenas por isso, sem se recobrir de exceções, poder testemunhar o que é ser um homem. "É mais difícil do que parece acompanhar o espírito na sua marcha insegura, penetrar-lhe as profundezas opacas, selecionar e fixar tantos incidentes miúdos e agitações diversas. [...] Há vários anos, somente a mim mesmo tenho como objetivo de meus pensamentos, somente a mim é que observo e estudo; se atento para outra coisa logo a aplico a mim ou a assimilo. [...] Não há descrição mais difícil do que a de si próprio." Posto isso, se for para falar de dificuldade, penso que, ao recomendar escrever o que passa pela sua cabeça "sem deturpar e sem hipocrisia", Ludwig Börne está zombando um pouco. "Sem hipocrisia", tudo bem, acredito que seja de fato possível escrever sem hipocrisia, acredito que eu mesmo escrevo sem hipocrisia. Mas "sem deturpar"! Ludwig Börne enuncia isso como se se tratasse meramente de uma técnica preliminar, sendo que é exatamente o objetivo, inalcançável, da empreitada. Escrever tudo o que nos atravessa "sem deturpar" é exatamente a mesma coisa que observar nossa respiração sem modificá-la. Ou seja, é impossível. E, no entanto, vale a pena tentar. Vale a pena passar a vida tentando. É isso que faço, é meu carma que quis isso, não faço outra coisa além disso: com as palavras, faço frases; com as frases, parágrafos; com parágrafos, páginas; com páginas, capítulos; com capítulos, um livro, se eu tiver sorte. Penso nisso o tempo todo. As duas maiores partes do meu camembert mental são a ruminação relacionada ao trabalho e à fantasia sexual. Diria que a fantasia sexual ocupa quase um terço ou um bom quarto do camembert em momentos específicos: na hora de dormir, durante a insônia, em todas as zonas fronteiriças entre a vigília e o sono. Ela tem para mim a particularidade de ser atraente e simplesmente *possível*, desde que não seja fantasiosa, e sim realista, e de um realismo minucioso. Os rostos e os corpos a que recorro para alimentá-la devem ser os de mulheres com quem seria possível que eu realmente dormisse, hoje, sem inverossimilhança nem transgressão. Nunca me masturbei, por exemplo, pensando em uma mulher que não conheço ou que tenho muito pouca chance de conhecer, como uma atriz ou modelo famosa. Por outro lado, adoro o roteiro fantasioso de um filme de Jim Jarmusch no qual Bill Murray, ao descobrir que está condenado devido a uma doença incurável, se lança em uma turnê visitando as mulheres que amou para transar com elas mais uma vez, uma última vez, antes de morrer. Se bem me lembro, todas aceitam. São cerca de meia dúzia no filme, e seria mais ou menos esse o número de mulheres que eu visitaria se estivesse nessa situação: os pontos altos da minha vida erótica. Adoro esse roteiro, adoro imaginar nos mínimos detalhes e quase em tempo real a última noite que passaria com cada uma. O que falaríamos um para o outro, como transaríamos de novo. Eu me lembro de como transava com cada uma, é uma trama de devaneio sem fim. Desejar quem deseja você, perder rapidamente o interesse por quem perde o interesse por você foi uma constante da minha vida amorosa, que ao menos me poupou dos tormentos — ainda que eu tenha experimentado outros, Deus é testemunha — por que passam os homens exasperados por mulheres que os desprezam, ignoram ou brincam com eles. Tenho um amigo assim, que transformou sua vida em um remake infernal e eterno de *A mulher e o fantoche*. É claro, já me aconteceu de desejar mulheres que não se interessavam por mim: eu tentava a sorte e, se não dava certo, me consolava logo porque, não estando atraída por mim, a mulher deixava logo de me atrair. Vivi histórias de amor tristes, mas não paixões platônicas. Nada de erotismo sem reciprocidade, sem bom entendimento, sem realismo. O amor é complicado para mim, como imagino que seja para todo mundo, mas não o sexo, que no fim das contas é o modo de relação humana no qual me sinto mais à vontade e causo melhor impressão. Não associo a ele nenhuma culpa, ele é um abrigo e não um abismo, não corrompe a minha alma. Não diria o mesmo das ruminações ligadas ao trabalho, ruminações que se mostram sob dois aspectos bastante diferentes, se estou ou não de fato comprometido com um trabalho. Se estou comprometido com um trabalho, se estou escrevendo um livro, se atingi na escrita uma velocidade de cruzeiro, então não penso em outra coisa além disso, faço frases, mais frases, mais frases, não há espaço para nenhuma outra coisa, esses devem ser ao lado do sexo os pontos mais altos da minha vida, quando penso que vale a pena existir sobre a terra. Quando não estou trabalhando, por outro lado, os pensamentos ligados ao trabalho me metem em maus lençóis, os das antecipações de sucesso, glória, importância, e esses pensamentos fazem brotar a culpa e até me humilham. Imaginar nos mínimos detalhes uma noite de amor não é, para mim, apenas agradável, mas bom e saudável. Imaginar o que as pessoas — aliás, que pessoas? — falam de você, qual boato de admiração chega até você, isso me envergonha, infelizmente faz parte da minha configuração psíquica. Neste exato momento, sentado no meu zafu no Morvan, uma boa metade dos meus pensamentos se debruça sobre o livro sobre a ioga que deve se chamar *A expiração*, e talvez eu esteja mais comprometido com esse trabalho do que imagino, pois estou pensando no próprio livro, não no sucesso do livro ou no que vão dizer dele. Desenho a estrutura dele. Faço e refaço minha lista de definições da meditação. Me pergunto o que vou contar do Vipassana. Tento pensar em como poderia transcrever deturpando o mínimo possível, no meu futuro livro, o que passa pela minha cabeça durante essa sessão de duas horas: grosso modo, trata-se disso que você está lendo aqui, mas ainda seria preciso acrescentar tudo que aconteceu ao mesmo tempo no plano da respiração e das sensações. Os momentos em que me deixei ser carregado para longe da respiração e das sensações pelas vritti, os momentos em que tomei consciência de ter me deixado ser carregado pelas vritti e voltei para a respiração e as sensações. Os momentos em que as vritti tomaram o poder e aqueles mais raros em que, por observá-las, eu tinha um pouco de controle sobre elas. Aliás, as vritti não são tão maldosas. Isso que acabei de transcrever se chama divagar ou até, com alguma transigência, pensar. Tem uma frase de Schopenhauer que me faz rir muito: "A melhor maneira de pensar coisas inteligentes é não pensar em frivolidades". Na verdade, o que me faz rir nessa frase não vem de Schopenhauer, mas do tradutor: é a palavra "frivolidade". "Pensar frivolidades." Uma ideia fugaz que passou por mim, algumas linhas atrás, insiste: esses pensamentos que me assaltam, aqui e agora, são frivolidades? Quero dizer: eles não são geniais, mas são os bons e velhos pensamentos humanos, bastante variados, bastante interessantes, e me pergunto de repente por que Patanjali e sua turma consideram essas vritti inofensivas nuvens de insetos funestos, inimigos que é preciso vitrificar a todo preço e substituir pela observação do ar que passa pelas narinas. Subitamente fico em dúvida. O que estou fazendo aqui? Onde foi que eu me enfiei? Por que sentir vergonha de pensar o que eu penso? Será que isso não é um pouco uma Coreia do Norte, em última análise? Não estou me comparando a Montaigne, saiba disso, mas será que Patanjali não condenaria também a ele, Montaigne, pela própria condescendência em relação a suas vritti? Pelo prazer tão vivo que ele sente em "acompanhar o espírito na sua marcha insegura, fixar tantos incidentes miúdos e agitações diversas"? Dito isso, citação por citação prefiro a do capitão Haddock, em que voltei a pensar agora mesmo, em que penso com frequência: "É ao mesmo tempo muito simples e muito complicado". Será que existem coisas na vida que não são ao mesmo tempo muito simples e muito complicadas? Que são unicamente simples ou unicamente complicadas? Em qual álbum do Tintim está essa réplica memorável? *Tintim no país do ouro negro*? *O caso Girassol*? A primeira vez que fiz amor com a mulher que mais tarde me presentearia com a estatueta dos gêmeos foi no hotel Cornavin de Genebra, onde se passa uma cena, também memorável, de *O caso Girassol*. Tínhamos ambos saído de um retiro de ioga na pequena cidade de Morges, às margens do lago Léman. Olhei muito para ela durante o retiro, e ela me disse depois que tinha percebido. No último dia, a maioria de nós havia tomado um trem para Genebra, de onde eu viajaria para Paris e ela, não sei para onde. Mas não foi o que aconteceu. O que aconteceu, e que eu não tinha de modo algum previsto — mas ela sim, ela me disse depois —, foi que, por causa de uma troca de olhares, sem que uma palavra fosse dita, nós saímos juntos da estação de Genebra, nos dirigimos juntos até o hotel Cornavin, que fica na frente da estação, subimos em um dos elevadores tão precisamente desenhados por Hergé em *O caso Girassol* e alguns minutos depois estávamos deitados juntos em uma cama grande que se revelou ser composta de duas caminhas colocadas juntas: elas se afastavam quando nos mexíamos. Fizemos amor longamente nessa tarde, mas em última análise não nos mexemos tanto. Eu sofria de ejaculação precoce na juventude, o que me fez ter gosto pela lentidão. As mulheres com quem melhor me entendi sexualmente foram aquelas que também a preferem. Que gostam de protelar, adiar, prolongar. Ficar à beira de. Por mais estranho que pareça, no início permanecemos um longo tempo deitados um contra o outro, de conchinha, eu atrás dela. Digo "por mais estranho que pareça" porque não é comum, quando duas pessoas acabaram de se conhecer e sentem uma vontade louca de transar uma com a outra, que elas primeiro permaneçam um longo tempo, em paz, sem pressa, nessa posição que é mais para dormir de um jeito confiante e compartilhado. Em determinado momento, soltei um grande suspiro de bem-estar, de bem-estar profundo, total, como se me esvaziasse de toda a tensão, e disse "estou me sentindo bem", e ela murmurou "eu também". Ela foi buscar atrás de si minha mão direita, que postou sobre seu seio direito. Continuamos imóveis por muito tempo ainda. Minha mão segurava o seio dela, nós estávamos completamente presentes em todas as sensações que a palma da minha mão recebia e que recebia o bico do seio dela, que enrijecia, enrijecia quanto menos eu o apalpava, quanto menos eu o amassava; ao contrário, devo ter retraído a palma da mão — retraído sem mexer, sem recuar — para que fosse o seio dela a pressionar minha mão, e eu sentia os grânulos das suas aréolas começarem a ficar duros. Também fiquei duro, mas tranquilamente, imperturbavelmente, grudando a maior área possível da minha pele à maior área possível da dela. Nós aumentávamos essa área milímetro por milímetro. Relaxando, depois contraindo, depois relaxando de novo um músculo, nós ganhávamos um pouco de área de contato, era ínfimo mas regular, era mesmo uma forma de ioga. Pode-se dizer que começamos a fazer amor fazendo ioga e que continuamos a fazer ioga fazendo amor. Um pouco depois eu estava dentro dela, eram investidas lentas, profundas, a cada vez eu me retirava para mais longe, quase saía dela, ela aproximava sua bacia da minha para me acompanhar, para não me perder, eu ficava suspenso, à beira de, nós dois fazíamos esse momento durar, e depois eu mergulhava de novo nela, cada vez mais devagar, cada vez mais fundo, exatamente como quando, ao meditar, a respiração se torna cada vez mais lenta e profunda, a inspiração, mais longa, a expiração, mais longa, e mais longos os tempos de pausa entre as duas, mais estirados também esses momentos em que pensamos que o movimento acabou, chegou ao limite, que ele vai recomeçar no outro sentido mas não, ele ainda se prolonga, se intensifica, se refina, todas as sensações reunidas nesse momento específico. Devemos ter passado uma hora, talvez duas, desse jeito, sem mudar de posição — por pouco não escrevo "de postura". Cada gesto aumentava nosso prazer e nossa perplexidade. No fim eu estava inteiramente deitado sobre ela, nenhuma parte do meu corpo encostava mais na cama — minhas pernas sobre as suas, meus dedos dos pés calejados contra os peitos dos pés dela, meus braços envolvendo os seus ombros, minhas mãos cingindo seu rosto. Nós nos mexíamos muito devagar, como no fundo do mar, eu apenas variava o peso sobre ela, penetrando muito profundamente, aliviando um pouco meu peso, variações ínfimas no contato entre nossas bacias e nossas barrigas, ela acompanhando meus recuos, acolhendo minhas investidas. Pouco a pouco, paramos de nos mexer. Não nos mexíamos mais, meu sexo não se mexia mais, apenas o dela se contraía delicadamente, regularmente, em torno do meu, como uma respiração. Nossos rostos estavam muito próximos, só parávamos de nos beijar para nos olharmos nos olhos, um sabendo que sentia exatamente aquilo que sentia o outro. Ainda que naquela mesma manhã nós não tivéssemos ainda nem trocado uma palavra, ainda que não soubéssemos nem mesmo nossos sobrenomes, eu tinha a impressão de que era ela, eu lhe disse isso, ela tinha a impressão de que era eu, e foi nesse momento em que estávamos de tal modo juntos, em que não fazíamos nada além disso — estar apertados um contra o outro, tão apertados quanto possível, um contra o outro, tão misturados quanto possível um no outro e quase permutados — que ela me perguntou se eu estava vendo a luz, e, sim, então eu a vi, a luz acima dela, a luz acima de nós dois, parece idiota falando assim mas essa luz, que era ao mesmo tempo um ponto infinitamente longe e um halo que nos aureolava, parecia as descrições de pessoas que viveram uma near death experience, é tão impossível de descrever quanto de reproduzir mas se tem certeza, quando se viveu isso, de que não foi uma ilusão ou uma autossugestão, de que se experimentou uma coisa real: the real thing. Nós repetimos isso depois, perplexos: *foi real.*

A CAMINHADA

O centro, uma fazenda antiga, fica no meio de uma floresta. Entre cada sessão de duas horas de meditação, podemos ir passear ali, sem no entanto nos retirarmos de um caminho delimitado por uma cerca em ambos os lados. Nós nos cruzávamos, então, em silêncio, em uma trilha margeada de árvores nuas, forrada de folhas mortas, esburacada com grandes poças de lama, como monges devem se cruzar em um mosteiro. Todos mantêm os olhos baixos, o capuz puxado sobre a testa como o dos hábitos religiosos. Evitando cruzar meu olhar com os deles, ainda assim os observo, aos meus companheiros, e me pergunto no que estão pensando. Observo o ritmo dos seus passos, observo o meu. O caminho forma um circuito, que é percorrido em cerca de dez minutos. Mas isso depende da velocidade com que se caminha. Dez minutos no passo médio de caminhada, quatro ou cinco quilômetros por hora. Na noite de ontem, pediram para não corrermos, pois isso prejudicaria a concentração de todos. Por outro lado, não é proibido caminhar devagar, e mesmo muito devagar. Assim, posto lentamente sobre o solo irregular e escorregadio do caminho o calcanhar do meu pé que vai à frente. Seria melhor sobre um assoalho de madeira, e descalço, mas estou usando sapatos bons, com sola macia o suficiente para conseguir deslizar, ou imaginar que estou deslizando, a partir do calcanhar, a planta do pé, depois a parte de baixo dos dedos do pé, depois os cinco dedos, tentando distinguir um do outro. Ao fazer isso, mantenho o peso do meu corpo sobre a perna de trás, no meu pé de trás enfiado na terra, enraizado tão profundamente quanto possível. Depois transfiro lentamente, muito lentamente, esse peso da perna de trás para a minha perna da frente.

Me esforço para fazer isso da maneira que se transferiria um líquido pesado, viscoso, como o mel, de um recipiente para outro: não gota por gota, mas em um fluxo contínuo. Encho o pé da frente ao freá-lo, esvazio o pé de trás me demorando, como se contra sua vontade, e entre os dois faço o movimento durar tanto quanto possível, tendo consciência de cada etapa do processo. Tento realizar em plena consciência esse movimento banal de caminhar, que se resume a colocar um pé na frente do outro, decompondo-o, retardando-o, observando todas as sensações que ele desdobra, contato com o solo, contato com o ar, temperatura. Não sou visivelmente o único aqui praticando essa forma de meditação em movimento: esse cara na minha frente, que se mantém sobre uma perna como uma garça, identifiquei com bastante clareza como um praticante de tai chi, do mesmo modo que identifiquei aquele que separava as nádegas há pouco, o praticante de Iyengar ioga. Ele também, ao me ver caminhando em passo retardado, deve saber de que se trata: pequena maçonaria silenciosa, uma das coisas que eu adorava no dojô.

O CAMINHO MAIS LONGO ENTRE DOIS PONTOS

Na Montagne, circulava uma piada que poderia ser um koan zen: todo mundo sabe que o caminho mais curto entre dois pontos é a linha reta. Mas e o mais longo? Todo mundo sabe também que se pode correr rápido, que uns correm mais rápido que outros, que a cada momento da história existe um ser humano que corre mais rápido que todos os outros. No momento em que estou escrevendo, é um atleta norte-americano chamado Allyson Feliz, no momento de que falo era um atleta jamaicano chamado Usain Bolt, não sei quem vai ser quando você estiver lendo este livro, com certeza algum outro, porque esses recordes que parecem imbatíveis são feitos para serem batidos. Um recorde de rapidez é, de todo modo, fácil de medir. Mas e um recorde de lentidão?

A FORMA

O dojô media vinte metros de comprimento. Certa vez, levei uma hora para atravessá-lo. No dia seguinte tentei bater meu recorde, colocar um pé na frente do outro ainda mais devagar. A dificuldade desse exercício não é tanto ir devagar, mas fazer isso *sem pausa*. Sem solavancos, sem trancos, sem interromper o ritmo. De modo contínuo, fluido, ininterrupto. É como nadar no espaço, e uma maneira muito eficaz de manter a atenção. No longo aprendizado do tai chi, é também um exercício de preparação para o estudo do que se chama "a forma", isto é, uma sequência de movimentos que, executada em uma velocidade mediana, dura cerca de vinte minutos. Existem muitas variantes da forma, cada uma ligada a uma escola chinesa muito antiga, as duas mais conhecidas sendo o estilo Chen e o estilo Yang. Na Montagne, praticávamos o estilo Yang. Praticamos esses movimentos um por um, pouco a pouco íamos de ponta a ponta, como um pianista pratica uma sonata. Diz-se que bastam três horas para aprender a regra do jogo Go, mas que são necessárias três vidas para dominá-lo. Ao menos três vidas são necessárias para dominar o tai chi, e pelo menos três anos, não três horas, para simplesmente memorizar essa sequência de movimentos que serve de base para o trabalho, bem como para começar a entender *para que servem*. Não se pode ter pressa. É preciso concordar em não fazer nada durante meses além de caminhar em passo lento sobre o assoalho de madeira clara do dojô. Então chega um momento em que aquilo que fazíamos caminhando passamos a fazer com movimentos mais complicados, que são parte da famosa forma e têm nomes chineses bonitos: acariciar a cauda do pássaro, tocar o alaúde, repelir o macaco, mexer as mãos nas nuvens...

TAI CHI NO METRÔ

Todo mundo que pratica uma arte marcial entende em algum momento que não se trata de realizar uma performance, mas de fazer algo acontecer dentro de si. Desgastar o ego, a avidez, o espírito de conquista e competição, educar a consciência para lhe dar acesso à realidade sem filtros, às coisas como elas são. Tudo aquilo a que nos dedicamos com seriedade e amor, do kung-fu à limpeza de motocicletas, pode ser caracterizado como ioga. Foi nesse espírito que, no passado, tentei praticar o tai chi — nesse espírito e, só lembrando, para relativizar minha sabedoria, enchendo a cara noite sim, outra também. Adorava sentir a forma se imprimindo na minha memória, adorava que um gesto sucedesse outro sem que eu tivesse que pensar neles, como se a coisa se fizesse sozinha, tão naturalmente quanto a respiração. Meu sonho era escrever assim: com essa fluidez, essa naturalidade, essa tranquilidade, que eram e são mais acessíveis para mim no tai chi ou na ioga, uma vez que sempre serei um amador nisso, do que no meu trabalho, em que reina, soberana, essa mistura inextricável de obsessão, megalomania e o nobre desejo de fazer as coisas direito que compõe o ego de um escritor. Eu dedicava esse mesmo cuidado com que fabrico, releio, retoco as frases, a fazer e refazer sem fim os mesmos gestos, cada nova tentativa se enriquecendo com a memória das anteriores e ganhando em refinamento, em precisão. Qualquer momento era uma ocasião para me exercitar. Pegar o metrô se tornou um prazer. Eu permanecia de pé, perto da barra do meio do vagão, mas sem segurá-la, e com os braços pendentes treinava o equilíbrio. Bom, o metrô mexe, sacode, revira, ainda por cima é irregular, imprevisível, em função das mudanças de direção, das acelerações e desacelerações, das freadas bruscas. Não temos como antecipar esses acidentes constantes, mas podemos tentar acompanhá-los, absorvê-los na planta dos pés, tornozelos, panturrilhas, coxas, bacia. Sem ser notados pelos outros passageiros, sem grandes rodopios do braço, nos deformamos como uma chama. É difícil não perder o equilíbrio pelo menos uma vez entre duas estações, não precisar se segurar na barra. Mas também acontece de absorvermos uma empinada que normalmente nos teria derrubado da sela. Vacilar e se recuperar, perder o equilíbrio e ganhá-lo de novo. Ninguém ao redor percebe que nos entregamos a uma espécie de rodeio. É excitante.

AS MÃOS NAS NUVENS

No grupo de iniciantes de que eu fazia parte, havia uma senhorinha de cinquenta e tantos anos, um pouco corpulenta, muito gentil, que tinha começado no tai chi um ano antes sem esperar muita coisa nem suspeitar que ele pudesse ser algo além de um exercício não muito exigente e bom para a saúde. Um dia, ela chegou na aula com os olhos brilhando, estupefata, ofegante, mas feliz: parecia que tinha acabado de fazer sexo. Ela tinha vindo de metrô, como costumava fazer, e em um longo corredor deserto dois garotos foram para cima dela para pegar sua bolsa. "E então alguma coisa aconteceu, não entendi bem o quê, eu fiz as mãos nas nuvens e o menino que estava segurando meu braço voou com a cabeça na parede, e os dois fugiram sem levar nada." Também nós, ao ouvirmos isso, ficamos com os olhos brilhando e sem dúvida parecemos pessoas que tinham acabado de transar. É uma questão que todos os praticantes de artes marciais se colocam: essas técnicas que aprendem seriam eficazes numa briga de rua? Diante de sujeitos nervosos e realmente violentos, dispostos a machucar? A aventura da senhorinha era uma resposta a essa questão, e uma resposta encorajadora. Sob a orientação particularmente eufórica de Pascal, nessa manhã nós fizemos e refizemos as mãos nas nuvens, esse movimento de aparência pacífica e meditativa que tinha oportunamente aberto um caminho nos neurônios da mulher, que naquele dia se tornou nossa heroína na vida real. Ao contrário do que costumávamos fazer, ficamos todos conversando depois da aula. Bem, dizia Pascal, o tai chi é, sim, uma arte marcial. Cada movimento da forma é um ataque ou uma defesa. As pessoas pensam que ele é uma ginástica delicada que os velhos chineses fazem nos parques, mas para se defender ele é equivalente ao caratê ou ao muay thai, e os praticantes mais avançados sabem disso. O que eu sabia era que na Montagne havia aulas para praticantes mais avançados, mas eu não contava em fazê-las antes de muitos anos, na melhor das hipóteses. "Pare com isso", me disse Pascal, "pode vir: você vai ver o que os outros estão fazendo, vai copiá-los, é assim que se progride." E desse modo passei a integrar o grupo dos avançados e a acompanhar o seminário anual do dr. Yang.

Esse seminário durava uma semana, seis horas por dia. Fiquei incomunicável, portanto. Muitos dos praticantes vinham de toda a França, da Alemanha, da Espanha, da Itália. Eles traziam seus sacos de dormir e dormiam no dojô, que fedia um pouco a chulé. O dr. Yang era um quinquagenário cortês, sorridente, de estatura mediana e um aspecto anódino. Não se dava a discursos espiritualistas, não fazia pose de guru e se orgulhava, em bom chinês, do fato de sua escola ser um negócio bem-sucedido. Ele observava o que nós fazíamos, corrigia um gesto, raramente fazia demonstrações, mas suas demonstrações eram esplêndidas. Um dia, executou na nossa frente uma sequência da forma: três ou quatro movimentos que, retardando ao máximo, eu fazia em um minuto. Ele levou vinte e cinco, e durante esses vinte e cinco minutos ele precisou respirar duas vezes: duas inspirações, duas expirações, o ar circulando com uma amplitude e uma lentidão infinitas no corpo dele, que se movia como uma medusa ou uma anêmona-do-mar. Nunca vi nenhum ser humano fazer algo tão impressionante na minha frente. Reunidos em círculo ao redor do dr. Yang, nós não ousávamos respirar, de medo de interromper aquele fluxo milagroso. E depois, quando ele chegou ao fim de um movimento tão distendido que o fazia parecer imóvel, foi como uma serpente que dispara sua língua: um raio, toda a parte da frente do corpo projetada na velocidade da luz, indicador e dedo médio da mão direita separados para se enfiarem nos olhos de um adversário virtual, e ele olhou para nós rindo, com seu risinho de chinês, e esganiçou: "Don't miss the point, it's to kill!". Estávamos todos estupefatos, sem respirar, queixos caídos, mas o dr. Yang não deu tempo de nos recompormos. Ele nos olhou, desafiador, sempre faceiro, e então disse: "Now, fast", e ficou invisível. Não estou brincando nem exagerando. Foi como se ele tivesse entrado em outra dimensão e pudéssemos apenas entrever um resquício seu, de tão rápido que ele estava. Estava aqui, e agora não mais. Essa sequência que nós fazíamos em um minuto, que ele tinha acabado de estender para vinte e cinco minutos, ele a fez em alguns segundos, rápido demais para que o olho conseguisse acompanhar os movimentos do corpo dele, e no entanto nós tínhamos certeza de que nada tinha sido omitido, nada tinha sido negligenciado, estava tudo ali, até as mais ínfimas nuances. Imagine uma cena de filme à qual primeiro se assiste em câmera lenta, digamos que vinte e quatro vezes mais devagar, e à qual depois se assiste em velocidade rápida, acelerada também vinte e quatro vezes. Foi isso que o dr. Yang fez, diante de nós, de verdade. Primeiro mestre Yoda, depois Bruce Lee. Com uma autoridade assombrosa, ele nos mostrou nesse dia que o tai chi era as duas coisas e que não se devia executar a forma somente no nosso tempo habitual, mais ou menos imutável, *andante ma non troppo*, mas também o mais devagar possível e também o mais rápido possível: para meditar e para matar.

AO MESMO TEMPO

E não era tudo. O dr. Yang ainda tinha uma carta na manga. Dessa vez, não uma demonstração espetacular, só algumas palavras que no último dia de seminário ele nos jogou, como quem joga um pouco de ração, com um dos seus risinhos. "É bom que vocês tenham entendido que é preciso praticar a forma não apenas devagar, mas rápido. Agora, vocês devem entender que não basta praticar rápido e devagar. Tem que praticar rápido e devagar *ao mesmo tempo*."

"AVANCE COM OS PÉS PARA TRÁS!"

Esta expressão, "ao mesmo tempo", é atualmente problemática na França, por ser associada a nosso atual presidente, Emmanuel Macron, de tal modo que pronunciar essas três palavras já é fazer uma piada.* Não importa, eu entendo o que ela significa, e talvez entenda

* Emmanuel Macron começou a usar a expressão "*en même temps*" em sua campanha à presidência, em 2017, e comentaristas e especialistas ouvidos pela imprensa francesa entendem isso como sua intenção de propor uma política sem conflitos, em que interesses diversos poderiam ser conciliados: de um lado, há quem enxergue complexidade nessa postura e, de outro, quem a condene como ambiguidade típica de partidos de centro. (N. T.)

o bastante. Minha tendência, quando penso alguma coisa, é pensar de imediato o seu contrário e me colocar no lugar do outro a ponto de facilmente ter a mesma opinião do último que falou. No sentido que o dr. Yang usou, ela era tudo menos uma piada, e é uma chave não apenas do tai chi, mas de todas as variedades de ioga. Uma das minhas professoras, Toni d'Ameio, que é americana e por isso adora os provérbios franceses, fala isso de outro jeito. Ela diz que quando se faz ioga é preciso querer "a manteiga e o dinheiro da manteiga". "A manteiga e o dinheiro da manteiga" soa à primeira vista um princípio de quem quer tirar vantagem, de um sujeito que abusa, que quer os benefícios sem os inconvenientes, mas quando Toni aplica isso à ioga ela quer dizer outra coisa: trata-se de cultivar, nos alongamentos musculares, nas posturas, nesse trabalho do corpo e da mente reunidos sob o mesmo jugo que são os ássanas, qualidades que pensamos ser contraditórias, como se fosse preciso escolher apenas uma delas: força e flexibilidade, rapidez e lentidão, imobilidade e movimento, meditação e ação. Mas, não, não é preciso escolher. Não é preciso sacrificar uma coisa em nome de outra. Uma infinidade de movimentos pode ser desdobrada de uma postura imóvel, e os movimentos mais amplos emanam de um núcleo de imobilidade. Deve-se subir para baixo, descer para cima, puxar ao empurrar, empurrar ao puxar, matar duas lebres com uma só cajadada, assobiar e chupar cana ao mesmo tempo, querer uma coisa e seu contrário, comer seu bolo e guardá-lo — como os ingleses dizem, sentenciosamente, que não se pode fazer: "You can't eat your cake and have it", e eu me lembro da gargalhada carinhosa com que todos nós um dia recebemos esta ordem de Toni: "Avance com os pés para trás!".

A VOZ DO INTÉRPRETE FRANCÊS

Está na hora do jantar, mas não tem jantar: dieta de monges budistas. Em vez disso, depois da última meditação do dia ouvimos um discurso de S. N. Goenka. Não estamos mais na postura, nos sentamos como queremos. Desde que os pés não fiquem virados para o altar, pode-se até ficar largado em cima das almofadas. Estou cansado, mas satisfeito. Deu tudo certo no primeiro dia. Nenhum problema de postura, a respiração calma, os pensamentos não divagaram muito, e essas lembranças do tai chi que ressurgiram: pensei com frequência que todo esse trabalho não foi perdido, que a forma estava guardada em algum lugar no fundo da minha memória e que voltará à superfície um dia. Independentemente do que as pessoas dizem nos fóruns sobre manipulação das mentes e lavagem cerebral, tenho uma boa impressão do Vipassana, e uma coisa que me impressiona positivamente em especial é a voz do intérprete que traduz para o francês, em trechos de dois ou três minutos, os discursos gravados em páli por S. N. Goenka. A voz de S. N. Goenka é a voz de um velho. Ouvem-se nela a idade avançada, o Ganges, a proximidade da morte, e alguma coisa muito, muito mais antiga que a pessoa de S. N. Goenka. A voz do intérprete é a de um homem jovem: clara, distinta, impostada, a voz de um homem cortês e instruído, mais que de um sábio. Não é uma voz de guru, não tem aquele calor envolvente e obsceno dos profissionais da persuasão — políticos, pregadores, atores confiantes em seu charme —, e não me surpreendi ao descobrir em seguida que se tratava da voz de um cantor de música barroca, adepto do Vipassana, que pratica a carma ioga colocando seu talento a serviço do mestre. Ao ouvi-lo, penso no que Roland Barthes, sensível ao grão e à precisão da voz, enaltecia nos seus intérpretes preferidos: a dicção completamente inteligível, que não sacrifica nada mas também não destaca cada sílaba, o fraseado natural, sem afetação mas também sem sublinhar a ausência de afetação, o equilíbrio ideal entre distância e intimidade. E as *liaisons*. Ah, as *liaisons*! As *liaisons* são *a* pedra de toque da arte de falar um texto na língua francesa. É um quebra-cabeça. É preciso fazê-las? É preciso fazer todas elas? Não, não todas, porque existem algumas muito infelizes. Todo mundo conhece alguém que, na secretária eletrônica, diz: "Vous pouvez laisser *r'un* message".* Onde se colocar, então, entre falar correto demais, o que logo se torna pedante, e relaxar nas regras, o que, feito sistematicamente, também é uma forma de afetação? Escutando com atenção o intérprete de S. N. Goenka, fiquei estupefato. Pois eu precisava me render à evidência: ele fazia *todas* as *liaisons*. Ora, mas era impossível perceber. Era como se ele não as fizesse, mas ele fazia: uma grande arte, uma ioga vocal, e penso que esse sujeito permite que, nas palavras de seu velho mestre, se ouçam as virtudes de exatidão, simplicidade e naturalidade que eu mesmo busco quando escrevo. Como diz o I Ching, antigo livro de adivinhação que é a fonte e o cerne do pensamento chinês: "A graciosidade suprema não está no ornamento, e sim na forma simples e prática".

A PALESTRA DA NOITE

Nós somos sofredores, diz S. N. Goenka.

Muito miseráveis.

Nós fomos deixados ao sofrimento.

O fato de existir no espaço e no tempo, sejamos um homem ou uma mosca ou um deus, nos condena a esse sofrimento, que é, com a mutação eterna, a lei da existência.

---

* Nessa frase, que significa "Você pode deixar um recado", o R do verbo é prolongado e se junta ao artigo "un", resultando em um som novo, próximo de "ran". A *liaison* [ligação] é essa alteração da pronúncia pela junção de uma consoante da palavra anterior (R, P, T, D, por exemplo) ao som de uma vogal da palavra seguinte. É uma característica da língua francesa, que possui regras e convenções sociais quanto a seu uso. (N. T.)

Sofrimento, mudança eterna, medo, avidez, aversão.

Miséria.

A causa dessa miséria é a ignorância.

A ignorância é confundir nosso espírito com aquilo que chamamos "eu". É a identificação com esse "eu" que cria a miséria.

Então é preciso perguntar a si mesmo: quem em você diz "Eu! Eu! Eu!"?

É preciso investigar.

De nada adianta investigar intelectualmente. De nada adianta ler livros sobre o budismo. É como ler e reler o cardápio de um restaurante em vez de comer.

É preciso investigar por si mesmo.

É preciso ir para dentro de si para saber quem diz "Eu! Eu! Eu!".

Você deve perscrutar as profundezas de si mesmo. É ao atravessá-las que você atingirá a realidade.

A única ferramenta que você possui para atingir a realidade, a única jangada que você possui para concluir a travessia, é o seu corpo.

À exceção de alguns vagos conhecimentos anatômicos, você não sabe nada sobre o seu corpo.

Você está aqui para explorá-lo.

Você está aqui para explorá-lo utilizando suas sensações, sua respiração. Antes de tudo, sua respiração.

Você começou hoje a observar a sua respiração.

Você vai continuar amanhã. Você vai continuar nos dias seguintes.

Você vai trabalhar com ardor, com perseverança, com paciência, com tranquilidade.

Você não vai esperar a libertação em dez dias, mas você vai adquirir a técnica que talvez o guie até ela.

É uma técnica muito segura, que existe há muito tempo, e diversas pessoas atingiram a libertação por meio dela.

É uma técnica, não uma religião. Ela não lida com ideias ou crenças, ela lida com a respiração, e a respiração é uma coisa real.

Não lidem com ideias ou crenças, apenas com a sua respiração. Apenas com a sua experiência direta.

Não se pede, absolutamente, que você acredite no que quer que seja.

Não creiam: experimentem. Vivam a experiência.

O primeiro dia acabou, restam nove.

Em geral, o segundo e o sexto dia são os mais difíceis.

Talvez não seja assim com você, mas seria bom você se preparar para isso.

Você veio aqui para fazer uma operação cirúrgica no seu espírito.

Ela é salutar, mas pode ser dolorida. Pode ser até mesmo perigosa.

Coisas estranhas e inquietantes podem subir à superfície.

Talvez você sinta medo, talvez você chore.

Talvez você não suporte que não haja jantar.

Persevere. Insista até o décimo dia. Depois você poderá dizer que foi uma bobagem, ou que não era para você. Só depois.

Agora vá dormir.

ESTOU INQUIETO

O segundo dia, para mim, começa com uma derrota. Alguns iniciados, e eu os conheci, contabilizam suas horas de meditação como as pessoas que trabalham no transporte aéreo contam suas horas de voo. Quantas horas de meditação acumulei na minha vida? Será que tenho direito a milhas? Comecei há vinte e cinco anos. Se pratiquei meia hora por dia durante todo esse tempo, poderia multiplicar 365 por 25 por 30: mais de oito mil horas. É difícil de visualizar, oito mil horas de meditação, oito mil horas dirigindo um carro, oito mil horas de sexo, oito mil horas de qualquer atividade, e de todo modo estou muito, muito longe do total. Pratiquei tão irregular, tão erraticamente, com hiatos tão longos... Por isso, não sou um iniciante, sento facilmente em posição de lótus, dos dois lados, e, certo disso, eu pensava: as vritti serão a questão central, mas com a postura vai dar tudo certo. Ou não. Hoje não está dando certo. Rapidamente sinto dor nas costas, uma dor pungente no meio da escápula direita. Pungente, não aguda: não é insuportável, devo conseguir bani-la me concentrando nela. Ela está no meio da escápula, como me pareceu de início, ou na verdade debaixo da escápula? Debaixo. Não conheço bem os músculos que ficam debaixo da minha escápula, como e a que eles estão ligados, mas tento tratar o problema com a técnica da manteiga e do dinheiro da manteiga, que consiste em exercer uma pressão simultânea de fora para dentro e de dentro para fora, na esperança de cingi-la, e a dor com ela. Cinjo a escápula, mas não a dor. Apesar da minha resolução de observar e não agir e, principalmente, de permanecer imóvel, aconteça o que for, me pego já me mexendo, realizando uma rotação discreta, bem discreta, de ombros. Invisível para quem vê de fora, sem dúvida, mas sei que comecei a estragar tudo. A primeira derrota é a mãe de todas as derrotas, logo vai recomeçar. Girar e girar de volta os ombros. Estamos inquietos. Fodido por fodido, nos permitimos cedo demais esse longo movimento de ondulação, a princípio reservado para o fim da sessão, que consiste em deixar a cabeça cair para a frente, levada pelo seu próprio peso. Uma cabeça é pesada: pelo menos dez quilos. O queixo se apoia na garganta, a nuca se curva, o peito se recolhe, as costas se arredondam por inteiro, é o que se chama de arquear as costas, ou costas arredondadas ou costas de gato. Com ajuda da expiração e da gravidade, deixamos a cabeça descer o mais longe possível, como se quisesse tocar o umbigo com a ponta do nariz. Nos rendemos, estamos rendidos. Ficamos imóveis, por fim, o mais baixo possível, o mais dobrados possível, e quando sentimos que não conseguimos mais descer, de verdade, começamos bem devagar, dessa vez inspirando, a levantar a cabeça, a testa, como se um fio nos puxasse pelo nariz, mas dessa vez para a frente, para cima, e nesse movimento ascendente tudo que estava dobrado se desdobra, tudo que tinha colapsado se estica, estávamos côncavos e nos tornamos convexos, em um movimento lento e contínuo as costas se levantam, voltamos à postura inicial e isso é muito agradável, esse movimento feito de dois movimentos sucessivos, um descendente e outro ascendente, um abdicando e outro conquistando, um expirando e outro inspirando, chega a ser maravilhoso de tão agradável, e nesse meio-tempo ele massageou a escápula, a dor recuou, o único problema é que gastamos cedo demais essa última bala. Nos sentimos melhor na postura, mas é como qualquer compulsão — cigarro, dose de bebida, picada de heroína —, não deveríamos ter começado, porque depois de um breve momento de saciedade a única vontade é recomeçar. Eu me obrigo a observar dez ciclos de respiração, bem lentos, antes de deixar minha cabeça cair de novo, mas na verdade não observo mais que cinco ou seis e mergulho de novo para a frente, eu cedo. Cedo tanto quanto consigo, o mais longe e por mais tempo possível para baixo, antes de voltar para cima, de retomar a postura, suspeitando que vou conseguir permanecer ainda menos tempo do que na vez anterior. Não paro de me agitar, de subir e descer, cheguei a tal ponto que abro os olhos. Será que todos estão se mexendo como eu?

À minha frente, uma muralha de costas retas, compactas, imóveis debaixo das cobertas azuis que pendem em torno delas, cônicas como uma tenda. O que está acontecendo debaixo dessas tendas? O que está acontecendo no corpo de cada um? Na cabeça de cada um? Olho para as costas, olho para as nucas. Me pergunto quem sente dor como eu, quem está entediado, quem está viajando, quem está surtando. Tem muita gente surtada pra valer em troços desse tipo, tem muitas em todo lugar mas talvez ainda mais entre aqueles que buscam algum sentido e serenidade. É uma coisa de louco, emocionante, cento e vinte pessoas reunidas durante dez dias em um galpão para mergulhar em si mesmas, saber mais sobre quem são, saber melhor o que as move. Cada um de nós está encerrado em seus pensamentos, suas obsessões, cada um de nós está preso em sua espiral, cada um de nós se debate com seus impasses. Cada um de nós veio com a esperança de enxergar as coisas de um jeito mais claro, de se retirar um pouco da neblina, de ser um pouco menos infeliz. Malraux conta que perguntou para um velho padre: "O que o senhor, que passou cinquenta anos escutando as pessoas no segredo do confessionário, aprendeu sobre a alma humana?". E o velho padre: "Aprendi duas coisas. A primeira é que as pessoas são muito mais infelizes do que imaginamos. A segunda é que não existe gente grande". Não existe gente grande, estamos todos nus debaixo das nossas roupas. Não nos enganamos quando, ao olhar para as pessoas, as imaginamos nuas debaixo de suas roupas, imaginamos o menininho assustado ou a menininha perdida que um dia foram aqueles que se tornaram o presidente da República ou uma atriz famosa, e que ainda o são — Emmanuel Macron ou Catherine Deneuve, assim como o sr. Ribotton. Agora os confundo, o sr. Ribotton da minha classe do oitavo ano e sua reencarnação, quarenta e cinco anos depois, a menos de um metro de mim. Em que ele está pensando, esse sr. Ribotton reencarnado? Com que ele se debate? Para onde o levam as suas vritti? Será que, enquanto conta ruidosamente suas respirações, ele continua a avultar as regras dos experimentos práticos? Suas pomposas aspirações à sabedoria conseguem estancar a tristeza imensa que o habita? Como é estar na pele do sr. Ribotton?

Isso talvez seja o que de mais interessante existe na vida, tentar saber isto: o que é ser outra pessoa que não você. Esse é um dos motivos pelos quais se escrevem livros; o outro é descobrir o que é ser você mesmo. Eu me ocupo principalmente do que é ser eu mesmo. Até demais, sem dúvida. Há pouco tempo, me dei conta de que minha amiga Hélène F. começa a maioria das frases com "você" e eu, com "eu". Isso me deixou pensativo. Uma regra de boas maneiras um pouco antiquada proíbe que se comece uma carta com "eu": observá-la me faria bem, na vida e no trabalho. Flaubert vivia à caça de sequências de genitivos: ele ficava maluco de ter que escrever "uma coroa de flores de laranjeira", podia passar dias inteiros procurando como evitar isso, e o único modo de evitar, se se fizer mesmo questão disso, é *não falar* de coroas de flores de laranjeira. Outros caçam advérbios, eu pessoalmente não tenho nada contra eles. O que eu deveria fazer, por meu turno, é caçar as frases que começam com "eu". Difícil. Fora do meu alcance? Caso sério. Simone Weil, de novo ela, dizia: há muito pouca gente, no fim das contas, que sabe que os outros existem. A meditação, décima primeira definição, deveria nos pôr a par disso. Se ela não o faz, se ela se limita a ser algo entre você e você mesmo, ela não presta para nada: mais um consolo narcisista. Isso me deixa triste.

ABRAÇAR AS ÁRVORES

Na floresta, onde caminho triste, há quem observe as árvores. Quem fique ali agachado, em frente a um toco de árvore, e o contemple, o olhar pensativo. Quem acaricie um caule, apalpe uma casca de árvore, dissecando as sensações provocadas pelo contato entre sua pele e a madeira. E quem simplesmente se poste diante do tronco de um carvalho, o contemple e depois o enlace. Seus braços o rodeiam, suas mãos o apalpam, seus rostos de olhos semicerrados se esfregam contra a casca, em êxtase. É uma prática new age conhecida, abraçar as árvores, se comunicar com Gaia, o planeta, acariciando árvores, e me pergunto se as pessoas que fazem isso teriam essa ideia se ninguém lhes tivesse dito que isso era algo a fazer, que é um sinal de sensibilidade, de conexão com a natureza, de desapego, sei lá. Eu me salvo da tristeza pela ironia. Um artifício clássico, a que recorri tantas vezes. Pensamento negativo, pensamento do qual deveria fugir, mas, ao contrário, onde me refugio, e que se transforma em um outro, ainda mais negativo, e além de negativo muito eficiente, porque terrivelmente convincente. Alguns dias antes de ir para lá, li uma coletânea de ensaios de George Orwell e, sem que à primeira vista isso tivesse algo a ver, assisti na Netflix a um documentário dedicado a Ram Dass. Ram Dass, com seu verdadeiro nome de Richard Alpert, foi, ao lado de Timothy Leary, o apóstolo do LSD nos anos 1960. Na velhice se tornou um velho guru, ao que parece bastante seguido, adepto da meditação de atenção plena. Um AVC paralisou um lado do corpo dele, mas também o tornou, segundo ele, ainda mais sereno e bondoso do que antes, ainda mais desperto e sensível ao esplendor do mundo. Ele se enaltece disso com uma voz doce, franciscana, como se embaciada pelo êxtase. Eis alguém que, pelo menos do seu ponto de vista, atingiu esse estado de serenidade e maravilhamento que a arte, segundo Glenn Gould, busca instituir. Ao assistir a esse documentário, imaginei o sarcasmo e mesmo a aversão que ele teria provocado em Orwell, não Glenn Gould, que era um gênio excêntrico e antissocial, mas esse velhote sentencioso, Ram Dass, representante exemplar da tribo dos iogues barbudos vegetarianos usando sandálias, que ele tomava não por patetas inofensivos, mas definitivamente por cretinos nefastos. E eu me pergunto também, olhando para esses meninos de gorro peruano que abraçam as árvores: como é possível que a sensação de verdadeiro, o peso da experiência e mesmo a fruição estética estejam tão claramente do lado de Orwell e não do de Ram Dass nem de nenhum dos mestres espirituais autoproclamados que declamam seu discurso sobre a expansão da consciência, o poder do momento presente e a paz interior? Por que falta a esses pensamentos tanto de *gravitas*? Por que a prova da beleza é invariavelmente tão fatal para eles? Por que os seus livros de capa cor-de-rosa ou azul-celeste, que assaltam os olhos como o incenso toma as narinas nas livrarias new age, são tão feios, tão estúpidos?

DOMAR OS BÚFALOS

Este é apenas o segundo dia, mas o espaço que nos foi atribuído se tornou o nosso mundo, como um mosteiro para o monge, como a prisão para um presidiário, como o pasto para um búfalo. A metáfora do búfalo no pasto é um clássico. Ela simboliza a mente: poderosa, capaz de realizar grandes tarefas, mas também selvagem, impulsiva, que vai eternamente para todas as direções. É preciso domá-la. Isso exige tempo, paciência, tato. Deixa-se o búfalo brincar no pasto, depois ele é levado a seu piquete, incansavelmente. No fim, um homem segura o búfalo pelo chifre, o búfalo vai docilmente aonde o homem quer que ele vá. As vritti se acalmaram, a mente está sob controle, a libertação em vista. Uma série de gravuras populares de países budistas representa as etapas desse amansamento. Elas dizem que é um processo conhecido, sinalizado, que se nós perseverarmos vamos chegar lá. Elas dizem que a meditação funciona. Que a ioga funciona. Nós acreditamos, ou não estaríamos aqui.

METER NA FLORESTA

Ocupados que estávamos em domar nossos búfalos em nossos pastos, praticamente esquecemos que existem, bem perto, ao alcance da voz, outros búfalos em um outro pasto. Um espaço paralelo, simétrico, onde tudo é idêntico, com a diferença de que seus habitantes são mulheres. Do lado de lá do galpão, no qual elas adentram por uma porta oposta, estendem-se bangalôs e dormitórios ocupados por mulheres. Às vezes, de longe, através das árvores, vê-se passar uma mulher pelos caminhos cercados como os nossos. Nos debates nos fóruns sobre o Vipassana, alguns enxergam essa separação dos sexos como um sinal de obscurantismo religioso, o começo da coerção e do fanatismo. Já eu a enxergo como uma resolução sábia e realista. Se o que se deseja é que as pessoas voltem o olhar pra dentro de si mesmas, é melhor poupá-las por alguns dias da tentação de agradar. O que seria da minha concentração já vacilante se, na almofada ao lado, houvesse uma mulher sedutora em vez da reencarnação do sr. Ribotton? Isso posto, não pensaram nos homossexuais. Imagino de repente uma troca de olhares entre dois grandões bigodudos, que certamente não haviam previsto isso. O flerte gay, direto e selvagem: nos poucos minutos de intervalo, um segue o outro, eles deixam o galpão e se encontram no fundo da floresta para meter com toda a felicidade do mundo. E depois um dos dois oferece um cigarro ao outro, e então uma dose de uísque que ele guardou em segredo no quarto: todas as transgressões de uma só vez. "O silêncio deles começou a encher, você não acha?", diz o que tem um sotaque de Toulouse. Os dois se divertem. O sexo e o desejo, em sua evidência, em sua verdade crua, tornam de repente derrisórias essas afetações espiritualistas que eles, no entanto, levavam muito a sério ao chegarem. E eles se divertem mais depois, quando, já um casal, contam aos amigos como se conheceram. Todo mundo conhece a história, todo mundo ama ouvi-la de novo e de novo. Essa história de se conhecer num retiro de meditação é um sucesso nas conversas, a citação grandiosa deles, sua lenda dourada. Completamente imprevisível, completamente fora da casinha, e por isso ainda mais gloriosa: com certeza bem diferente do que se conhecer em Mykonos. Eles se divertem. Eu também me divirto ao imaginá-los. Mas me pergunto: não falta alguma coisa à visão de mundo da meditação? Será que a sabedoria não é um pouco sábia demais? A bunda não é simplesmente mais *verdadeira*?

O CAMINHO ERRADO

Fora do caminho que permite escapar da condição humana, dizem Patanjali e Hervé, não há nada que mereça ser conhecido. Quanto a mim, em dias como hoje penso que mil outras coisas merecem mais ser conhecidas. Que se aprende muito mais sobre a vida nos bastidores, na política ou em fusões e aquisições do que ficando sentado em uma almofadinha dizendo a si mesmo que observar sua respiração é a coisa mais fundamental do mundo. Minha concentração acusa isso quando retorno à almofadinha. Estou distraído, agitado, não acredito mais no que estou fazendo. Essas dúvidas me tornam cada vez mais desagradável e, como não há ninguém com quem posso ser desagradável, sou comigo mesmo. Mais que desagradável: hostil. Me sinto mal por estar aqui, me sinto mal por ser quem sou. Meu livro simpático e perspicaz sobre a ioga me parece um projeto absurdo. Sem que eu tenha notado, minha raiva se transforma em medo. Alguma coisa gira e sobe no meu cérebro, algo que não controlo mas que, sim, é medo. Um medo não racionalizado, não elaborado. O que eu poderia dizer sobre esse medo para circunscrevê-lo de modo mais preciso seria: tenho medo de ter pegado o caminho errado. Sinto que peguei o caminho errado. Ainda não sei disso, digo a mim mesmo que minha vida está excelente, está cada vez melhor, mas isso não é verdade. Ela parece estar, eu acredito estar seguro dentro do meu retiro, acredito estar me dirigindo ao estado de serenidade e maravilhamento, mas é uma ilusão. A sensação de perigo aumenta. Essa história tão preciosa e que acredito ser tão boa e até tão inocente com a mulher dos gêmeos: perigo. Perigo da duplicidade, perigo da divisão, perigo da vida dupla: os gêmeos são um alerta. Impressão de ter me perdido, me extraviado, me enganado numa encruzilhada e me aventurado em uma região onde eu não deveria estar. É isso: estou onde eu não deveria estar. Aonde não deveria ir. Para conter essa angústia que me revira por dentro, tento seguir minha respiração: não adianta nada. E minhas narinas, o interior das minhas narinas, as sensações das minhas narinas: você está gozando com a minha cara?

O CHORO

Nesse momento, acontece uma coisa bizarra. Uma lembrança. Com certeza foi necessária toda uma sequência de vritti para que ela estourasse como uma bolha na superfície da minha consciência, mas não vi isso chegar, de repente ela está lá, dá de cara comigo. Estamos no oitavo ano, na aula de ciências naturais. Um garoto sentado na primeira fileira esticou suas pernas sobre o tablado e a sola dos sapatos dele tocaram a barra da calça do sr. Ribotton. O sr. Ribotton sentiu, como Jesus sente que uma mulher, na multidão que o espreme, tocou seu manto. Ele olha para a barra da calça e seu rosto se altera. Ele tem um acesso de raiva pavoroso. Essa raiva não inspira nem medo nem respeito, e sim pena e constrangimento. Com uma fúria amarga, ranzinza, o sr. Ribotton diz que para ele chega de vir ao colégio para ficar com as calças emporcalhadas, calças que ele compra com muita dificuldade porque tudo é caro e seu salário é ridículo e que, se os pais do aluno que acabou de emporcalhar sua calça têm meios para pagar uma tinturaria todos os dias, que bom, mas ele não tem. Sua voz vacila quando ele diz isso, temos a impressão de que ele vai começar a chorar, e eu também estou à beira das lágrimas, por causa do sr. Ribotton e ao mesmo tempo de Maxime Ribotton, obrigado a aguentar o show de seu pai se humilhando na frente de todos nós, exalando com uma indecência lancinante seu rancor por ter sido de tal modo logrado pela vida. Eu o observo, esse garoto gordo que transpira e de quem ninguém gosta, e tenho certeza de que, depois dessa provação atroz que acabou de viver, ele vai embora do colégio em silêncio no fim da aula e nós não o veremos mais. Ficaremos sabendo que ele foi se deitar e não se levantou mais, não fala mais, não se alimenta mais. Alguns de nós irão visitá-lo, levarão alguns presentinhos para tentar trazê-lo de volta à vida, mas não vão ter sucesso. O horror daquilo pelo que Maxime Ribotton passou é tamanho que ele não vai sobreviver. Toda a classe estará presente a seu enterro. Para acompanhar o caixão do filho, o sr. Ribotton vai vestir sua calça mais bem passada. Sua tristeza imensa não o impede de ser ridículo, mas nós prometemos a nós mesmos nunca mais tirar sarro dele, ser sempre gentis com o sr. Ribotton, dedicar as nossas tardes de quinta-feira a consolar o sr. Ribotton. Na realidade, Maxime Ribotton não se afetou muito com o modo atroz, a meus olhos, como o pai humilhou a si mesmo. Ele comentou o episódio, depois da aula, com uma indiferença brincalhona, dizendo que seu pai se irritava rápido, mas que passava rápido também, não tinha por que dar muita bola. Mas eu dei bola, passei minha vida dando bola pra isso e, quarenta e cinco anos depois, ao pensar na calça do sr. Ribotton, nas pessoas que podem pagar uma tinturaria todos os dias e naquelas que, como ele, não podem, e tomando essas pessoas por todas as da terra inteira, é com toda a miséria do mundo que me deparo. É com toda a tristeza do mundo que me deparo. Não estou à beira das lágrimas neste momento: estou chorando. As lágrimas escorrem pelas minhas bochechas, lágrimas que nunca vão parar, que vão escorrer por tanto tempo quanto a miséria humana. Miséria das vítimas, miséria dos humilhados, miséria dos náufragos, miséria dos idiotas, miséria dos coitados dos srs. Ribotton que são noventa e nove por cento da humanidade, mas também miséria dos orgulhosos como eu, que imaginam ser o um por cento restante, o um por cento que ascende e cujas provações o engrandecem, o um por cento que se imagina ter ido buscar o estado de serenidade e maravilhamento e geralmente acaba num beco sem saída quando menos espera, uma desilusão mortal. Miséria daqueles que nem sabem quão miseráveis são, e miséria dos ímpios também. Miséria dos algozes, que é sem dúvida a maior das misérias e me atordoa ainda mais que a das vítimas. Miséria ainda maior que a dos mendigos: a do pervertido de cabeça raspada que bota fogo no mendigo. Miséria do assassino, miséria do pedófilo, miséria do serial killer, miséria do sujeito que luta contra suas piores pulsões e perde a batalha e sabia desde o início que a perderia. Miséria que todos conhecemos quando, sentados na privada sob a luz amarela e fria de uma noite de insônia, pensamos na imagem de dignidade que desesperadamente nos esforçamos para atribuir aos outros e na verdade horrível daquilo que na realidade nos habita, no segredo dos nossos corações e das privadas. Medo, vergonha e ódio: a grande trindade. Nós conhecemos tudo isso, de outro modo não seríamos humanos, de outro modo seríamos imbecis, mas eles existem e essa é a história deles, a única história de sua vida, e eles tentam preencher esse grande vazio branco com mentiras, eles mentem durante vinte anos como Jean-Claude Romand e acabam massacrando suas famílias, mulher, filhos, pais e cachorro, porque quando se foi tão longe com esse vazio é a única coisa que resta fazer. Miséria do garotinho de uma novela de Dino Buzzati, de novo uma dessas novelas que tanto me abalaram quando eu era adolescente, ela se chama *Pauvre petit garçon*: é um garotinho ingrato, dissimulado e triste, do tipo de Maxime Ribotton, ele está no jardim com a mãe, todas as outras crianças tiram sarro dele, o achincalham, o humilham, o rejeitam quando ele queria brincar com eles, e no fim uma senhora vai embora, dizendo à mãe do garotinho: "Então até mais, sra. Hitler". Continuo a chorar, não sou nada além de lágrimas em cima do meu zafu, e é então que ouço uma fungada à minha direita. À minha direita, sei bem, está a reencarnação do sr. Ribotton. É o sr. Ribotton que está fungando. Mas não é sua respiração barulhenta, com a qual mais ou menos me acostumei. Essa fungada é outra coisa. Então faço aquilo que não se faz aqui: não apenas abro meus olhos como também me viro discretamente para observá-lo, e ainda que de perfil vejo que escorrem lágrimas grossas pelas bochechas do sr. Ribotton como pelas minhas, e que o sr. Ribotton, com seu casaco de jacquard bordô e sua barbicha, está chorando, chorando, chorando sem parar, como eu.

DEBAIXO DA FIGUEIRA-DE-BENGALA

Às quatro e meia da manhã, é com prazer que tomamos nosso lugar e nele nos instalamos. Ajeitamos as almofadas, nos enroscamos na coberta: quente, macia, protetora. Ainda podemos nos mexer, mudar de posição antes de escolher aquela em que vamos nos acomodar por duas horas. Na periferia do campo de visão, entrevemos os vizinhos que também se preparam. Fechamos os olhos, escutamos em volta de nós um estalo de joelho, um amarrotar de coberta, um pigarrear de garganta, as respirações: uma orquestra que se afina. Nos concentramos nos sons. Nós os isolamos, os distinguimos, a audição se refina. A voz, então, surge do silêncio: voz ancestral, voz como uma figueira-de-bengala de muitos séculos de idade, em cujas raízes se poderia abrigar um povoado inteiro. Nunca se sabe quanto tempo vai levar a entoação dos cânticos. Podem ser cinco minutos, podem ser vinte minutos, podem ser seguidos por instruções ou não. É bom ser levado por essa voz vinda de tão longe, tão profunda, tão destituída de ódio ou perturbação. Depois vem o momento em que a voz cessa, retorna ao silêncio. É engraçado, agora sinto chegar o momento em que isso vai acontecer. Alguns instantes antes, sinto que S. N. Goenka vai embora, vai nos deixar sozinhos. Ele voltará, não se preocupe. Nós não estamos preocupados. Estamos bem.

ESTAMOS BEM

Conheço outras maneiras de estar bem, felizmente. No sexo de uma mulher que amo, e com meus olhos nos dela. Nadando no mar por bastante tempo. Observando meus filhos crescer, e agora meu neto. Trabalhando, quando me é permitido trabalhar. Mas a experiência da meditação, quando é boa, é uma maneira absoluta de estar bem. Estamos bem porque estamos aqui. Estamos bem porque não estamos em nenhum lugar melhor do que este em que estamos. Habitando este corpo, tranquilamente postado na fronteira entre o que somos o que não somos, entre o fora e o dentro, e sentindo nosso viver. Não fazer coisa alguma: apenas viver. Não tem nada de extraordinário nisso, pelo contrário: é de fato ordinário. A vida que corre em nós como o sangue nas veias. Normal, banal — apenas um pouco desligada de seu comentário. Quando atingimos esse estado ordinário, pensamos que é tão simples, tão normal, que deveria ser possível atingi-lo a qualquer momento. Está aqui o tempo todo, basta estar aqui também. É uma câmara dentro de nós mesmos, basta empurrar a porta para entrar nela. Conhecemos o caminho, temos a chave, deveríamos poder voltar quando quiséssemos. Erro, ilusão de proprietário. A câmara está sempre lá, é verdade, nada é mais simples do que entrar nela, mas não entramos quando queremos porque isso é simples, sim, mas nós não somos. Ela é imutável, mas nós mudamos. Cada vez que acreditei poder conjurar do meu jeito esse estado tão simples, tão normal, tão ordinário, cada vez que acreditei ter assinalado e protegido o acesso a essa câmara, fui enxotado dela imediatamente. Outra experiência, banal e fundadora, da meditação: aquilo que queremos apanhar nos escapa no instante em que queremos apanhá-lo. O que significa que esse estado ordinário, tão salutar, tão desejável, dura pouco, ao menos para pessoas como eu. Mas saber que ele existe, que uma prática à primeira vista disparatada permite atingi-lo de tempos em tempos — não na nossa hora, não sob encomenda, mas com alguma frequência —, é precioso. Isso transforma a vida. A voz retorna. Temos a impressão de que ela sai de nós, de uma caverna no fundo de nós e não de um alto-falante. O sutra começa, não se sabe quanto tempo ele vai durar, mas o fato de ele começar significa que estamos nos aproximando do fim da sessão. Na maior parte do tempo, é uma boa notícia. Não aguentávamos mais, sentimos dores em todos os lugares, nossa única vontade é descruzar as pernas, nos esticarmos, ir caminhar lá fora, beber chá de saquinho em um copo de vidro e comer uma ameixa —

o que aqui equivale ao nosso café da manhã. Mas às vezes, como nesta manhã, nós gostaríamos que durasse mais. Que a voz de outras eras não parasse nunca de rolar, como seixos na ressaca, suas sílabas pedregosas, uniformes, avessas a qualquer variação. Nós gostaríamos que durasse para sempre. Estamos bem.

A GRANDE LEI DA ALTERNÂNCIA

S. N. Goenka havia nos avisado: o segundo dia costuma ser difícil. É a mesma coisa quando fazemos uma caminhada. No segundo dia estamos esfalfados, bolhas esfolam os pés, as coxas queimam ao descer a escada do refúgio, nós nos perguntamos por quê, por quê, se ninguém nos obriga a nos infligirmos tamanho açoite. E então no dia seguinte nós voamos, encaramos de bom grado as encostas que na véspera cortavam as pernas, cumpriríamos facilmente duas etapas em uma só. Uma sessão de meditação intensiva se parece com uma caminhada, que por sua vez se parece com a vida: há etapas, paisagens que mudam à medida que se ascende, sol e chuva, dias com e dias sem. Hoje me sinto bem na minha almofada, ontem foi horrível. Ontem eu não acreditava, ontem eu tinha certeza de estar caminhando para a minha perdição. Ontem, mais que me preocupar, eu me odiava — o que é dar-se importância demais, mas isso é o que penso hoje. Eu mudo, nós somos mutáveis, o mundo é mutável. A única coisa que nunca vai mudar é que tudo muda o tempo todo. É o que o dizem o I Ching e todo o pensamento chinês. Eles não são os únicos: Platão diz isso em *Fédon*, e também o Eclesiastes — "Tempo de nascer, tempo de morrer, tempo para amar, tempo de odiar..." — e o mero bom senso: depois da chuva, a calmaria. Os chineses apenas entenderam isso melhor que os outros. É o cerne do pensamento deles essa grande lei da alternância que diz que todos os fenômenos da vida caminham em pares e se engendram reciprocamente: dia e noite, tempestade e calmaria, vazio e cheio, alegria e tristeza, abertura e fechamento, vida e morte, mais e menos, ataque e defesa, frio e calor, repouso e movimento, inspirar e expirar, guerra e paz, dentro e fora, Win e Wes... Pode-se continuar essa lista até o infinito, e quando começo é difícil parar, como pôde constatar o jornalista que, ao vir me entrevistar sobre a meditação, me deu a ideia do meu livro simpático e perspicaz sobre a ioga. Como ele não conhecia os conceitos de yin e yang, me dediquei com fervor pedagógico a explicar que o pensamento chinês nomeia assim essas duas forças, esses dois polos, essas duas modalidades de ser sem as quais não haveria nem cosmos nem vida nem nada. Qualquer situação, qualquer estado do mundo e do espírito é uma combinação de yin e yang, e uma combinação mutável, transitória, sempre em movimento em direção a outra combinação. Uma força yin está fadada a se transformar em força yang, e vice-versa, como a noite em dia e o dia em noite. O dia caminha em direção ao crepúsculo, a noite, à aurora, o yin é um yang em germe, o yang um yin em potência, e nós somos apanhados no fluxo dessa metamorfose incessante. Não adianta resistir a elas, mas é útil reconhecê-las e, às vezes, é possível antecipá-las. Isso ajuda a viver com a consciência de que todo momento é uma passagem, que o auge anuncia o declínio, e a derrota, a vitória futura. É útil, quando a vida nos sorri, saber que ela vai nos passar a perna e, quando estamos nas trevas sem saber para onde ir, que a luz vai voltar. Isso nos traz prudência, nos traz confiança. Ajuda a relativizar nossos estados de alma. Deveria, ao menos.

AMBAS SÃO VERDADEIRAS

Digo que deveria porque repito e repito a mim mesmo essa grande lição com muita convicção, mas na verdade tenho dificuldade em compreendê-la. Não se trata apenas de não saber relativizar meus estados de alma. É também ficar na expectativa, quando está tudo bem, de que em algum momento tudo vai estar ruim — no que estou certo —, mas quando tudo está ruim não consigo acreditar que em algum momento vai estar tudo bem — no que estou errado. O nome disso é temperamento pessimista, ver o copo metade vazio, e não metade cheio. Tudo aquilo que me ocorre e me angustia durante uma noite de insônia, ou, como se diz, tudo que fico martelando na cabeça, penso ser mais *verdadeiro* do que aquilo em que penso quando a vida me parece bonita, boa, favorável. Penso que a verdade é essa, que é isso que está no fundo, que meus momentos de confiança são ilusões. De modo geral, penso que a noite tem razão. "A alegria é mais profunda que a tristeza", diz Nietzsche. Não desejo senão aderir a essa posição filosófica, mas em um nível mais profundo, nessa profundidade do ser que nos faz ser quem somos e sobre a qual não temos nenhum controle, penso como Van Gogh que "a tristeza vai durar para sempre" e que ela entende mais da vida que a alegria. A meditação está aqui também para nos ensinar que ambas são verdadeiras, a tristeza tão verdadeira quanto a alegria, a alegria tão verdadeira quanto a tristeza. Hoje, enquanto espero, estou bastante bem.

EM UM DECLIVE

Em um pequeno declive, afastada do caminho, há uma cadeira de jardim de plástico branco. Levei um pouco de tempo para ousar me aproximar dela, como se o fato de ninguém ocupá-la significasse que era proibido ocupá-la. Por fim, durante o passeio depois do lanche, me atirei na direção dela. Depois de ter me assegurado de que ninguém estava passando, escalei o pequeno declive, enxuguei o assento encharcado com a manga do meu casaco impermeável e, quando me sentei, sob o meu peso os pés da cadeira afundaram dez centímetros na lama e nas folhas mortas. Agora senti que tinha encontrado o meu lugar. Pode-se dizer que em um retiro de meditação o nosso lugar é em cima do nosso zafu. Pode-se dizer, sendo ainda mais sábio, que o nosso lugar é *aqui onde nós estamos*, não importa onde estamos. Mas também se pode dizer, quando se é um velho riponga como eu, o que diz Don Juan, o feiticeiro yaqui que iniciou Carlos Castañeda: cada um tem um lugar sobre a terra, um lugar que é o seu lugar. Alguns conhecem o seu lugar e o ocupam, outros não: seus destinos são diferentes. Entendi que essa cadeira de plástico velha e instável, escurecida pela umidade, seria o meu lugar pelo restante do retiro.

WORDS, WORDS, WORDS...

A partir do meu declive, podia-se desfrutar de uma vista, insuspeitável para quem estava no caminho, de uma campina encharcada nos limites da floresta, da estradinha margeada de carvalhos que levava até a fazenda e, para além disso, de um campo úmido e cinzento. É quase absurdo ver o retiro pelo lado de fora. Na terra cultivada e bege da campina abaixo, alguma coisa se remexe: uma toupeira, o que mais seria? Sentado na minha cadeira de plástico enfiada até a metade na lama, não sei por quanto tempo fiquei observando a terra remexer, a toupeira embaixo dela. Talvez cinco minutos, talvez uma hora, de todo modo eu estava me sentindo bem e acho que esses cinco minutos ou essa hora que passei observando a terra e a toupeira remexer foi o primeiro momento verdadeiro de meditação dos últimos três dias, em que, sentado no meu zafu, vasculho o interior das minhas narinas. É claro que, quando começo a pensar nisso, acaba. O carrossel voltou a rodar. Ainda assim, ele vai mais devagar. Os cavalos giram em marcha lenta. Eles giram como aqueles cavalos dos carrosséis da minha infância, onde era preciso pegar pequenos anéis de metal com uma varinha de madeira: eu adorava isso. É esse tipo de pensamento que atravessa o campo da minha consciência como pássaros atravessam o céu. Pensamentos doces, pacíficos, pensamentos que combinam com o céu cinza e chuvoso. Nesses pensamentos há uma plenitude, mas também um pouco de tristeza, porque tomo consciência de que alguma coisa maravilhosa será para sempre proibida para mim. Um momento tranquilo como esse, um momento que poderia ser de contemplação, um momento que eu poderia simplesmente viver, não consigo nunca vivê-lo realmente, nunca estar presente nele, apenas presente, porque imediatamente se manifesta a necessidade de traduzi-lo em palavras. Não tenho acesso direto à experiência, sempre preciso cobri-la com palavras. Não digo que seja ruim. É minha razão de existir e é uma sorte imensa, não vou me queixar, ter aquilo que se chama de vocação. Mas como seria bom, ainda assim, como seria relaxante, que progresso imenso seria fazer menos frases e apenas ver. Ver as coisas como elas são, em vez de etiquetar essa visão com uma espécie de comentário ininterrupto, subjetivo, palavroso, apologista, condicionado, que produzimos sem parar e sem mesmo nos darmos conta disso. Esse falatório interior me enche o saco. Ela me enche o saco e me aborrece. Eu adoraria pensar em alguma outra coisa diferente do que eu penso, porque isso em que eu penso, que já listei tantas vezes, é insignificante, repetitivo, pateticamente autocentrado. Adoraria ter pensamentos mais dignos, pensamentos de que eu poderia me orgulhar, pensamentos altruístas, por exemplo. Adoraria ser um homem bom, adoraria ser um homem voltado aos seus semelhantes, adoraria ser um homem confiável. Sou um homem narcisista, instável, saturado pela obsessão de ser um grande escritor. Mas é a minha cota, é a minha bagagem, é preciso trabalhar com o que se tem, e é na pele desse homem que devo fazer a travessia. Se eu pudesse, simplesmente, ter uma relação um pouco mais relaxada com ele. Se, por trás desse sujeito embriagado pelas próprias complicações, eu pudesse enxergar o pobre garotinho que está no fundo e que ele ainda é e, em vez de desprezá-lo ou erguer uma estátua em sua homenagem, consolá-lo e chorar por ele, chorar com ele, como chorei com o sr. Ribotton.

WILLIAM HURT

Há trinta e cinco anos, quando eu era um jovem jornalista, entrevistei o ator norte-americano William Hurt. No início de uma carreira que prometia ser excepcional, munido de um físico, uma presença e sobretudo uma voz doce, rouca, inacreditavelmente cativante, o William Hurt da vida real me impressionou. No bar de um faraônico hotel parisiense, ele usava sandálias, pulseiras brasileiras, tinha o ar de um desses peregrinos que se veem na Ásia e que sempre têm histórias fascinantes para contar. Ele respondia com prazer às perguntas inevitáveis sobre seus últimos papéis e os diretores com quem tinha trabalhado. Senti, no entanto, que ele teria preferido falar de outra coisa: da vida, do sentido da vida, da miragem que é a identidade. Na época achei isso estranho, mas olhando em retrospecto acho que ele meditava. Ele tinha o jeito de quem medita, hoje percebo, tive a mesma impressão quando conheci David Lynch. Depois de quinze minutos, William Hurt me falou do seu esforço para se tornar um ser humano melhor. Jovem e besta como eu era, adotei uma expressão divertida, do cara que não se deixa enganar por discursos virtuosos, e perguntei por que era isso que ele tanto desejava, se tornar um ser humano melhor. Foi aí que ele me pegou. Ele me olhou, me olhou de verdade, como se pela primeira vez desde o começo do nosso encontro e provavelmente do seu dia dedicado a dar entrevistas alguém lhe fizesse uma pergunta verdadeira. As pupilas dos olhos azuis dele cresceram, ele se inclinou na minha direção e cochichou, quase no meu ouvido: "Porque isso me torna um ator melhor".

O LADRÃO

Os anos passaram e hoje eu poderia dizer a mesma coisa que William Hurt. O que tento fazer na vida é me tornar um ser humano melhor — um pouco menos ignorante, um pouco mais livre, um pouco mais amoroso, um pouco menos sobrecarregado pelo meu ego, imagino que seja a mesma coisa. E tento me tornar um ser humano melhor porque isso fará de mim um escritor melhor. O que vem antes? Qual é meu verdadeiro objetivo? Nos dias bons, penso que ele é como dois cavalos atrelados juntos — e, recordo, é isso que significa a palavra "ioga", originalmente: o jugo sob o qual se atrelam, juntos, dois cavalos ou dois búfalos. Nos dias menos bons, me sinto um impostor. Escrevo para me tornar um ser humano melhor, é verdade, escrevo porque adoro escrever, escrevo pelo gosto de fazer um bom trabalho, escrevo porque essa é a minha maneira de conhecer a realidade. Escrevo também para ser famoso e admirado, o que certamente não é o melhor jeito de se tornar um ser humano melhor. Meu trabalho é o bastião do meu ego. Dito isso, acho que não é preciso ter escrúpulos demais. Indagar-se demais a respeito da pureza de suas intenções. Uma história que adoro diz exatamente isso. Um ladrão ouviu falar de um tesouro que os monges guardavam num lugar escondido do monastério. Esperando passar a mão no tesouro, ele entrou no monastério como um trabalhador braçal. Durante dez anos, ele varreu o pátio, colheu o lixo, realizou as tarefas mais humildes, tudo isso se embrenhando pelo monastério, de ouvido atento às conversas dos monges, especulando onde estaria o tesouro. Depois de dez anos, ele havia se dedicado com tanto zelo à sua ganância que o abade lhe propôs o noviciado. Ele foi noviço durante mais dez anos, sempre se embrenhando, espiando, sempre alerta, cada vez mais obcecado pelo tesouro. Mais dez anos e ele se ordena, faz suas orações, dia após dia, sempre esperando encontrar o tesouro e dar no pé com ele. É assim que ele se torna um grande santo, e é somente no fim de sua vida, em seu leito de morte, que entende que o tesouro era isto: sua vida no monastério, suas orações, seu entendimento com os outros irmãos, e que se ele atingiu isso foi porque era um ladrão. Quando recrimino demais minha natureza má, quando me queixo demais do meu egocentrismo, essa história é de grande conforto para mim.

O LOBO

Mais uma lembrança de jornalista, da época do dojô da Montagne, começo dos anos 1990. Uma revista me pediu uma reportagem sobre a travessia do Canadá a bordo de um trem — com certeza a reportagem menos exaustiva que já fiz. Esse trem transcontinental é o equivalente terrestre de um navio de cruzeiro. Ele não transporta nem mercadorias nem viajantes de verdade, só quase unicamente casais de velhos tranquilos, que estão comemorando suas bodas de prata ou de ouro. Eu era o único que estava sozinho, ninguém falava comigo, eu não falava com ninguém. As únicas decisões que eu precisava tomar era escolher entre o primeiro e o segundo horário para comer no vagão-restaurante e observar a paisagem desfilar fosse do vagão-restaurante panorâmico, fosse da minha cabine espaçosa e aconchegante que, não estou inventando, era equipada inclusive com uma banheira. As horas corriam num torpor surdo. Os amortecedores do trem eram de tamanha qualidade que era preciso verificar, olhando pela janela, se ele estava andando ou parado, e nem isso era suficiente às vezes, de tão imóvel que a própria paisagem parecia ser, plana e branca. Eu cochilava bastante. Sentado no meu zafu, que nessa época eu levava para todos os lugares, sendo que uma coberta dobrada cumpre bem o mesmo papel, eu treinava a pequena circulação — a grande seria para depois. Ah, é mesmo! Eu tinha mais uma decisão a tomar. A travessia de Montréal a Vancouver dura cinco dias, mas é possível descer na parada que a pessoa quiser, ficar ali por quanto tempo quiser, pegar o trem seguinte quando quiser. Sem ter de fato um motivo para parar em Saskatoon e não em Winnipeg, eu confiava a escolha das minhas paradas ora ao I Ching, ora ao guia turístico que descrevia seus respectivos atrativos. Aqui, dizem os canadenses, não temos histórias, mas temos a geografia. Na falta de monumentos ou lugares de destaque, as grandes cidades da pradaria se apegam todas ao fato de figurarem com um título qualquer no *Guinness Book of Records*, uma se gabando da maior piscina do mundo, outra, da torre de televisão mais alta, e Winnipeg, aqui também não estou inventando, da "esquina mais ventosa do mundo". Eu não tinha nenhum interesse específico naquela reportagem, então fui até lá, e tudo que posso dizer é que a esquina é, sim, uma ventania, mas não é que vente *tanto assim*. Uma hora lá foi suficiente para ter certeza. Por outro lado, passei dois dias em uma estação de esportes de inverno bastante fina nas Montanhas Rochosas e, como a revista tinha um acordo com a cadeia de hotéis, de repente me vi num hotel luxuoso que era a réplica exata do Overlook Hotel de *O Iluminado*. Me deram um quarto que ficava no segundo andar, a algumas portas de distância do 237, que, como sabem todos os fãs do filme de Kubrick, é o epicentro dos horrores que se desenrolam em torno de Jack Nicholson e sua família. Mal me instalei, meu primeiro movimento foi percorrer o corredor forrado com um carpete com os angustiantes motivos marrom e laranja — exatamente os mesmos do filme — para me postar diante do quarto 237 e esperar que alguém entrasse ou saísse de lá. Fiquei ali apenas um pouco menos do que na esquina mais ventosa do mundo, mas ninguém entrou nem saiu, a porta permaneceu fechada, os horrores não se desenrolaram. Fosse para me desviar do 237 ou para conquistar as graças da revista que tinha me enviado, a direção me bombardeou incansavelmente com garrafas de champanhe, cestos de frutas, convites para o spa. Era naturalmente um pouco triste aproveitar todo aquele luxo sozinho com o meu zafu. Na falta de companhia, me ofereceram um professor de esqui. Eu esquio mal, mas não tinha mais nada para fazer, aceitei, por que não? Foi assim que bateu à minha porta um velhote com uma lauta barba branca, trajando um conjunto vermelho com pele também branca nas extremidades, em suma, fantasiado de Papai Noel. Nas pistas, ele faz o que pode para melhorar o meu estilo e, em determinado momento, tentando me fazer testar um determinado modo de aderir à descida, me diz: "É uma pena que você não faça tai chi, porque esse pequeno movimento aqui, está vendo, é exatamente o movimento do tai chi". Eu exclamo: "Mas eu faço tai chi!". Os olhos azuis de Santa Claus se iluminam, e depois da aula de esqui concordamos em nos reencontrar na manhã seguinte para praticar juntos na margem do lago — pois o hotel fica na margem de um lago. Eis-nos então na aurora, de moletom, casacos e gorros de lã, diante desse lago congelado bastante extenso, cercado de pinheiros cobertos de geada. Um píer de madeira avança sobre o gelo, é lá que começamos juntos a executar a forma. Está fazendo muito frio, a lua empalidece, o sol começa a subir atrás dos pinheiros em um céu resplandecente de pureza. Nuvens saem das nossas bocas, cristais de neve rangem sob nossos pés, é o único som que se ouve com os primeiros cantos de pássaros. Santa Claus pratica o estilo Yang, como eu, os dois nos sentimos em casa, perfeitamente sincronizados, enfim, bastante sincronizados, e eis que ele começa o famoso movimento das mãos nas nuvens, aquele que permitiu à senhorinha atingir com tudo os agressores no metrô, só que em vez de varrer o espaço levando suas duas mãos à frente ele de repente faz algo completamente inesperado, algo que de início eu tomo por uma variante que desconheço e que consiste em apontar o indicador na minha direção, por cima do meu ombro. Quando o mestre aponta o dedo para a lua, diz um provérbio zen, o discípulo prudente olha para a lua, o discípulo idiota olha para o dedo, e me comporto como um discípulo prudente, olho para aquilo que Santa Claus aponta, e é para um lobo que ele está apontando. Um lobo de verdade, cinza e branco, muito bonito, tranquilamente sentado com a bunda na neve, as patas da frente esticadas, entre a margem do lago congelado e a orla de pinheiros brancos. A uns vinte metros de nós, eu diria. Entendi o que Santa Claus não precisou me dizer: não apenas que era preciso fazer silêncio, mas que era preciso continuar o que estávamos fazendo porque *o lobo estava interessado*. Então continuamos, no nosso píer, um movimento se transformando em outro, sem costura, sem tropeços, sem trancos, sem gestos supérfluos. Está rolando. Está fluido. Na minha vida toda, nunca fiz nem jamais farei de novo a forma do tai chi como fizemos naquela manhã: uma linha pacificamente desenrolada, que domou o lobo. Quando digo que nunca conheci uma experiência que me fizesse sair do chão em trinta anos de meditação, tai chi, ioga etc., é mentira: eu vi a luz no hotel Cornavin e vivi a forma do tai chi com o lobo, dois arrebatamentos que, cada um à sua maneira, equivalem consideravelmente ao teletransporte. Não sei quanto tempo isso durou, na verdade, sim, sei mais ou menos, porque a forma nos serve de ampulheta: talvez quatro, cinco minutos. No fim desses quatro, cinco minutos, o lobo se levantou sobre as patas da frente e, sem pressa, caminhou de volta em direção à floresta, entre os pinheiros que logo o engoliram. Quanto a nós, continuamos até o fim.

II
1825 dias

"COISAS SÉRIAS ACONTECERAM NO NOSSO PAÍS"

Minha lembrança dessa cena é muito visual, muito precisa. No fim do lanche, enquanto aguardava a próxima sessão de meditação, fui deitar na minha cama. Estou pensando no meu livro. A história do lobo vai render um bom capítulo. Talvez até mesmo um bom final, aberto e poético. O final de um livro é difícil. Com qual imagem, com qual ideia sobre a vida vamos nos despedir do leitor? Que sentido queremos dar àquilo que acabamos de lhe contar? É sempre um pouco binário, apesar de tudo: confiante ou alquebrado, estímulo ou entropia, aberto ou fechado. Termina bem ou termina mal. Quero que termine bem. Que meu livro termine bem, que minha vida termine bem. Estou pensando que é isso que vai acontecer. Acredito nisso. A noite caiu. Está chovendo. Está chovendo bastante. Não acendi a luz, não puxei a cortina protegendo a bandeira de vidro e estou olhando para o que ela emoldura: um retângulo de piche com água escorrendo. De repente, um homem com um guarda-chuva brota dentro do retângulo. Ele não chegou pela direita, pela esquerda nem pelo fundo. Ele está aqui e bate no vidro. Nesse contexto em que toda interação é proibida, isso é uma transgressão absoluta. Minha serenidade colapsa instantaneamente. Ao me levantar para abrir, já penso: aconteceu alguma coisa terrível. Pergunto ao homem: "O que está acontecendo? O que aconteceu?". "Você precisa vir comigo", ele responde. É um dos servidores, ele não parece estar acostumado a lidar com esse tipo de situação. Segue-se um novo diálogo inútil, eu perguntando o que está acontecendo, ele respondendo que preciso ir com ele, vão me contar. Sapatos, casaco impermeável, me junto a ele do lado de fora. Enquanto caminhamos em direção ao prédio central, ele se preocupa em me abrigar debaixo do guarda-chuva. Meus pensamentos estão rodopiando, me pergunto quem morreu. Me pergunto qual morte me devastaria mais. Me recordo do telefonema de Catherine, a mulher do meu tio Nicolas, para me contar que seu filho François tinha acabado de se suicidar e, no momento em que ela pronunciou essas palavras, do uivo de Nicolas, que estava ao lado dela e não conseguia ouvir aquilo sem perder a cabeça. Dentro de alguns instantes, seria a minha vez de uivar assim. Dentro de alguns instantes, a vida ia virar do avesso, e bem diferente de como eu imaginava no meu sonho absurdo de serenidade e maravilhamento. Contornamos o prédio. Diante de uma porta lateral, o servidor fecha seu guarda-chuva e o seca minuciosamente, várias vezes, antes de tomar a frente em um corredor escuro e me pedir para entrar em uma pequena sala atulhada, o tipo de cômodo cheio de baús reservados para o uso pessoal dos camponeses que transformaram sua fazenda numa pousada ou albergue. Estamos nos bastidores, no lugar em que as máscaras caem. Acabou o Nobre Silêncio, acabaram as macaquices, acabou o riso. De pé, em frente à janela, usando moletom e blusa de fleece, encontra-se o homem grande e magro, de pomo de adão saliente, que vi uma única vez, sentado de pernas cruzadas em cima do estrado, enrolado na coberta azul, velando em silêncio a nossa meditação. Pensei que ele mesmo poderia ter ido ao meu quarto me anunciar o que tem para anunciar, esse filho da puta, em vez de mandar um verdugo incapaz de falar. Pergunto o que está acontecendo, o que aconteceu. "Não se preocupe", ele diz, "não é ninguém da sua família, ninguém muito próximo. Mas você precisa saber que nesses últimos dias coisas sérias aconteceram no nosso país."

NA NOITE DO MORVAN

Será o motorista do táxi quem enfim saberá me dar informações. As explicações do sujeito grande e magro eram difusas, evasivas, menos pelo cuidado de me poupar, eu acho, do que por não estar nem muito a par nem com curiosidade o bastante para isso. Num pedaço de papel, ele tinha anotado as duas coisas que tinha que me dizer:

Charlie Hebdo — como se precisasse desse lembrete para não esquecer o título — e, um pouco mais embaixo: Bernard... Maris... Ele estava com dificuldade para ler o que tinha escrito, e ele afinal não conhecia o nome. Preciso ser honesto e tenho certeza de que vão me entender: senti um alívio imenso ao saber que Bernard tinha morrido em um atentado, e não alguém mais próximo, não um dos meus filhos. Enquanto seu superior retornava, suponho, à sua almofada, o servidor ficou responsável por verificar o horário do último trem para Paris e chamar um táxi para me levar a Laroche-Migennes. A corrida levou quarenta e cinco minutos e transcorreu completamente no escuro. Aldeias sem iluminação, estradas sem iluminação, nem sequer um farol de carro vindo de frente. Por ter feito o trajeto no sentido contrário, eu sabia que nós atravessaríamos florestas, contornaríamos lagos, mas não se via nada, tudo estava absorvido pelas trevas, como se, depois de uma catástrofe, a eletricidade tivesse acabado na região inteira e nós corrêssemos o risco de ser atacados a qualquer momento por camponeses transformados em zumbis. Eu tinha sentado na frente, do lado do motorista. Ele era um homem da minha idade, corpulento, bigodudo, com uma cara muito simpática, que não parou de falar comigo e através de quem eu soube, para começar, da morte de Cabu e Wolinski. Cabu e Wolinski! Cabu e Wolinski, que faziam parte da minha adolescência, na época em que Emmanuel Guilhen e eu líamos o *Charlie Hebdo*. Cabu e Wolinski, que eu tinha perdido de vista como tinha perdido todos os meus amigos da adolescência de vista, como eu tinha perdido Emmanuel Guilhen de vista, e não sei o que foi mais atordoante, descobrir que Cabu e Wolinski tinham sido assassinados por terroristas islâmicos ou descobrir que os dois tinham mais de oitenta anos. Outra coisa talvez não atordoante, mas surpreendente, era a familiaridade com que esse taxista de Morvan falava não só de Cabu e de Wolinski mas de outros desenhistas assassinados do jornal, desenhistas cuja existência descobri ao mesmo tempo que suas mortes. Ele também não os conhecia quatro dias antes e não conhecia sequer o *Charlie Hebdo*. Mas era como se, retroativamente, ele o tivesse lido durante toda sua vida, como se retroativamente ele tivesse ido todas as semanas, desde a juventude, comprá-lo na banca de revistas da estação de Laroche-Migennes, onde deixavam o jornal separado para ele. E ele também conhecia Bernard Maris. No momento em que eu ia perguntar como ele sabia tanto, uma vez que ele não tinha ligado o rádio desde que eu entrara no carro, foi ele que, muito educadamente, me ofereceu que nós o ouvíssemos e, quando girou o botão, foi como se a enormidade do acontecimento inflasse mais. Tratava-se agora de manifestações reunindo vários milhões de pessoas em toda a França, quarenta e quatro chefes de Estado estrangeiros tinham vindo participar do luto nacional... Todo mundo, absolutamente todo mundo da França estava sabendo do que tinha acontecido, menos a centena de pessoas de que eu ainda fazia parte uma hora antes. O motorista não estava muito surpreso com isso. Ele costumava levar pessoas para o centro Vipassana e suas práticas estranhas não lhe inspiravam desconfiança nem escárnio, como eu teria imaginado. Ele sabia mais ou menos o que era meditação, de todo modo mais do que o jornalista gentil que, ao me entrevistar sobre o assunto, me deu a ideia de escrever este livro, e eu vi o momento em que ele ia me falar de Patanjali com a mesma simpatia com que falou de Charb ou Tignous. Quando eu disse que, ainda assim, era esquisito ter passado vários dias pregado numa almofadinha sem saber que, ao nosso redor, acontecia algo como a nossa versão nacional do Onze de Setembro, ele pensou por uns instantes e respondeu com um bom senso pelo qual até hoje lhe sou grato: “Se você tivesse sabido, isso ia mudar o quê?”.

HÉLÈNE E BERNARD

Já falei antes da minha amiga Hélène F., que começa a maioria das frases com "você", e não com "eu". Ela trabalha para uma revista dedicada ao bem-estar e ao desenvolvimento pessoal, difundindo uma visão positiva da vida segundo a qual, grosso modo, o pior buraco em que se pode cair é, na verdade, uma coisa excelente: uma oportunidade de ir em frente e se tornar melhor. Essa revista fala bastante de ioga, meditação, atenção plena. Hélène F. fala do trabalho dela e dos assuntos de que trata de um jeito que adoro: ela tira sarro de tudo, ao mesmo tempo os levando a sério. Ela tem consciência do quão caricaturais são esses credos, mas acha que a visão de mundo que subjaz a eles é precisa, e eu concordo plenamente com ela. Essa abertura de espírito faz dela também uma amiga preciosa nos momentos difíceis: ela escuta, e sempre encontra algo preciso e muito apropriado para dizer. Há dois anos foi ela que atravessou esse momento difícil que é um divórcio. Ela passou por ele com muita retidão, senso prático e espírito positivo, mas ela pensava — não que aos quarenta anos sua vida amorosa tivesse chegado ao fim, esse melodrama não faz absolutamente o gênero dela — que levaria bastante tempo para que redescobrisse o gosto e a força de amar. Foi nesse momento, em que ela pensava que o amor estava fora de questão, que ela se apaixonou. Loucamente, segundo ela. Ela falava muito do homem por quem se apaixonou loucamente, na verdade não falava de outra coisa, sem no entanto contar o nome dele, seu trabalho nem a qual universo ele pertencia, não porque ele fosse casado, mas era viúvo havia pouco tempo, era bastante conhecido, e a relação deles por enquanto continuava em segredo. Essa restrição era conveniente a Hélène, que tem por princípio nunca perguntar às pessoas que acaba de conhecer "o que elas fazem", porque isso logo viria à tona e é antes o que eles *são* que interessa a ela. Mantendo nos bastidores a persona social de seu novo amor, ela contava apenas os encontros íntimos entusiasmados em que havia se transformado a vida dos dois desde o dia em que se conheceram, e ela contava com essas frases banais que são, acredito eu, o sinal do amor verdadeiro: "É como se nós tivéssemos sido feitos um para o outro...", "Eu penso nele o tempo todo, eu sei que ele pensa em mim o tempo todo...", "A gente se entende tão bem...", "Sabe, eu tenho a impressão de estar apaixonada pela primeira vez na vida". A melhor coisa que pode acontecer na vida é um encontro assim. Muitas pessoas devem atravessar a vida sem experimentar isso, e quem experimenta, cuja porcentagem ignoro — digamos que vinte por cento da população, que não é nem mais nem menos arbitrário que os vinte por cento de tempo que o cérebro passa dedicado ao presente —, esses vinte por cento são os únicos e verdadeiros seres humanos felizes do mundo. Quando a vida concede essa graça, é preciso agarrá-la, não soltá-la, pois nada é mais precioso e é pouco provável que ela se apresente de novo se você tiver a infelicidade ou a estupidez de deixá-la passar: a vida depois de um erro desses é inevitavelmente uma vida amarga, uma vida corrompida, eu teria muito a dizer a esse respeito. Uma noite, Hélène F. levou Bernard para jantar conosco em nossa casa. Foi a primeira vez que saíram juntos — quero dizer, que se mostraram ao mundo, se é que se pode dizer que a nossa casa fosse o mundo. Pela primeira vez eles escaparam do seu encontro mágico para jantar com outras pessoas, e foi gostoso, naquela noite, ter sido "as outras pessoas". Foi gostoso ser testemunha do maravilhamento contínuo em que eles viviam, de observá-los se olhando, se ouvindo, e foi gostoso também estar no mesmo ambiente que Bernard. Não era preciso estar apaixonado por ele para achá-lo imediatamente e excepcionalmente adorável. Ele tinha um belo rosto de ator americano, um sorriso imenso cheio de dentes, uma ponta de sotaque de Toulouse, era loquaz mas não falava o tempo todo: sabia também calar, e os silêncios dele nos deixavam à vontade. Acadêmico, professor de economia, era conhecido do grande público pela coluna que apresentava toda manhã na France Inter. Eu o escutava às vezes e quase sempre concordava com ele quando ele falava de economia, sobre a qual não entendo nada, porque ele dizia que eu tinha razão em não entender, que essa era exatamente a ideia: que ninguém a entendesse, uma confusão a serviço dos ricos. Ele tinha uns bate-bocas altamente ritualizados com o jornalista liberal Dominique Seux, nos quais ele fazia o papel de comunista, mas um comunista um tanto esquisito, que fazia parte ao mesmo tempo da direção do Attac e do diretório do Banque de France. Era um traço que aprendi a identificar e que me agradava nele: seu gosto em ter um pé de cada lado, em cada casta, em circular nos meios mais diferentes possíveis. Originário de um clã de anarquistas de Toulouse, ele tinha se casado com a filha de um membro da Academia Francesa. Morava no grande apartamento burguês do 16º Arrondissement que pertencia à filha do acadêmico e frequentava o bando malcriado do *Charlie Hebdo*. Lá ele escrevia sobre economia, mas também, e cada vez mais, sobre literatura. Era o que ele mais amava, a literatura, e foi sobre isso que falamos essencialmente nas, o quê?, cinco ou seis vezes em que jantamos juntos. Não tínhamos pressa, estávamos tranquilamente nos tornando amigos, tínhamos tempo.

A FORÇA MAIOR

A regra do Vipassana é que as pessoas próximas não podem entrar em contato com você senão em caso de força maior. O atentado era uma coisa terrível, a morte de Bernard era uma coisa terrível, mas não havia nada que eu pudesse fazer, não era um amigo próximo e, como havia observado o taxista de Morvan, não mudaria nada sabendo eu ou não, estando eu em Paris ou não: logo, não era um caso de força maior. A situação tinha mudado naquele sábado, 11 de janeiro de 2015, quando, enquanto quatro milhões de franceses saíam às ruas para chorar pelos redatores de um jornal satírico cuja existência a maioria, como o taxista de Morvan, ignorava até então, as pessoas próximas de Bernard tinham começado a organizar o sepultamento dele. Foi marcado para o dia 15, na cidadezinha perto de Toulouse de onde ele vinha. Hélène F. e ele estavam juntos havia menos de dois anos, ela imaginava que não teria muito espaço na cerimônia diante da família oficial, mas ela queria outra coisa. Queria que o amor de Bernard pela literatura fosse evocado — isto é, em termos concretos, que um escritor de que Bernard gostasse e que gostasse de Bernard tomasse a palavra. Idealmente, deveria ter sido Michel Houellebecq, sobre quem Bernard havia escrito um livro e com quem tinha desenvolvido uma amizade. Mas Houellebecq estava mais uma vez no coração da tormenta. O novo livro dele, *Submissão*, descrevia uma França convertida em massa ao islã. Hélène F., Bernard e eu havíamos lido o livro antes da publicação, cada um tinha ou teria de escrever um artigo sobre ele, ela para a *Psychologies Magazine*, Bernard para o *Charlie* e eu para o *Le Monde*, e, no nosso último jantar juntos, dez dias antes do atentado, foi nosso principal assunto. O meu artigo era entusiasta, mas Hélène F. observou maliciosamente que, mesmo que eu não fosse tão entusiasta assim, eu jamais faria a menor reserva a Houellebecq, por medo de que parecesse inveja — o que, honestamente, eu sinto, e um dos benefícios da meditação, nós concluímos, era poder confessar isso sem fazer um drama em torno de uma característica tão pouco honrosa. *Submissão* saiu no dia 7 de janeiro, o que significa que na manhã de 7 de janeiro não havia praticamente nenhum outro livro nas livrarias francesas, nenhum outro assunto na mídia francesa, e foi também no dia 7 de janeiro, às onze horas e vinte, que dois homens encapuzados, armados com kalashnikovs, irromperam na redação do *Charlie Hebdo*, no primeiro andar de um edifício moderno e triste na Rue Nicolas-Appert, perto da République, mataram doze pessoas e feriram gravemente outras cinco. É claro que houve quem considerasse *Submissão* uma provocação e o atentado como uma resposta a ela. Houellebecq se viu mais uma vez sob proteção policial, seu editor anunciou que ele cancelara a divulgação do livro e tinha ido se recuperar no campo. Eu estava na segunda posição da lista de amigos escritores de Bernard. Naquele momento a situação estava clara, o caso de força maior, estabelecido. Eu poderia me revelar útil, foi por isso que decidiram me tirar de lá. Não foi uma tarefa fácil. O homem de pomo de adão saliente repetiu com uma calma exasperante o que nos havia sido explicado no primeiro dia, que o Vipassana é como uma operação cirúrgica praticada nas profundezas do espírito e que é muito perigoso interrompê-la. E, além disso, a interrupção se justificava realmente? Era mesmo tão sério? O amigo assassinado era assim tão próximo? Será que alguém não podia me substituir no sepultamento? Ele fazia essas perguntas não como se ele não tivesse ouvido falar do atentado do *Charlie Hebdo*, não, mas como se fosse uma tragédia que aconteceu na Síria ou na Faixa de Gaza: cinquenta pessoas, entre elas crianças, mortas por um disparo de mísseis, é terrível, mas, bom, a vida não pode parar por causa disso, senão pararia o tempo todo. É a pura verdade: a vida em geral e os estágios de meditação especificamente não podem parar cada vez que acontece uma catástrofe no mundo, senão parariam o tempo todo. É a pura verdade, é o bom senso, mas não importa: isso me fez pensar nos ayurvédicos.

OS AYURVÉDICOS

Dez anos e sete dias antes, para ser preciso, eu estava passando as férias de Natal com minha família em um vilarejo litorâneo do Sri Lanka devastado pelo tsunami. Contei tudo isso em outro livro e quero voltar apenas para tratar de um detalhe quase cômico no plano de fundo desse desastre. Uma ala do hotel em que nos hospedávamos estava ocupada por um grupo de suíços alemães vindos para um retiro de ioga e de cuidados ayurvédicos. A sala onde eles praticavam seus exercícios ficava em um anexo, eles faziam as refeições em separado, nós os víamos pouco. Eram silhuetas periféricas, vestidas com roupões brancos, usando não sei por que uma espécie de touca de plástico na cabeça. Nós os ouvíamos, de longe, entoando seus mantras. Quando a onda quebrou, arrastando tudo em sua passagem, e milhares de pessoas foram mortas ou consideradas desaparecidas, nosso hotel, protegido da situação no topo de uma colina, se transformou em abrigo para os atingidos, em serviço de emergência, em célula de apoio psicológico, em jangada de Medusa. Todos aqueles que não tinham mais nenhum lugar para ir acabaram ali. Nós nos afeiçoamos especialmente a um jovem casal francês. Eles tinham perdido sua filhinha de quatro anos e procuravam o corpo dela em todos os necrotérios da costa onde se acumulavam os cadáveres com os quais não se sabia mais o que fazer. Nós os ajudamos como pudemos e, Deus sabe, não fomos os únicos. Todos aqueles que, como nós, tinham sido poupados cuidavam como podiam daqueles que não haviam tido a mesma sorte. Todo mundo ajudava, todo mundo dava o que tinha, todo mundo fazia o que podia, era até bonito de ver, era consolador no que dizia respeito à natureza humana. Todo mundo menos os ayurvédicos, que ao longo de todos aqueles dias continuaram a se ocupar do cuidado de seus corpos e de suas almas como se nada tivesse acontecido, como se nada estivesse acontecendo ao redor deles. Nós continuávamos a vê-los na profundidade de campo, com seus roupões e suas toucas, caminhando lentamente e, suponho, com atenção plena. Nós continuávamos a ouvir, levados pela brisa quente dos trópicos, os seus mantras sobre o poder do momento presente e a graça da compaixão.

O CASACO DE PROXENETA RUSSO

Hélène F., que me recebeu na sua casa na manhã seguinte, estava calma, concentrada. Eu a apertei entre meus braços, ela me disse que eu também estava calmo e concentrado, então nos sentamos para conversar. Não era apenas uma conversa de amigos, mas uma conversa de trabalho, o que tornou as coisas mais fáceis para nós dois. Eu precisava que ela me ajudasse a escrever o melhor discurso possível para o sepultamento de Bernard. Tomei notas em um caderninho preto bonito, do tipo Moleskine, que ganhei em não sei mais qual Salão do Livro, em cuja capa havia a inscrição: A INSPIRAÇÃO. Eu achava esse título divertido, porque esse caderninho era dedicado sobretudo às anotações sobre Patanjali que eu fazia no café de l'Église pela manhã, e porque meu livro sobre a ioga iria se chamar, nessa época, *A expiração*. Contei isso a Hélène F., que também achou divertido — enfim, não exageraremos — e que, sem que eu precisasse fazer perguntas, se pôs a navegar entre as lembranças dos seus dois anos de amor com Bernard e as lembranças dos cinco dias desde sua morte — esses dois segmentos de tempo se interpenetrando de uma maneira por vezes estranha. A primeira coisa que ela me disse, ou pelo menos a primeira que anotei, foi que eles não passaram sua última noite juntos. Bernard ainda morava na Rue de l'Assomption, no grande apartamento burguês onde ele tinha vivido com Sylvie, sua mulher, e aonde Hélène evidentemente detestava ir. Ele, por sua vez, se sentia bem na casa dela, na Rue de Bellefond, no Nono Arrondissement, não muito longe da nossa casa. Ele se mudaria para lá prontamente, ao menos era o que dizia, mas ela não achava possível encaixá-lo naquele apartamento de dois quartos que havia alugado para si e para os filhos depois de ter se separado do pai deles, um apartamento que não tinha de modo algum sido pensado para um homem, muito menos um homem como Bernard, cujos bens, vale dizer, não cabiam numa malinha. Ele era todo comunista, mas possuía muitas coisas: muitos livros, muitas roupas também, como a peliça cara do peleteiro Mac Douglas que usou na primeira noite em que veio jantar na nossa casa e da qual ela zombava com carinho, dizendo que ela lhe dava um ar de proxeneta russo. Ele também estava com ela no dia do atentado, mas não a usava mais no instituto médico legal para onde seu corpo havia sido transferido algumas horas depois. Hélène se perguntava onde a peliça teria se perdido, ela queria que ainda estivesse com ele, queria que o mantivesse aquecido. A peliça deve ter ficado em um cabide no escritório do *Charlie Hebdo*, e sem dúvida por muito tempo, depois de os lacres da polícia terem sido retirados. Bernard adorava roupas bonitas, adorava boa comida e uma mesa cheia. Ele adorava falar e que falassem bobagens. Adorava as contradições e assumia as suas próprias. Adorava que, quando estava viúvo e fragilizado por um câncer e não esperava mais muita coisa da vida, essa loira linda e sagaz, quase trinta anos mais nova, tivesse se apaixonado por ele tanto quanto ele por ela. Adorava acordar de manhã pensando que eles se amavam e se virar para ela na cama e lhe dizer isso. Adorava que os dois contassem um ao outro, sem cansar, o primeiro encontro deles, a história deles, esse amor que de um dia para o outro tinha tornado suas vidas tão felizes. De modo geral, dizia Hélène, Bernard adorava a vida e a vida lhe retribuía, mas ele era também terrivelmente inquieto e obsessivo. Ele escondia bem o jogo, as pessoas não sabiam disso, mas Hélène sabia. Hélène tinha a impressão de saber tudo sobre ele, como se, agora que ele tinha morrido, tudo o que ele era, tudo o que ele tinha sido não existisse mais senão dentro do coração dela. Quem mais, por exemplo, conhecia esse caderno em que ele anotava seus sonhos e, na frente de cada dia, um número misterioso, indecifrável? Só ela, Hélène, sabia que aquele era o número de dias de vida que lhe restavam. Ele se concedeu 1825 dias a partir de 1º de abril de 2014. Por que 1825? Isso Hélène não sabia. Curiosamente, ela nunca tinha feito a conta que eu fiz na sua frente: 1825 dias são exatamente cinco anos, ele tinha então previsto que morreria no dia 1º de abril de 2019. Estimativa otimista, uma vez que ele morreu dia 7 de janeiro de 2015, 1543 dias antes da data marcada. Naquele dia, Hélène e ele se falaram pela última vez pelo telefone, já que não tinham dormido juntos, então cada um saiu para seu jornal. Eles se encontrariam de noite e ele, dessa vez, dormiria na casa dela. Ele lhe disse: "Até logo, meu amor", e uma hora e meia depois ela havia sido, de corpo e alma, reduzida a essa pergunta obcecante: "Será que ele morreu?", e três horas depois, ainda a essa outra pergunta obcecante: "Será que ele sofreu?". Resposta: não, com uma bala na cabeça, à queima-roupa, não se sofre. Ela não entendia, no instituto médico legal, o que era aquele pano branco sobre sua testa. Disseram a ela: um curativo para esconder suas têmporas, que a bala tinha atravessado. Ela foi até lá três vezes para vê-lo. A cada visita ela tinha a impressão de que ele tinha encurtado, de que ele estava cada vez mais franzino e cinzento em cima da mesa mortuária, de que ele se parecia cada vez menos consigo mesmo. No dia 10 de janeiro havia na sala vizinha uma família árabe, sobretudo mulheres e crianças, chorando muito alto. Alguém lhe disse à meia-voz que era a família Kouachi. Na véspera, a Força Especial de Intervenção havia abatido, numa gráfica na periferia parisiense onde estavam escondidos, os irmãos Chérif e Saïd Kouachi, que três dias antes tinham assassinado Bernard e os outros onze do *Charlie Hebdo*. Hélène não é o tipo de pessoa que pensa que os criminosos não são dignos de serem chorados por sua família, nem que carrascos e vítimas pertencem a duas humanidades separadas. Ainda assim, saber que os corpos dos irmãos Kouachi jaziam a alguns metros do de Bernard era muito esquisito. Pensei que, ainda que fosse minha inclinação, não seria apropriado tentar comover quem estivesse presente ao sepultamento de Bernard em relação à família dos irmãos

Kouachi. Eu já tinha as informações de que precisaria para escrever o meu discurso, então me levantei, vesti meu casaco, e foi apenas já na porta que Hélène e eu, ao mesmo tempo, nos recordamos de uma pequena cena do nosso último jantar, naquele mesmo apartamento, dez dias antes da tragédia. Tínhamos bebido bastante. No momento da despedida, exatamente no lugar em que Hélène e eu estávamos, no pequeno vestíbulo onde os casacos tinham sido pendurados e, especificamente, o famoso casaco de proxeneta russo de que Hélène não perdia uma ocasião para zombar, Bernard e eu tivemos uma discussão engraçada para saber se convinha apertarmos as mãos, como fazíamos até o momento, ou nos beijarmos. Nós nos perguntamos quando exatamente, e como, se difundiu o hábito de homens se beijarem, hábito que, na nossa juventude, nos teria parecido completamente ridículo. E, por fim, nos beijamos.

Esse beijo serviu de final para o meu discurso. Eu me dediquei muito a ele, acho que ficou bom. De todo jeito, agradou Hélène, e era esse o objetivo. Nas semanas seguintes eu a vi com alguma frequência e fiquei impressionado com sua calma. O rosto dela estava suave, descansado, ela parecia estar em gravidade zero. Falava o tempo todo de Bernard, em voz baixa, e Bernard falava com ela o tempo todo. Ele lhe dizia: "Vai ficar tudo bem, meu amor, não se preocupe, meu amor, vai ficar tudo bem", e ela dizia para mim, com uma voz doce, com um sorriso de serafim: "Estou delirando um pouco agora, sabe". Hélène F. é uma mulher extraordinariamente sã de espírito, é preciso ser assim para ter consciência, numa circunstância dessas, de que se está delirando, e sem dúvida é preciso se permitir delirar um pouco para aterrar quando chegar a hora. Ela aterrou, depois conheceu um homem, François, que por acaso é um dos meus amigos mais antigos, e está tudo bem. A princípio, não há motivos para que ela reapareça neste relato — digo isso mas tantas coisas que eu não tinha previsto, muito menos desejado, aparecem e reaparecem neste relato… Quanto a mim, voltei a meu projeto de livro sobre a ioga, isto é, escrevi minhas lembranças da sessão Vipassana enquanto elas ainda estavam frescas, o mais detalhadamente possível. O que você acabou de ler é uma versão melhorada desse texto que, como você vai ver, se continuar lendo, sofreu não poucas agruras. Ao escrevê-lo, eu não estava à vontade. Não sabia o que pensar, não sabia o que estava contando, ou, antes: não sabia *o que isso estava contando*. Quando estava lá, eu já sabia que contaria minha experiência assim que saísse. Por isso, apesar dos meus esforços em sentido contrário, passei uma parte grande do meu tempo sentado no zafu criando frases que relatassem essa experiência. Bem, quando se criam frases relatando uma experiência é difícil não emitir um julgamento. Talvez, se você for poeta: usa-se a palavra de outro modo, produz-se um curto-circuito do sentido, a poesia é a linguagem menos incompatível com essa experiência não verbal que é a meditação. Henri Michaux falava essa linguagem com fluência. Infelizmente para mim, não sou poeta. Meu trabalho, meu talento, é a narração, e minha questão em todas as circunstâncias pode se resumir a: qual é a história? Exatamente o contrário da meditação, que visa justamente, décima segunda definição, à interrupção da narração de histórias. A dissolver essa camada espessa de narração, de julgamento, de comentário, que pessoas como eu empregam diligentemente para encobrir as coisas como elas são. Passei toda a sessão Vipassana não apenas urdindo frases, mas também me perguntando o que eu pensava sobre essa sessão Vipassana: mais para bem, mais para mal? Mais para bem. Mas, para além dos méritos da escola Vipassana, o que eu gostaria de dizer, o que deveria estar sugerido no meu relato, o que os leitores deveriam entender dela é que, basicamente, a meditação *faz bem*. Que a ioga *faz bem*. Ninguém esperaria que eu dissesse isso, eu sei. Simplesmente me proponho a dizer isso de outro lugar, digamos que de outra prateleira da livraria que não a de desenvolvimento pessoal. Não pretendo apenas dizer que a ioga e a meditação fazem você se sentir bem, mas que elas são, muito mais que um hobby ou uma prática de saúde, uma maneira de se relacionar com o mundo, uma via de conhecimento, um modo de acesso ao real que é digno de ocupar um lugar central em nossas vidas. É isso que pretendo dizer por meio da minha experiência capenga. Bem, tive dificuldade em dizer isso no retorno do meu retiro Vipassana. Não sei mais como dizer isso. Nem estou mais convencido disso. Não consigo me impedir de pensar, agora, nos ayurvédicos do Sri Lanka com roupões e toucas e no sarcasmo violento que a indiferença e a estupidez deles provocou em Jérôme, o pai da menininha afogada: "Tudo bem aí, pessoal? Vocês estão em paz? Fico contente por vocês!". Seria injusto censurar da mesma maneira os adeptos e os organizadores do Vipassana. Não teria mudado nada, não teria ajudado ninguém se tivessem interrompido o retiro ou avisado a todos — ou então, é verdade, isso seria feito continuamente. Não importa: ainda que eu não os censure moralmente, tenho a impressão de que, entre o sangue e as lágrimas derramadas em Paris naqueles dias, o cérebro de Bernard sobre o linóleo da salinha triste da redação do *Charlie*, a vida fracassada de Hélène F. e o nosso conclave de meditadores ocupados em habitar suas narinas e em mastigar em silêncio seu bulgur com gomásio, uma das experiências é simplesmente mais *verdadeira* que a outra. Tudo que é real é verdadeiro, por definição, mas algumas percepções do real têm um teor de verdade muito maior do que outras, e não são as mais otimistas. Acho, por exemplo, que esse teor de verdade é mais elevado em Dostoiévski do que em Dalai Lama. Para resumir, no que dizia respeito ao meu livro simpático e perspicaz sobre a ioga, eu estava meio de saco cheio.

A HISTÓRIA POUCO SIMPÁTICA DO ASCETA SANGAMAJI

Quando desabafei sobre essas dúvidas com Hervé, ele me contou a história do asceta Sangamaji. Ela figura em um tratado importante do budismo antigo, o *Udana*, mas em nenhuma outra introdução ao budismo recente, o que é compreensível, por ser tão pouco simpática. O asceta Sangamaji está meditando debaixo de uma árvore. Antes de se retirar do mundo, ele viveu com uma mulher, com quem teve um filho. Ele abandonou a ambos em nome das suas realizações mais elevadas, ou que ele pensa assim serem. A mulher caiu na miséria e veio lhe pedir ajuda. Ela mostra a ele seu filhinho todo magro, todo esfomeado, ela suplica. Ele não responde, não pestaneja, continua sentado de pernas cruzadas. Ela insiste. Ele não sai da sua meditação. Ela enfim deposita a criança no chão, dizendo: "É o seu filho, monge. Cuide dele", e finge ir embora. Escondida atrás de uma árvore, ela observa o asceta e a criança. A criança chora, chora, é de partir o coração. O asceta não lhe dirige nem sequer um olhar, nem sequer um gesto. Agoniada, a mulher pega a criança de volta e vai embora sem olhar para trás. O mais perturbador nessa história é que ela não é contada como um exemplo de um coração seco, atroz, e de uma devoção pervertida, como a dos ayurvédicos do Sri Lanka. Em vez de condenar esse asceta que, citando Hervé, mostrou "a empatia de uma batata congelada", o Buda o parabeniza: "Sangamaji não sentiu nenhum prazer quando essa mulher chegou, nenhuma pena quando ela foi embora. Ele está livre de todos os laços. Este homem, eu o chamo de brâmane". O Buda não fala da boca para fora, a compaixão é o coração pulsante do budismo: "Não se deveria pensar então", conclui Hervé, "que a compaixão de Sangamaji se manifesta em esferas mais vastas e brilhantes, de uma maneira secreta mas extremamente eficaz que nos escapa, mas que o Buda percebe?".

"PEITOS! PEITOS!"

Como continuei frustrado por ter feito apenas metade do retiro Vipassana, decidi alguns meses depois fazer um outro, e dessa vez fiquei até o final. Foi interessante, mas o efeito surpresa que aureolava o primeiro retiro de mistério havia se dissipado. Eu já tinha visto o lugar, conhecia os bastidores, me senti um pouco entediado. Também trapaceei um pouco, tomando notas. Dessa segunda sessão me ficou uma frase, que responde ao menos em parte a minha grande interrogação: o que se passa na cabeça das pessoas? Registro isso com ainda mais prazer por ser a última coisa engraçada deste relato por um bom tempo. No décimo e último dia do retiro, o Nobre Silêncio é retirado. Mulheres e homens se misturam de novo. As pessoas falam, riem, fumam. As pessoas se conhecem. Cai a solenidade que induzia o silêncio. Os zumbis de capuz, sem voz e sem olhos, voltam a ser pessoas que têm seus trabalhos, seus endereços, suas opiniões políticas, risadas pastosas ou agudas. É um momento emocionante. As pessoas comparam, umas com as outras, aquilo que vivenciaram. Qual momento foi o mais difícil, quando surtou, quando esteve praticamente a ponto de desencanar. Eu me misturei com um grupo pequeno, uns caras mais jovens, um deles era representante de vendas, outro vinicultor adepto do comércio justo, um terceiro do ramo de restaurantes, tem de tudo nesses grupos de meditação. E o cara novo que trabalhava num restaurante, de blusa de fleece verde e violeta, brinco de argola na orelha, um forte sotaque de Biterrois, disse em determinado momento que para ele foi difícil mesmo, porque ele queria fazer direito, tentar voltar à respiração, mas, cacete, ele ficou o tempo todo pensando na mesma coisa. Dez dias non-stop imobilizado, sem nenhuma distração, pensando o tempo todo, absolutamente o tempo todo, na mesma coisa. Mas no quê, afinal?

"Peitos! Peitos!"

Adorei esse cara.

III

História da minha loucura

O QUARTO SECRETO

Aquilo que aconteceu no hotel Cornavin, na volta do retiro em Morges, foi desconcertante demais para não ter continuidade, como sem dúvida teria sido razoável. Antes de nos despedirmos, a mulher que depois me daria os gêmeos de presente e eu chegamos a um acordo sobre um protocolo. Além do fato de sermos ambos praticantes de ioga, não sabíamos nada um do outro e nem procuraríamos saber. Não falaríamos sobre as nossas vidas. Apenas nos encontraríamos, em intervalos regulares, em um hotel de uma cidade de interior — que não era, eu acho, a cidade onde ela morava. Eu não sabia nada sobre o marido ou companheiro dela, sobre seus filhos, se ela os tivesse, sobre seu trabalho. Claro, bastam dois minutos ouvindo alguém para ter uma ideia bastante precisa do seu nível de cultura e lugar na sociedade, e eu de bom grado a imaginava mais como uma advogada, digamos, do que uma quitandeira — os meus amores, sinto dizer, nunca me levaram para muito longe da minha própria classe social. Mas nunca me senti tentado, por exemplo, a abrir o Moleskine que entrevi na sua bolsa enquanto ela tomava banho. O mistério associado ao nosso voto de ignorância era muito mais forte que a curiosidade. Ela, por sua vez, nunca disse uma palavra que desse a entender que me conhecia como escritor, e acho bastante possível que, onde quer que esteja hoje, ignore a existência deste livro. Não tenho um endereço para onde enviá-lo, nem mesmo o sobrenome dela. Nossa história não teve como testemunha ninguém além do recepcionista de um hotel de categoria mediana, em uma rua discreta de uma cidade comum. Nunca nos ocorreu a ideia de, não sei, ver uma exposição ou caminhar juntos na rua. Nós entrávamos no quarto, fechávamos a porta e fazíamos amor, e nos elevávamos, ao fazer amor, cada vez mais alto, a ponto de às vezes nos assustarmos. Tínhamos medo de que aquilo terminasse e medo de que continuasse. Nós também conversávamos bastante. Sobre o que se pode conversar quando não se sabe nada um do outro? Tendo todos os assuntos de uma conversa normal, social, sido excluídos, não havia nesse quarto, nessa cama, nada além dos nossos corpos e, desculpe por este palavrão, nossas almas. Nunca conheci alguém tão intimamente quanto a essa desconhecida. A mulher dos gêmeos amava a vida, e quando digo que ela amava a vida não quero dizer apenas aquilo que isso significa para a maioria de nós: que ela amava a vida *dela* e enchê-la de coisas bonitas e agradáveis. Não, era *a* vida que ela amava, toda a vida, a vida de quem passava na rua, a vida das formigas, ela se alegrava realmente ao ver a grama crescer. Nunca vou saber o que é viver assim, já acho bom demais ter conhecido tão bem alguém que tenha esse dom, e tão naturalmente, eu que, apesar de todos os meus esforços para atingir o estado de serenidade e maravilhamento, conheci muito mais vezes do que gostaria esse abismo no centro da vida que chamam de depressão ou loucura. Tomado por essa paixão, eu não queria ver que elas já estavam lá, à espreita, a depressão e a loucura. Não queria ouvir falar do provérbio tão cruelmente verdadeiro: "Quem tem duas mulheres perde a alma, quem tem duas casas perde a razão". Imaginava que minha razão estava sólida, bem presa ao corpo pelo amor, pelo trabalho, pela meditação. Dizia a mim mesmo que, por ter uma relação tão bem delimitada, eu não apenas não corria o risco de perder minha alma como governava minha vida com sabedoria. Com sabedoria eu fazia pequenas concessões para proteger o que era essencial. "Com sabedoria? Você não está exagerando um pouco? Você não está pensando só de acordo com o que lhe convém?", me disse Hervé quando confidenciei a ele, e somente a ele, o segredo dessa relação. Bem, talvez não "com sabedoria": já seria bom o bastante se ela continuasse em segredo e não provocasse estragos. Uma noite ficamos com fome e o recepcionista nos indicou o único restaurante ainda aberto naquele bairro, um restaurante da rede L'Entrecôte que tem o mérito de fechar muito tarde e onde são servidos apenas entrecôtes com batata frita e um molho que é um segredo bem guardado da casa. Foi nesse restaurante que ela me comunicou que em breve se mudaria para bem longe com a família. Essa foi a primeira vez que ela evocou a família, o que fez de maneira deliberadamente vaga, sem que eu soubesse por exemplo quantos filhos ela tinha nem a idade deles, e quando perguntei o que ela queria dizer com "bem longe", ela me respondeu, de um jeito bastante vago: "o hemisfério Sul". Foi também nesse restaurante, e depois desse comunicado, que manifestei o desejo aparentemente não realista de que nossa história durasse para sempre — para sempre, isto é, até que um de nós dois morresse. Se ela se mantivesse na clausura do segredo e não transbordasse jamais, nada impediria que ela levasse assim os anos, dezenas de anos. Pouco importaria que a mulher dos gêmeos se mudasse, como ela dizia, para o hemisfério Sul: nosso quarto secreto continuaria a existir. Não seria mais nesse hotel do interior francês, mas em um hotel de beira de estrada na Nova Zelândia, na África do Sul ou na Tasmânia. Não seria mais possível nos encontrarmos a cada quinze dias, mas eu daria um jeito de ir vê-la a cada seis meses, na pior das hipóteses uma vez por ano, e no fundo isso não mudaria nada. Esse encontro anual em um hotel de beira de estrada no hemisfério Sul, do nosso conhecimento apenas, pertencendo apenas a nós, seria a coisa mais preciosa das nossas vidas. E assim que esse desejo foi formulado, no L'Entrecôte em que éramos os últimos clientes, ficou imediatamente claro para nós dois que não era um devaneio agradável e sem consequência, como a razão levava a pensar, mas uma coisa possível, absolutamente possível. E não apenas uma coisa possível: uma coisa que ia acontecer. Que ia acontecer de verdade, que ia acontecer sem dúvida alguma, que ia acontecer necessariamente: não era mais um desejo, era uma certeza. Nos olhamos por cima dos nossos entrecôtes e das nossas taças de vinho tinto, eu disse a ela que um dia, daqui a dez anos, daqui a vinte anos, nós nos lembraríamos desta noite e diríamos: "Está vendo, aconteceu, e vai continuar, e só vai acabar quando um de nós dois morrer". Ela sorriu quando eu disse isso e, ao olhar para ela sorrindo enquanto os garçons viravam as cadeiras em cima das mesas, esperando cada vez com mais insistência que caíssemos fora, de repente, sem perceber que ia acontecer, eu comecei a chorar, e um pouco depois, quando voltamos para nosso quarto no hotel Cornavin, disse a ela: "Você sabe por que comecei a chorar agora há pouco? Não porque você vai embora, nisso a gente dá um jeito, mas porque pensei que você vai morrer. Não era o medo de que você sofresse um acidente, apenas a constatação de que um dia, como todo mundo, você vai morrer. Espero que demore, espero que você fique velha, espero que depois de mim, mas por mais que demore, um dia o mundo vai existir sem você. E isso me fez chorar porque não conheço ninguém com tanta vida quanto você, porque você é para mim a expressão da vida".

O LUGAR ONDE NÃO SE MENTE

É um pensamento mágico, sem dúvida, mas dato dessa noite o início do colapso. Garantindo *também* à mulher dos gêmeos que nos amaríamos para sempre, que num dia distante pensaríamos sobre nossas vidas e nos lembraríamos desse desejo que, contra qualquer expectativa, teria se realizado, me deixei levar por um entusiasmo sincero mas também desafiei os deuses: *hybris*. Aspirando à unidade, fiz um pacto com a divisão. O que posso dizer desse colapso de que falo? O que devo omitir? Tenho uma convicção, apenas uma, sobre a literatura, bom, sobre o tipo de literatura que eu faço: *é o lugar onde não se mente*. É o imperativo absoluto, todo o resto é acessório, e acredito ter sempre obedecido a esse imperativo. O que escrevo talvez seja narcisista e vaidoso, mas eu não minto. Posso afirmar tranquilamente, poderia afirmar tranquilamente diante do tribunal dos anjos, que isso que me atravessa, que eu penso, que eu sou, e que certamente não me dá motivos para me vangloriar, poderia afirmar que eu escrevo "sem hipocrisia", como exige Ludwig Börne. Mas Ludwig Börne também exige que se escreva "sem deturpar", e eu normalmente também tenho essa intenção, mas aqui é diferente. Cada livro impõe suas regras, que não são fixadas de antemão, e sim descobertas ao longo do caminho. Não posso dizer deste livro o que com orgulho disse de muitos outros: "Tudo aqui é verdade". Ao escrevê-lo, preciso deturpar um pouco, deslocar um pouco, apagar um pouco, principalmente apagar, porque sobre mim posso dizer o que eu quiser, inclusive as verdades menos lisonjeiras, mas sobre os outros, não. Não me arrogo esse direito e no fundo não tenho vontade de contar sobre uma crise que não é o tema deste relato, e por isso vou mentir por omissão e vou direto às consequências psíquicas e até psiquiátricas que essa crise teve para mim, e apenas para mim. Pois aconteceu exatamente aquilo que, com a idade, eu tinha certeza de que não aconteceria mais. Minha vida, que eu imaginava ser tão harmoniosa, tão protegida, tão propícia à escrita de um ensaio simpático e perspicaz sobre a ioga, caminhava na verdade para um desastre, e esse desastre não veio de circunstâncias exteriores, câncer, tsunami ou irmãos Kouachi que sem qualquer aviso dão um pontapé na porta e abatem todo mundo com uma kalashnikov. Não, ele veio de mim. Ele veio dessa tendência poderosa à autodestruição da qual eu presunçosamente me julgava curado e que rebentou como nunca e me baniu para sempre do meu retiro.

TAQUIPSIQUISMO

É uma palavra que eu não conhecia, "taquipsiquismo". Ouvi-a pela primeira vez da boca do primeiro psiquiatra que consultei — um homem doce e humano, em quem penso com gratidão. O taquipsiquismo é como a taquicardia, mas pertence à atividade mental. Os pensamentos são erráticos, sem sequência, estridentes. Eles se movem em todas as direções, rápido demais. Eles formam um turbilhão e machucam. São as vritti, mas vritti turbinadas, uma tempestade de vritti, vritti sob efeito de cocaína. Isso descreve bem o meu estado. Eu, que me acreditava num caminho tão bom para domesticá-las e atingir o estado de serenidade e maravilhamento, sou presa das vritti que rebentaram. Fui abandonado à mercê delas. Elas me enlouquecem. Uso essa palavra, "loucura", com cautela. O objetivo das próximas páginas é analisá-la. Desde que me tornei adulto, vejo a mim mesmo como alguém um pouco mais neurótico que a média, o que tornou a minha vida um pouco mais infeliz que a média mas não me impediu de viver períodos de remissão, dos quais o mais longo, quase dez anos, é este cujo fim conto aqui. Dizem que a gente só percebe que era feliz quando não é mais. No que me diz respeito, não é verdade: ao longo de todos esses dez anos eu soube muito bem que era feliz. Eu me alegrava com isso, eu agradecia aos deuses, agradecia ao amor, agradecia à minha própria sabedoria e queria, na medida em que isso dependia de mim, proteger essa felicidade. Continuei querendo isso ao longo de toda essa crise, mas também a querer o contrário. Queria o desastre tanto quanto a paz e oscilei sem parar, insuportavelmente, entre um e outro. É por isso que não me vejo mais no consultório de um psicanalista, como tantas vezes no curso da minha vida, mas pela primeira vez no consultório de um psiquiatra, esse homem doce e humano que me prescreve doses altas de um antipsicótico — ainda que, ele garante, eu não seja psicótico — assim como um estabilizador de humor receitado a pessoas acometidas por transtornos bipolares.

DO TIPO 2

É perturbador se ver diagnosticado aos quase sessenta anos de idade com uma doença da qual se sofreu, sem que ela fosse nomeada, durante toda a sua vida. Você se revolta, a princípio eu me revoltei dizendo que o transtorno bipolar é um desses conceitos que de repente estão na moda e começam a ser aplicados a toda e qualquer coisa — mais ou menos como a intolerância ao glúten, de que um monte de gente descobriu padecer a partir do momento em que se começou a falar dela. Depois, você lê tudo que consegue sobre o assunto, revê toda a sua vida sob esse ângulo e percebe que faz sentido. Que faz mesmo muito sentido. Que durante toda a sua vida você se viu submetido a essa alternância de fases de excitação e de depressão, que naturalmente é o caso de todos nós, pois nosso humor é sempre mutável, todos temos altos e baixos, dias de céu claro e dias de nuvens escuras, mas existem pessoas, e eu faço parte desse grupo, ao que parece dois por cento da população, para quem esses altos são mais altos e esses baixos, mais baixos que para a média, de tal modo que essa sucessão se torna patológica. O ponto em que esse diagnóstico não faz sentido, à primeira vista, é o que diz respeito à fase chamada "maníaca" disso que, até os anos 1990, se chamava psicose maníaco-depressiva. O estado maníaco é aquele em que as pessoas andam nuas na rua, ou compram três Ferraris de uma vez, ou explicam fervorosamente a quem quiser ouvir que é preciso comer goiabas, muitas goiabas, para salvar a humanidade da Terceira Guerra Mundial. Conheci um garoto que fazia esse tipo de coisa e que, passada a crise, ficava aterrorizado por tê-las feito. Ele se suicidou, como parecem fazer vinte por cento dos bipolares — uma estatística mais confiável, sinto dizer, que a de Chogyam Trungpa a respeito do tempo do cérebro dedicado ao presente. Eu me enternecia com esse garoto brilhante e desesperado, nunca pensei que sofria do mesmo mal que ele. Depressivo, sim: como honestamente assumi ao preencher o questionário Vipassana, eu atravessei, além do que se pode chamar de fases ruins, dois períodos de depressão verdadeira, depressão severa, aquela que faz você quase não se levantar durante muitos meses, não conseguir mais cumprir tarefas básicas da vida e principalmente não conseguir mais imaginar que alguma outra coisa vá acontecer. É a característica da depressão: não é possível acreditar que um dia as coisas vão melhorar. Os amigos bem-intencionados lhe dizem "você vai sair dessa" e, estraçalhado, você até se ressente deles: dizer isso é tão distante da realidade... é tão óbvio que eles não sabem do que estão falando... Quando você está dentro da depressão, pensa que não sairá dela, que não sairá de lá vivo, que não sairá de lá a não ser pelo suicídio. Se não se suicidar, no entanto, você sai de lá, cedo ou tarde, e uma vez que saiu você passa para o campo dos amigos bem-intencionados, não consegue mais evocar aquele estado de aflição intolerável e aparentemente eterno. Quando eu era jovem, tive uma viagem horrível com cogumelos alucinógenos. Eles me mandaram para o inferno, cuja característica é ser aterrador e não acabar nunca. Eu estava lúcido no meu pesadelo. Cheguei a pensar, com lucidez: "Sem pânico. Tomei uma substância tóxica. Esse efeito vai durar o tempo da digestão, em oito ou dez horas vai ter passado, só preciso aguentar até lá". Pensava isso para me tranquilizar, e era sensato e verdadeiro, mas ao mesmo tempo eu me perguntava: "Será que eu vou aguentar? Daqui a oito ou dez horas *eu ainda vou estar vivo*?". Saí vivo, e sei que quando você se vê de volta entre os vivos você relativiza o inferno, esquece bem rápido o horror que há nele, e é isso que, nestas páginas, eu gostaria de não fazer. Como diz Céline: "A grande derrota, no fundo, é esquecer, e sobretudo aquilo que fez você morrer". Em resumo, para minha infelicidade eu conheço a depressão. Mas nas minhas primeiras consultas psiquiátricas ainda ignoro que, na definição do transtorno bipolar, o polo oposto ao engolfamento depressivo não é necessariamente o estado espetacular de euforia e desinibição que leva ao suicídio social e muitas vezes ao suicídio em si, mas também frequentemente aquilo que os psiquiatras nomeiam hipomania, o que quer dizer, simplesmente, que você pira mas não na mesma proporção. Você não sai na rua nu em pelo, você apenas é um joguete desse taquipsiquismo cujo nome aprendi há pouco. Você é bipolar do tipo 2: agitado sem ser necessariamente eufórico, mas por vezes também sedutor, cativante, muito sexual, aparentemente no auge do seu vigor mas inclinado a tomar decisões de que mais tarde vai se arrepender com a certeza de que são as decisões certas e de que nunca será preciso voltar a elas. Depois é a certeza contrária que se impõe, você entende que fez a pior coisa que poderia ter sido feita, tenta consertá-la e piora ainda mais a situação. Você pensa uma coisa e o contrário dela, você faz uma coisa e depois o contrário dela, em uma sucessão alucinante. O pior, quando você costuma se analisar, como eu, é que, uma vez feito o diagnóstico e identificado o modo de funcionamento, você adquire um distanciamento, mas esse distanciamento não serve para muita coisa. Ou apenas para passar a ter consciência de que não importa o que você pense, diga ou faça, você não pode confiar em si mesmo, pois você é duas pessoas em uma só, e essas duas pessoas são inimigas.

IOGA PARA BIPOLARES

Os pensamentos se fundem, se contorcem como chamas, se consomem, recomeçam com mais intensidade. Um deles vem a mim, ele me excita. Na impossibilidade de me curar desse mal de que padeço, posso descrevê-lo. É o meu trabalho. É isso que sempre me salvou, apesar de tudo. Que boa ideia! Vou recontar minha vida sob esse ângulo, vou até reler meus livros sob esse ângulo, não mais como obras literárias mas como documentos clínicos. O primeiro, *O bigode*, conta a história de um homem que raspa seu bigode sem que nenhuma pessoa próxima a ele, sobretudo sua esposa, perceba. De início, uma confusão leve, que não para de se alastrar e transforma sua vida num pesadelo. Será que a esposa está tentando enlouquecê-lo? Ele está ficando louco? Nenhuma das duas hipóteses se sustenta mas não existe uma terceira, então ele se alterna entre uma e outra, outra e uma, em uma oscilação taquipsiquista alucinante, alucinadora, que não lhe deixa outra saída a não ser a fuga, e, enfim, o suicídio. Quanto ao meu último livro, *O reino*, o protagonista é o apóstolo

Paulo, que, como acredito poder demonstrar com clareza, é o santo patrono dos bipolares, uma vez que a conversão fez dele não apenas o contrário do que tinha sido, mas também o que ele mais temia se tornar, e que passasse o resto da vida em pânico, aterrorizado com a possibilidade de refazer o caminho no sentido contrário. Nada em comum, à primeira vista, entre meu novo projeto de autobiografia psiquiátrica e meu ensaio simpático e perspicaz sobre a ioga, que pertence claramente a um tempo passado. Eles não têm nada a ver, a não ser pelo fato de que isso é uma regra que eu mesmo criei, e por conta de um dos ensinamentos mais confiáveis da psicanálise: quando você fala de duas coisas dizendo que elas não têm nada a ver, há uma grande chance de que, ao contrário, elas tenham tudo a ver, e me lembro com muita precisão dessa noite de setembro de 2016 em que, sentado como quase todas as noites, sozinho na varanda do café e tabacaria Le Rallye, na esquina da Rue de Paradis e da Rue du Faubourg-Poissonnière, onde eu tinha acabado de me acomodar, fui cegado, como Paulo no caminho para Damasco, por essa evidência de que minha autobiografia psiquiátrica e meu ensaio sobre a ioga eram o mesmo livro. O mesmo livro porque essa patologia de que eu sofro é a versão deteriorada, paródica, terrível da grande lei de alternância cuja harmonia celebrei com tanta sinceridade umas trinta páginas atrás. Do yin nasce o yang, do yang, o yin, e o sábio é identificado como aquele que, entre um polo e outro, se deixa levar suavemente pela corrente. Como se identifica o louco? Identifica-se o louco como aquele que, em vez de ser levado, é carregado pela corrente, chacoalhado de um polo ao outro com uma imensa dificuldade de manter a cabeça fora d'água, de modo que para ele yin e yang não são complementares, mas inimigos, ambos aferrados à sua derrota. Tudo aquilo de que me dispus a falar no tom apaziguado de quem caminha com confiança rumo a um estado de serenidade e maravilhamento se mostra hoje sob uma luz crua e cruel, uma luz de aurora lívida e de execução capital que, não consigo me impedir de acreditar, é verdadeira, é mais verdadeira que aquela do dia maravilhoso que anula os sonhos ruins. Mas ainda me resta um meio de resistir às vritti, um único meio, que é narrar o combate longo e desigual que travei com elas ao longo da minha vida. Narrar as diversas tentativas que fiz ao longo da vida para acalmar as vritti e me tornar quem tanto desejei ser. Adoro essa frase do místico anônimo que, no século XIV, na Inglaterra, escreveu *A nuvem do não saber*: "Não é aquele que você é que Deus olha com Seus olhos misericordiosos, mas aquele que você deseja ser". Quem eu desejei ser? Um homem estável, um homem sereno, um homem em quem se pode apoiar, um homem bom, um homem amoroso. Pois o desafio verdadeiro, o único desafio desse combate, o único desafio da vida é com certeza o amor, a capacidade de amar. Fraco como sou, me esforcei para escorar essa capacidade com disciplinas que, como as artes marciais, visam a fazer surgir dentro de si outra coisa além do ego. Trinta e cinco anos de escrita, trinta anos de tai chi, de ioga, de meditação, para fazer surgir o que pode haver de amor dentro de mim: ninguém poderá dizer que não tentei, ninguém poderá dizer que fui preguiçoso, ninguém poderá dizer que não lutei. "Entrega-te, meu coração", escreve Michaux. "Lutamos bastante. E que minha vida cesse. Não fomos covardes, fizemos o que pudemos." Isso, sim, fizemos o que pudemos, e não podemos dizer que o combate longo e desigual serviu para muita coisa, mas ainda assim tenho consciência de que quando penso isso trata-se dos pensamentos da noite, dos pensamentos da loucura e da doença, e que esses não são sempre os meus pensamentos. Acredito ter sido esse homem estável e amoroso, esse homem em quem se pode confiar, em outros momentos da minha vida, e não me enganei ao acreditar nisso, e aqueles que me amaram também não se enganaram. Essa vida, a minha, pobre vida miserável e às vezes vivaz, e às vezes amorosa, não foi apenas ilusões e derrotas e loucura, e o pecado mortal é esquecer isso. Nas trevas, é vital se lembrar de que também vivemos na luz e que a luz não é menos verdadeira que as trevas. E tenho certeza de que isso pode ser um bom livro, um livro necessário, que conseguirá reunir os dois polos: uma aspiração longa à unidade, à luz, à empatia, e a poderosa atração oposta da divisão, do fechamento em si, do desespero. Esse debater-se é mais ou menos a história de todos os seres humanos, acontece que comigo ele ganha esse tom extremo, patológico, mas como sou escritor posso fazer alguma coisa com isso. Preciso fazer alguma coisa com isso. Minha triste história particular pode alcançar a universalidade: é o que penso na varanda do Rallye, e me lembro até de ter perguntado à garçonete, uma jovem chinesa inteligente com quem eu batia papo de tempos em tempos, se ela achava que *Ioga para bipolares* era um bom título. Ela ficou perplexa com a pergunta mas, em dúvida e para me agradar, respondeu que na opinião dela, sim.

"E DE MANHÃÃÃÃ O LOBO A DEVOROOOOU"

Para me incentivar, repito para mim mesmo que se eu me apegar a esse relato serão uma ou duas horas ganhas por dia no domínio das vritti. Uma forma de meditação, um combate tão heroico quanto o da cabra de Monsieur Seguin. Sempre me identifiquei com essa cabrinha audaciosa e desafortunada que queria ir ver como era o lado de fora, para além das cercas, e que correu pelas florestas, pelas colinas, embriagada pela liberdade e pelo desdém por seus colegas medrosos que permaneceram no curral. Ela pagou caro, como você sem dúvida sabe. Perseguida pelo lobo, ela lutou, lutou a noite toda para escapar dele. Quando eu era pequeno, tinha um disco em que Fernandel narrava o conto de Daudet, e seu sotaque do interior, normalmente bonachão e engraçado, pesava de um jeito inacreditavelmente ameaçador na última frase: "E de manhãããã o lobo a devoroooou". Ainda o ouço dizer essa frase, hoje ela me amedronta tanto quanto aos seis anos, e tenho medo de que aos quase sessenta seja exatamente isso que me aguarda: que também a mim o lobo devore, que eu nunca mais retorne ao calor do curral.

OS GÊMEOS SEPARADOS

Era completamente previsível, mas eu ainda não estava habituado a essas previsões, que ao superaquecimento maníaco sucedesse um mergulho depressivo. Período atroz. Na fase precedente, eu me exaltei diante da perspectiva de um livro novo e de uma vida nova, cheia de promessas e conquistas. Aluguei esse apartamento mobiliado bastante agradável na Rue du Faubourg-Poissonnière. Comprei uma caixinha de som portátil e fiz uma assinatura do Deezer, o que, de um jeito bem esquisito, identifico como os símbolos da minha nova vida — símbolos modestos, você há de convir, distantes da compra compulsiva de Ferraris. E me vejo solitário como um rato, sem mulher ou, quando por acaso arrumo uma, impotente, o colarinho coberto de caspa, o pau descamado pela herpes, incapaz de escrever, tendo perdido toda a fé nesse projeto de livro que algumas semanas antes me parecia tão ajustado, tão necessário, tão factível: para começar, bastava contar o que tinha acontecido comigo. O problema é que não sei o que está acontecendo comigo e não estou mais no clima de contar o que quer que seja nem para os outros nem para mim mesmo. Para viver nós precisamos de uma narrativa, e eu não tenho mais nenhuma. Minha vida se reduziu a ir e vir da minha cama, onde fico marinando num suor malcheiroso, e da varanda do Rallye, em que passo horas fumando um cigarro atrás do outro, abobado, sob o olhar inquieto da garçonete chinesa gentil que, para me agradar, achou que *Ioga para bipolares* era um título bom. Ainda hoje não consigo passar na frente desse café sem sentir pavor. Durante quase dois meses mal tomei banho e troquei de roupa. A banheira entupiu, não fiz nada para remediar isso, e quase não troquei meu uniforme de depressivo para dormir:

uma calça de veludo cotelê sem forma, um pulôver velho cheio de furos e tênis, cujos cadarços retirei como se antecipasse as precauções que logo me seriam impostas no hospital psiquiátrico. Não paro de tremer, os objetos caem das minhas mãos. Se arrumo os iogurtes na geladeira, eles escapam da minha mão e se esborracham contra o chão da cozinha. Não é sério, são iogurtes, mas um dia eu quis mover em alguns centímetros os pequenos gêmeos, que eu tinha colocado em uma estante como se colocasse em um altar, e os deixei cair também. Eles quebraram. Passei pelo menos uma hora parado, de pé, olhando entre os meus pés, sobre o assoalho, esses dois pedaços de argila que tinham sido o símbolo secreto do meu amor, e pensei que era isso, não havia maneira mais eloquente de dizer, tudo estava quebrado, nada nunca mais seria consertado, tudo tinha chegado ao fim.

O ARTIGO DE WYATT MASON

Foi nessa época que um jornalista e escritor norte-americano chamado Wyatt Mason veio me ver para escrever um longo perfil para a *New York Times Magazine*. Em outro momento, essa visita e o interesse da *New York Times Magazine* teriam me agradado imensamente, pois há muito tempo almejo um reconhecimento maior no mundo literário anglo-saxão. Mas naquele momento não estou nem aí para meu reconhecimento no mundo literário anglo-saxão, não estou absolutamente no clima de sentir prazer com o que quer que seja, e é isso que salta aos olhos de Wyatt Mason no momento em que abro a porta do meu apartamento na Rue Faubourg-Poissonière. Um apartamento num bairro badalado, ele nota no início do seu artigo, um apartamento que poderia ter seu charme: uma sala ampla, um pouco escura, de janelas grandes que dão para um pátio arborizado e uma mesa diante de uma dessas janelas, à qual era possível sentir-se bem para trabalhar. Só que desse apartamento quase vazio, sem nenhum livro, sem nenhum quadro, sem nada de pessoal, escorre angústia, e de seu locatário também. É raro que um jornalista expresse impressões tão íntimas assim a respeito da pessoa que entrevistou. É o tipo de coisa que eu poderia fazer, eu, e que Wyatt Mason fez com uma delicadeza bondosa e pesarosa. Eu me lembro dele: um sujeito de cerca de quarenta anos, cabeça raspada, barba curta, voz doce, muito simpático, que eu gostaria de convocar ao banco de testemunhas para narrar esse período da minha vida do qual me lembro tão pouco. Seu artigo, que acabo de achar de novo no site do *New York Times*, começa assim: "Numa tarde de outubro de 2016, quando a loucura das eleições atingia o ápice no meu país, eu me encontrava na sala de um apartamento de Paris com o escritor Emmanuel Carrère, que falava sobre vergonha. Carrère, aos cinquenta e nove anos, tem uma aparência desconcertante, porque, a julgar pelo seu corpo, lhe daríamos metade da sua idade, mas o dobro se considerarmos seu rosto...". Mais ou menos nessa mesma época, outro jornalista anglo-saxão me descreveu como bastante sedutor, apesar do rosto ligeiramente simiesco, das orelhas de abano pontudas como as de um morcego e dos olhos próximos demais, lembrando os de George W. Bush. Mas voltemos a Wyatt Mason, que recebo parcialmente deitado, numa postura de analisando, sobre um sofá de couro preto que é, segundo ele escreve com um talento que me choca hoje, quando leio seu artigo, "praticamente o único móvel do ambiente, colocado bem ao centro, onde ele parece um cão enorme e deprimido aguardando, sem esperança, seu dono voltar". Uma coisa que Wyatt Mason não sabe, e que ele certamente teria usado no texto, é que dois anos antes esse homem arredio e trêmulo que ele tem diante de si foi fotografado nesse mesmo sofá em posição de lótus, o rosto perfeitamente sorridente e sereno, e que essa foto estampou a capa de uma revista semanal que abria com uma longa entrevista com esse homem num especial sobre a meditação. Falo então da vergonha, e a primeira coisa que conto a respeito disso é uma história cujo herói é o general Massu. O general Massu foi um dos principais responsáveis militares franceses durante a Guerra da Argélia. Guerra suja, se é que existe alguma limpa, guerra feita de batalhas ferozes, de desaparecimentos noturnos, de civis degolados como carneiros e de interrogatórios realizados pelos franceses segundo duas técnicas principais: a banheira e a *gégène*. A *gégène*, como explico a Wyatt Mason e ele, por sua vez, explica a seu leitor, consiste na aplicação de um gerador elétrico sobre as têmporas, as orelhas e, caso seja homem, nas bolas da pessoa interrogada. Depois, no começo dos anos 1970, o general Massu foi acusado de ter praticado e ordenado praticar a tortura. Sem negar, ele se justificou dizendo que dos males é preciso escolher o menor e que as pessoas são obrigadas a recorrer a extremos assim para evitar atentados e salvar dezenas de vidas humanas. É o argumento habitual de torturadores, mas Massu, em uma entrevista concedida a essa mesma revista que cinquenta anos depois me fotografaria no sofá em panóplia de sábio, soltou um outro, na empolgação. Ele disse: "Fala-se demais da *gégène*, mas não é preciso exagerar, ela não faz tão mal assim: a prova é que a testei em mim mesmo". Repito essa frase para Wyatt Mason: "I tried it on myself". É um convite para que ele absorva essa mistura de estupidez e obscenidade. Pois, se alguém aplica eletrodos em si mesmo, ele para quando quer, quando começa a machucar de verdade, enquanto a característica da tortura é que o torturado não sabe quando o torturador vai parar. Por que estou contando isso? Wyatt Mason entendeu bem o porquê e explica bem a seu leitor que alguém que, como eu, não escreve ficção, mas textos autobiográficos, cuja regra primeira é não mentir, alguém para quem a literatura é antes de tudo *o lugar onde não se mente*, se vê em duas situações morais bastante diferentes caso fale de si mesmo ou de outra pessoa. Uma vez me disseram que era preciso muita coragem para retratar a si mesmo, como faço nos meus livros, em seus aspectos menos lisonjeiros. Não é verdade, digo a Wyatt Mason. Não se trata de coragem, ou se é coragem é a mesma do general Massu quando ele aplica a *gégène* em si mesmo. Como ele, eu paro quando quero, digo e silencio sobre o que quero, sou eu que decido onde posicionar o cursor. Enquanto que, escrevendo sobre os outros, você passa ou pode passar para o lado da verdadeira tortura, porque quem escreveu tem plenos poderes e aquele sobre quem se escreveu está à sua mercê. Dez anos antes, digo também a Wyatt Mason — que sabe perfeitamente do que estou falando, seu profissionalismo me fascina —, publiquei um livro autobiográfico chamado *Um romance russo*. Eu me expus, muito bem, isso diz respeito a mim, mas submeti duas pessoas ao mesmo tratamento: minha mãe, que se afligia com a revelação de um segredo de família, e minha companheira da época, cuja intimidade afetiva e sexual eu desnudei sob o pretexto de que, estando inextricavelmente misturada à minha, pertencia tanto a mim quanto a ela. Esse duplo despojamento causou sofrimento, mas nenhuma catástrofe, graças a Deus. Ainda assim: ultrapassei uma linha que não deveria ter sido ultrapassada. O livro que escrevi na sequência, *Outras vidas que não a minha*, expunha a intimidade de várias pessoas, mas eu lhes enviei o manuscrito antes da publicação e elas o aprovaram, de modo que esse livro, que trata de acontecimentos tristes e até terríveis, foi escrito com serenidade e ainda é de longe meu preferido, porque ele me deu a ilusão, partilhada com inúmeros leitores, de ser um homem bom. Mas é uma ilusão, digo ainda a Wyatt Mason. Não sou um homem bom. Eu gostaria de ser, daria minha vida e minha alma para ser um homem bom porque sou um indivíduo eminentemente moral que distingue com muita clareza o bem do mal e não coloca nada acima da bondade, mas não, ai de mim, eu não sou bom, e cito a Wyatt Mason, quantas vezes já citei isso, quantas vezes já repeti isso a mim mesmo, a frase de são Paulo, que pergunta a Deus, sem dúvida a única pessoa a quem se pode fazer esta pergunta: "Por que não faço o bem que amo, mas pratico o mal que odeio?". Percebe-se que, nesse momento, Wyatt Mason não toma mais minhas palavras como reflexões ou argumentos que emanam de um homem responsável, mas como sintomas de um estado de aflição alarmante, pelo qual ele demonstra uma compaixão real. "Esse homem extremamente bem-educado", escreve ele, "atento a seu interlocutor, esforçando-se para se expressar de maneira precisa, oferecendo chá, oferecendo a si mesmo tanto quanto conseguia, ele vivia em um estado de sofrimento insuportável, era impossível não ver." Assim se encerram a primeira parte do artigo e o primeiro dia que passamos juntos, pois se trata de um perfil longo, oito páginas da *New York Times Magazine*, Wyatt Mason tinha vindo a Paris especialmente para isso, então ficou combinado que isso ocuparia dois dias nossos. O que fazer no segundo? Tínhamos esgotado os encantos do monólogo no sofá que parecia um cachorro deprimido, a ideia era trocar o formato estático e convencional de uma entrevista por algo um pouco mais vivaz. Me acompanhar, por exemplo, em alguma coisa que eu adorava fazer: compras no mercado, ir a um bom restaurante, a um jogo de futebol... Quando Wyatt Mason me perguntou se eu tinha alguma ideia, eu o arrastei até a varanda do Rallye, esperando que ele se satisfizesse com o clichê: um café parisiense típico ao qual o escritor parisiense vai todas as manhãs tomar seu expresso duplo com croissant, observar os outros clientes, idealmente escrever no seu caderninho. Talvez o conceito fosse bom, mas eu forcei a barra. Exagerei meu status de frequentador assíduo dirigindo à garçonete chinesa palavras de uma jovialidade estridente, que ela recebeu como se eu tivesse enlouquecido. Wyatt Mason tomou seu café, pensativo, depois me perguntou se eu gostava de Rembrandt. Imagino que muito poucas pessoas respondem a essa pergunta dizendo que não, e, de fato, sim, adoro Rembrandt. Uma pessoa que passou a vida esquadrinhando ansiosamente seu próprio rosto — como não seria meu pintor preferido? Wyatt Mason sugeriu então que fôssemos ver uma exposição de gravuras de Rembrandt que tinha acabado de ser inaugurada no museu Jacquemart-André. Concordei, era muito melhor que um restaurante gourmetizado em que eu não teria conseguido engolir nem uma entrada, nem mesmo um aperitivo, e não sei por que propus de, em vez de pegarmos um táxi, irmos juntos na minha scooter. Mais que a exposição de Rembrandt, sobre a qual não havia muito o que dizer, esse trajeto de scooter é o ponto alto do artigo de Wyatt Mason. Ele não é o primeiro, entre minha família e meus amigos, que descreve meu jeito de dirigir uma moto como prudente mas talvez um pouco prudente demais, perigoso de tão prudente, com frenagens bruscas quando não é necessário e curvas feitas tão lentamente que a scooter ameaça se inclinar, se inclinar a ponto de cair sob o peso da sua inércia. Sacudido, chacoalhado, cada vez mais tenso atrás de mim, Wyatt Mason evoca o barulho que a parte da frente do seu capacete faz colidindo com a parte de trás do meu cada vez que eu freio, os esforços que ele faz para que a parte da frente do seu capacete não colida com a de trás do meu, e é então que ele escreve essa coisa surpreendente que, ainda mais que todo o resto, inspira em mim uma simpatia profunda por ele: "Tudo isso teria sido mais fácil se fôssemos amigos. Eu não teria sido obrigado a me contrair para manter a distância entre nós, eu poderia me segurar na cintura dele e, claro, não se espera que um jornalista faça isso com a pessoa que acabou de entrevistar, mas penso que, no fundo, é o que eu deveria ter feito: abraçar esse homem tão infeliz".

O artigo de Wyatt Mason não termina com essa passagem de qualidade literária e humana tão notável, mas com estas linhas: "Por mais obcecado que Emmanuel Carrère seja com a perda, a violência e a loucura, seus livros se encaminham sempre para um fim em que surge um espaço de alegria. A força deles está em serem escritos por alguém que sabe o preço dessa alegria". Leio essa frase hoje, já que me encaminho para o fim deste livro e procuro justamente fazer surgir nele um espaço de alegria. Procuro, tateio, não sei ainda o que vou encontrar, mas acredito que é possível. A alegria, ou pelo menos a possibilidade dela, retornou à minha vida. O amor, ou pelo menos a possibilidade dele, retornou à minha vida. Se tivessem me dito isso há três anos e meio, quando eu morava na Rue du Faubourg-Poissonnière, eu não teria acreditado e teria até achado essa previsão um insulto, por estar muito longe da realidade. Eu tinha certeza de que a tristeza duraria para sempre e de que se acontecesse, como eu acreditava cada vez menos, de eu ainda escrever alguma coisa, seria para dizer isto: que a tristeza duraria para sempre, que eu permaneceria enclausurado eternamente. Há uns vinte anos, deparei no *Libération* com este fait divers que me marcou pelo resto da vida: os pais de um garotinho de quatro anos o levam ao hospital para uma operação simples. Ele deve sair de lá no dia seguinte. Mas o anestesista comete um erro e o garotinho, apesar das semanas de tratamentos desesperados, permanece surdo, mudo, cego e paralisado. De maneira irreversível e definitiva. Quando li isso, fiquei estupefato de pavor. Nunca nada tinha me atingido tanto. Eu não conseguia mais pensar em outra coisa. Não conseguia mais pensar em outra coisa além do despertar do garotinho. Do momento em que ele recuperou a consciência, no escuro. Preocupado, de início, mas preocupado como quando ficamos sabendo que a preocupação vai acabar. Seus pais não deviam estar longe. Vão acender a luz, falar com ele. Mas nada acontece. Nenhuma luz. Nenhum som. Ele tenta se mexer, mas não consegue. Gritar, mas não ouve a si mesmo. Talvez sinta que está sendo tocado, que abrem sua boca para ele comer. Talvez o alimentem por um cateter, o artigo não diz. Seus pais e os funcionários do hospital ficam ao redor da cama, transtornados pelo horror, mas ele não sabe disso. Impossível se comunicar com ele, impossível alcançá-lo. Ele não está em coma. Todos sabem que está consciente, que atrás desse rosto de cera, contraído, atrás dessas pupilas que não enxergam, existe um garotinho enclausurado vivo, que está berrando de terror em silêncio. Ninguém consegue lhe explicar a situação, e quem teria coragem de fazê-lo? Ninguém consegue imaginar o que se passa dentro da sua consciência, como ele explica para si mesmo o que está acontecendo. Não existem palavras para isso. Eu não tenho palavras. Eu, tão articulado, não tenho nenhum meio de exprimir o que essa história terrível movimenta em mim. Mas ela movimenta alguma coisa que está no fundo de mim, alguma coisa que está no fundo da minha própria história e que faz com que, para mim, a realidade da realidade, a realidade última, a última palavra de todas as coisas, não seja esse espaço de alegria inalienável para o qual caminham meus livros, como Wyatt Mason celebra, mas o horror absoluto, o terror inominável de um garotinho de quatro anos que recupera a consciência no escuro eterno.

O ÚLTIMO CONSELHO DE FRANÇOIS ROUSTANG

Certo dia, me afastei do cruzamento Poissonière-Paradis para ir ver o velho psicanalista François Roustang em seu entrepiso sombrio na Rue de Naples. Esse homem extraordinário que tinha sido jesuíta, depois discípulo de Lacan, escapou dessas duas Igrejas sucessivas para se tornar, no fim de sua longa vida, um tipo de mestre zen. Cabeça raspada, olhos de um azul muito pálido, rosto impassível, ele tinha uma presença física impressionante: nunca conheci um homem tão enraizado, de maneira tangível, nesse centro de gravidade que os japoneses localizam no centro da barriga e chamam de *hara*. Fui vê--lo três vezes na minha vida, em momentos cruciais, e suas palavras foram sempre brutais e iluminadas. A última vez havia sido dez anos antes, na segunda das minhas três depressões maiores. Expliquei-lhe longamente que minha vida tinha me levado a um impasse do qual eu não sairia mais e que a única solução para mim era o suicídio. Quando se diz esse tipo de coisa, você espera que o refutem, mas em vez de refutar Roustang me disse tranquilamente: "Você tem razão. O suicídio não é muito bem-visto, mas às vezes é a melhor opção". Abismado, olhei para ele. Se tem uma coisa que um terapeuta de qualquer escola não pode dizer é exatamente isto: que o suicídio é a melhor opção. Depois ele completou: "Ou, então, você pode viver". Entende por que eu digo que, no fim, ele era um mestre zen? Esta frase: "Ou, então, você pode viver" atuou em mim como um curto-circuito psíquico e me possibilitou não apenas sair da depressão mas viver os dez anos plenos e felizes que se seguiram. E aqui estou de novo diante dele, dez anos depois, completamente convencido de que nunca sairei dessa, de que estou condenado à vergonha e ao horror, de que não há outra saída para mim além do suicídio. Ele me deixou desfiar minha ladainha lúgubre por um bom tempo e, desta vez, no meio de uma frase, fez um corte seco e mandou que eu me calasse. "Agora fique calado." O que eu podia fazer? Me calei. Ele também. Ficamos em silêncio, talvez por cinco minutos, foram cinco longos minutos. Ele me olhava tranquilamente, sem desviar os olhos, quase sem piscar, mas não com uma intensidade excessiva. Sob seu olhar, me lembrei de uma coisa que Albert Speer, o arquiteto do Terceiro Reich, conta em suas memórias, e que não li em nenhum outro lugar: Hitler adorava, muito frequentemente e em circunstâncias das mais variadas, o jogo infantil de olhar fixamente para as pessoas até obrigá-las a baixar os olhos. Era um duelo, um duelo cruel e perigoso, que ele obviamente sempre ganhava porque ninguém ousava enfrentá-lo — mas o oponente também não podia, ao ceder rápido demais, abreviar seu prazer. O modo de Roustang mergulhar seus olhos azuis nos meus, sua imobilidade densa e mineral, era exatamente o oposto disso: não havia provocação, não havia conflito, não havia tensão, não havia competição. Eu sentia ondas profundas de calma emanando dele, como a voz de S. N. Goenka. Para encerrar, ele me disse: "Isso que você está vivendo é horrível: está bem. Viva isso. Abrace isso. Não seja nada além desse horror. Se você tiver que morrer disso, você vai morrer. Não procure nem motivo nem meio de sair disso. Não faça nada, deixe estar: é a única condição para que possa acontecer uma mudança". Dito de outro modo: medite, pois a meditação é isso.

Tentei obedecer Roustang, ou seja, não fazer nada, mas não funcionou. Então tentei fazer outra coisa: uma reportagem. Sempre adorei fazer reportagens, isso por vezes me salvou. Ir a campo, assumir os hábitos de Wes Teriô. Reuni o pouco de energia que tinha para discar o número do meu amigo e redator-chefe Patrick de Saint-Exupéry. Patrick chefia a revista *XXI* e eu o chamo de meu redator-chefe, ainda que eu não trabalhe para a *XXI* nem para nenhum outro jornal, porque quando tenho uma ideia para uma reportagem é para ele que proponho e porque ele, às vezes, me propõe outras, que se revelam sempre excelentes. Explico então que estou atravessando um período difícil — "Pela sua voz", ele me disse depois, "dava para perceber na hora que era *mesmo* um período difícil" — e que me faria bem sair para tomar um ar. Para dar uma ideia da amizade criativa dele, basta dizer que ele me telefonou uma semana depois me propondo o seguinte tema: em 1999, o filho mais velho de Saddam Hussein, Uday, um psicopata perigoso, escapou de um atentado e, para agradecer a Alá, seu pai fez uma promessa esquisita de encomendar um Corão com seu próprio sangue. Toda semana durante dois anos uma enfermeira ia ao palácio presidencial tirar sangue de Saddam, que na sequência ela levava ao calígrafo iraquiano mais famoso. Uma vez terminado, o Corão de sangue foi exposto com grande pompa em uma mesquita construída por Saddam, chamada "mãe de todas as batalhas" e notável por sua singularidade arquitetônica: os minaretes dela têm o formato de kalashnikovs. Pois os americanos chegaram lá, o país já muito caótico mergulhou em mais caos ainda — como eu mesmo, que logo passaria de um "sofrimento moral importante" para um "sofrimento moral intenso" — e o Corão de sangue desapareceu. Ninguém mais sabe onde ele está, para dizer a verdade poucas pessoas se preocupam com isso, mas Patrick pensou que, em primeiro lugar, uma investigação seria um bom fio condutor para falar do Iraque de hoje e depois, e principalmente, que essa expedição cheia de aventuras e até perigos, essa injeção de adrenalina, era o que de melhor ele podia oferecer a um amigo que estava pirando — existem mesmo pessoas com quem a gente pode contar na vida. A ideia me agradou, ela me agradava ainda mais porque com alguma sorte eu poderia ser morto em um atentado num carro-bomba e acho que ir a Bagdá será uma façanha menor que atravessar a Rue du Faubourg-Poissonière. O problema é que não se vai assim, simplesmente, a Bagdá, leva tempo para conseguir os vistos. Digo *os* vistos porque Patrick teve a ideia de enviar uma dupla, eu, que não conhecia nada do Iraque, e um grande repórter chamado Lucas Menget, que conhecia o país como a palma da mão. Nos entendemos maravilhosamente bem, Lucas e eu, quando enfim viajamos, quase um ano depois. Enquanto aguardávamos, nossa reportagem consistia em nos apresentarmos todas as semanas, em algumas ocasiões duas vezes por semana, no consulado do Iraque para obter informações sobre nossos vistos. Essas visitas foram as únicas vezes que saí de casa naquele inverno, e guardo delas uma lembrança boa. Eu descia na estação Porte Dauphine, subia devagar a Avenue Foch, sobrenaturalmente larga, coberta de neve, onde nos arredores do consulado sedãs pretos luxuosos passavam em silêncio como se em câmera lenta. Nós tínhamos horário marcado com um diplomata de bigode — todos os iraquianos usam bigode — que cerimoniosamente nos convidava a sentar em um sofá fundo e hediondo, ele sentava-se em um sofá igualmente fundo e hediondo em frente ao nosso, à distância de um abismo de quatro ou cinco metros, e uma vez que estávamos todos confortavelmente instalados ele pedia que nos trouxessem, em copinhos em forma de tulipa, um chá muito forte e muito doce que, a cada visita, eu achava mais delicioso. Lucas e o diplomata, que se conheciam bastante, tinham muitos amigos em comum, sobre os quais eles contavam novidades, assim como sobre suas famílias. Essa conversa, cheia de alusões políticas que me escapavam completamente, fazia parte do percurso do combatente que desejava obter um visto, mas tanto Lucas quanto o diplomata pareciam gostar dela e acabei por também gostar, de certo modo. Ninguém me pedia para participar, eu bebia meu delicioso chá em golinhos sentado no meu sofá hediondo, as horas passavam sem pressa nesse escritório em que ninguém parecia estar ocupado, o falatório se estendia, e isso se devia também à presença de Lucas, que é um cara inacreditavelmente calmo, correto e tranquilizador, um sujeito de ouro, mesmo: eu me sentia em segurança. Sim, ao longo desse inverno atroz o único lugar em que eu me sentia em segurança era no consulado do Iraque.

O PACIENTE NO MOMENTO DA ADMISSÃO

Minha hospitalização no Saint-Anne durou quatro meses. O prontuário, para o qual olho enquanto escrevo, começa com este resumo: "Episódio depressivo caracterizado, com elementos melancólicos e ideias suicidas no contexto de um transtorno bipolar tipo 2". E aqui, um pouco depois, como o paciente se apresentou na admissão: "Lentidão psicomotora moderada com hipomimia, fácies triste mas reatividade afetiva. Tristeza, anedonia, abulia, sofrimento psíquico importante, astenia com custo psíquico e físico importante na realização de atividades cotidianas. Elementos melancólicos com sentimento de desesperança no futuro, de incurabilidade. Ruminações, sentimento de culpa em relação aos próximos, ideias suicidas invasivas". Não é preciso dominar o vocabulário psiquiátrico para entender que eu não estava nada bem. Se se quiser adentrar as nuances, um "sofrimento psíquico importante" é preocupante, mas menos que um "sofrimento psíquico intenso", que eu não demoraria a conhecer e que é em si menos preocupante do que um "sofrimento psíquico insuportável": também esse eu conheci, não sei se existe um quarto tipo. Fazia alguns dias que meu estado já pouco glorioso tinha piorado. O visto para o Iraque nos escapava semana a semana, e com ele meus sonhos de fuga aventureira ou de morte, levemente menos desejável, em um atentado num carro-bomba. De um dia para o outro, de uma hora para a outra de fato, eu estava taquipsíquico ou catatônico, e esse estado assustou minha irmã Nathalie de tal modo que, sem avisar ninguém, ela marcou uma consulta para mim no Saint-Anne. Foi assim que nos vimos ambos no último andar de um prédio moderno nos limites do hospital, diante de um homem de sessenta anos de avental branco, educado, olho azul e vivo, a autoridade calma que caracteriza aquilo que se chama de uma sumidade, e que ao me ver no estado descrito no prontuário decide me hospitalizar sem delongas. Não volto para casa, me colocam numa cama, depois veremos por quanto tempo. Quanto ao Iraque, do qual falei no início da entrevista, a sumidade sente muito mas é preciso adiar, haverá outro momento para isso dentro de alguns meses. Ele insiste sobre o conceito de doença — muito diferente do de neurose, que dominou minha vida adulta. A questão não é saber de onde vem. A questão não é saber por que eu arrasto desde sempre essa carrocinha de merda na cabeça. A questão é que estou doente, tão doente quanto se eu tivesse tido um AVC ou uma peritonite, portanto vão me enfiar numa cama, vão procurar os melhores tratamentos, não me escondem aliás que procuram às cegas e que talvez não encontrem de primeira o melhor para mim, "mas o que podemos fazer enquanto tentamos encontrá-lo", diz a sumidade, "é protegê-lo. E não se preocupe, vamos tirá-lo daqui, tão rápido quanto possível". Ao ouvir isso, sinto um alívio imenso: estou doente, vou me deitar, não vou mais resistir, vou deixar acontecer, vão cuidar de mim e, para começar, vão me dopar completamente.

O PROTOCOLO

Retomemos o prontuário: "Inclusão em um protocolo que programa aplicação de cetamina duas vezes por semana. Nas três primeiras aplicações: boa tolerância, melhora do humor". A cetamina, se você não sabe, é um anestésico para cavalos que os adolescentes ingleses usam pra viajar e cujas virtudes antidepressivas foram descobertas nesses últimos anos. É assim que faço minha estreia na alta química psiquiátrica. Antes e depois de cada aplicação, sou submetido protocolarmente a um questionário que não versa mais sobre minha experiência com a meditação, como nos tempos felizes em que eu acreditava estar a caminho da serenidade e do maravilhamento, mas sobre minha vontade de viver ou de morrer, minhas pulsões suicidas, "minha desesperança no futuro" etc. Primeira aplicação: dura quarenta minutos, nenhum a mais e nenhum a menos, e quando termina, termina, de um minuto para o outro. Mas durante esses quarenta minutos é um barato colossal. Deitado na cama, você fica consciente, perfeitamente consciente. Sente o tempo transcorrer. Ouve o médico e a enfermeira falando à meia-voz. Você tem a impressão de que eles estão muito longe, muito longe e lá embaixo, perdidos na paisagem sobre a qual você flutua. Porque você flutua. Você fica à deriva. Você vê tudo. Está perfeitamente calmo, perfeitamente bem, você queria tanto que isso durasse para sempre. Parece aquilo que descrevem como near death experiences, e também com heroína, claro. Heroína em que não se deve nunca tocar, porque é *tão boa*. Fico feliz de estar hospitalizado no Sainte-Anne se é para me drogarem assim tão maravilhosamente. Eu me sinto bem. Eu me sinto tão bem depois das três primeiras aplicações, minha tolerância ao produto é tão encorajadora, minha melhora do humor tão manifesta que já falo em sair, e não apenas em sair, falo abertamente em ir embora. O Iraque, sob efeito da cetamina, volta a ser um projeto. Começo inclusive a perguntar aos médicos sobre a possibilidade de levar algumas doses para Bagdá e pedir a uma enfermeira local para aplicá-las — por que não aquela, ha ha ha, que tirava sangue do Saddam? Calma, me respondem sabiamente, calma.

"SEU IRMÃO MANIFESTOU UM PEDIDO DE EUTANÁSIA. O QUE DEVEMOS FAZER?"

"Quarta aplicação: tolerância ruim com sofrimento psíquico intenso e pedido de eutanásia." Sofrimento psíquico intenso e pedido de eutanásia: a situação se deteriorou, começamos a ter problemas. Eu aguardava essa quarta aplicação com confiança, no entanto. Mais algumas e, pelo andar da carruagem, eu já me via fora de perigo. E então, na noite seguinte, eu surto. Eu, que já esqueci tanta coisa, lembro muito bem que minha angústia vinha de um dos aspectos mais pérfidos do transtorno bipolar. Quando está na fase depressiva, você percebe claramente onde está: é horrível, é um inferno, mas ao menos não tem como se enganar. Enquanto que a fase maníaca tem essa característica insidiosa em que você não percebe que se trata de uma fase maníaca. Principalmente quando ela é apenas hipomaníaca e você não fica completamente nu nem compra uma Ferrari, você pensa que está bem, você pensa que está tudo bem. E pode acontecer, depois, de estar tudo bem. É normal, é o desejável, você sabe que não vai durar para sempre, mas quando acontece você tem motivos para aproveitar em vez de pensar que é uma armadilha. Apenas que existem muitas chances, no meu caso, de ser uma armadilha, mais um ardil da doença. Pois não sou mais eu, mas a doença que tem poder sobre mim. A doença mente para mim, a doença me engana. Quanto mais eu acreditar que estou bem, no controle da minha vida, surfando a onda, mais vou me ludibriar e preparar com muita eficácia o mergulho depressivo que se segue a esses períodos de bem-estar e confiança. E o pior de tudo é quando estou apaixonado. O estado amoroso é para todo mundo um tipo de fase maníaca, a mais desejada das fases maníacas. Mas eu e os infelizes como eu não podemos desejar essas fases maníacas. Não posso confiar nelas e, se for honesto, devo avisar qualquer mulher que entra na minha vida: ela também não deve confiar. Ela deve saber que o homem maravilhoso por quem se apaixonou — porque eu posso ser maravilhoso, acredite — corre o risco de se transformar, de um minuto para o outro, em um depressivo catatônico ou, pior ainda, em um inimigo. Se não quiser fazer alguém sofrer, o amor é, a partir de agora, proibido para mim. Acabou o amor. Acabou o encanto de se apaixonar, a melhor coisa que existe no mundo. Acabou a crença, não, não é crença, acabou a certeza de que essa pessoa é aquela que você esperou desde sempre, sem saber, e de que ela também esperou você. Acabou o pão fresco que você desce para comprar e acabou o suco de laranja espremido na hora, antes de ela acordar. Acabaram os olhos que a seguem enquanto ela atravessa o apartamento vestindo apenas a sua camiseta. Acabaram as trinta mensagens por dia, e acabou o amor que você sente pelas palavras dela e por saber que ela também ama as suas palavras, e acabou a foto dos seios no espelho do provador que ela envia e que dá vontade de, chegando por trás, encher suas mãos com eles e sentir seu peso também com as mãos. Acabou a expressão do rosto dela no momento em que você a penetra, e acabou o suspiro "Nossa", ao mesmo tempo, porque é tão bom. A vida talvez continue, mas sem isso, e de que vale uma vida sem isso? A noite, descendo ladeira abaixo, é atroz. Escuto gritos de congelar o sangue, que não devem ser reais, e sim ressoar apenas no meu cérebro doente. De manhã desejo apenas uma dose de cetamina, que durante ao menos meia hora vai me levar aos céus. Desejo tanto que, temendo ser privado dela caso confesse em qual disposição psíquica me encontro, respondo ao questionário que não dormi bem, que tive algumas ideias obscuras mas que, no fim das contas, estou bem. Começa a aplicação. Recebo com gratidão essa espécie de liquefação que a morfina, a heroína, todos os opiáceos provocam, e então muito rápido tomo um caminho diferente do habitual. Caminho em direção à morte. Está muito claro: estou caminhando em direção à morte. Não entendo o que os médicos estão falando à meia voz à direita da minha cama, mas eles precisam recitar os versículos do *Livro tibetano dos mortos* para me acompanhar no *Bardo*. Tem uma luz acima de mim. Preciso ir até ela. Preciso ir até ela. Não posso perder a saída. Não posso permanecer neste estado intermediário, nesta vida terrível. É preciso que tudo acabe e que o sofrimento termine, definitivamente. Repito diversas vezes com um esforço enorme — é difícil falar sob efeito da cetamina — que "eu quero morrer, eu quero morrer". Em vez de dois há quatro ou cinco médicos no meu quarto, que se tornou pequeno demais, excessivamente pequeno, uma caixinha que encolhe mais, e eu, fora de mim, começo a chorar. Eu choro, choro, digo que quero morrer, que sei muito bem que não é trabalho deles me matar mas suplico que ainda assim me matem. De tanto eu gemer e suplicar que me matem, ou que ao menos apaguem minha consciência, é isso que os médicos fazem, e prontamente. Uma picada, o disjuntor cai, todo mundo some. Em seguida começa um branco que durou vários dias e encerraria este capítulo se eu não tivesse ainda uma frase para acrescentar. Isso que acabei de contar é bárbaro, mas era esse o meu estado e faço questão de dizer que os médicos com quem me tratei no Sainte-Anne eram e são todos de grande qualidade — mas, bem, idiotas existem em toda parte, e eis que houve um que telefonou para Nathalie depois desse episódio e lhe fez a seguinte pergunta: "Seu irmão manifestou um pedido de eutanásia. O que devemos fazer?".

A UNIDADE PROTEGIDA

Quanto tempo passei na unidade protegida, para onde me transferiram depois do meu pedido de eutanásia? Eu diria que três ou quatro dias, na verdade foram duas semanas. É da unidade protegida que vêm os gritos monótonos, lancinantes, ouvidos ao longo da noite anterior à minha desastrosa quarta aplicação e que eu acreditei existirem apenas na minha cabeça. Na verdade, eles vêm inclusive do quarto vizinho ao meu. Na unidade protegida, todas as portas dos quartos possuem uma bandeira de vidro fosco, com exceção deste em que a bandeira é de vidro texturizado, com uma divisória de madeira ou compensado feita, pensei, para proteger os enfermeiros de algum tipo de Hannibal que nunca vi. Divido o quarto com um rapaz que com certeza não é perigoso mas apresenta os sintomas mais angustiantes da loucura: obnubilação, voz estridente, arrastar os pés envolto em meias, babar e viver de pijama. Dito isso, não parece que eu possa me envaidecer do que quer que seja. Um dia Nathalie me encontrou semiconsciente na minha cama, perguntando onde eu estava e murmurando com uma voz cantante e desolada: "Eu quero voltar pra casa, eu quero morrer em casa, me levem de volta pra casa...". O que corresponde, no meu prontuário, a: "episódio de breve desrealização, em seguida síndrome confusional com desorientação espaço-temporal, angústia e sentimento de estranheza agudo". Nada divertido, com certeza, mas passou, eles fizeram o que foi necessário para passar. Pude deixar a unidade protegida para voltar ao terceiro andar e retomar uma vida hospitalar normal, feita de longas sonecas arrastadas, xícaras de chocolate quente prolongadas na lanchonete, leituras interrompidas, tentativas suspensas de retomar meu ensaio sobre a ioga, bandejas de comida defecadas assim que absorvidas pois apesar de a morfina constipar eu cagava a cada quinze minutos, socializações sem continuidade. Meus companheiros no serviço eram uma senhora elegante e sempre muito bem penteada que, por venerar minha mãe famosa, me chamava obstinadamente de sr. Carrère d'Encausse e confessava com uma bazófia melancólica estar em sua décima sétima hospitalização de longa duração e um crítico de cinema obeso que eu tinha conhecido numa vida anterior e perdido de vista havia trinta anos e que suportava uma velha depressãozinha — enfim, uma velha *depressãozona*, ou não estaria no Sainte-Anne. Ele costumava escrever em uma revista concorrente daquela em que eu escrevia, e nos divertíamos evocando os colegas em comum, nossas picuinhas do passado. Um dia, quando pegávamos as bandejas no refeitório, uma mulher muito jovem começou a falar comigo como se me conhecesse bem, e nos vimos todos na mesma mesa, o crítico de cinema, ela e eu. O crítico de cinema se contorcia, como se eu quisesse dar em cima daquela menina de vinte e dois anos e ele tivesse medo de se impor. A moça falava com placidez que estava completamente louca mas que, depois de uma dúzia de eletrochoques — que ela chamava de ECT —, as coisas tinham melhorado. Ela me conhecia mais do que eu imaginava, porque tinha ficado na unidade protegida ao mesmo tempo que eu. Mas ela lembrava, e eu não. Ela lembrava que nós tínhamos conversado muito, sobretudo sobre os romances de Cormac McCarthy, que ela adorava e ao que parecia eu também — o que me surpreendeu, porque ainda que eu tenha a vaga intenção de fazer isso um dia, nunca li nenhum romance de Cormac McCarthy. Será que eu fingi ter lido para agradá-la? Há tanta familiaridade, até cumplicidade no jeito dela, que fiquei me perguntando se tinha havido entre nós alguma coisa além de uma camaradagem entre doentes. Se houve, não passou das portas da unidade protegida.

O JARDIM FEÉRICO

Essa melhora muito discreta não dura, logo dá lugar a um "sentimento de aflição e incurabilidade, inúmeras crises de choro, ideias suicidas invasivas com roteiro de enforcamento sem projeto de passagem para o ato imediato". Sobre esse "roteiro de enforcamento sem projeto de passagem para o ato imediato" posso falar um pouco mais, e principalmente sobre o cenário dele. Certa tarde, eu estava passeando por essa cidade dentro da cidade que é o Sainte-Anne. Não sei se se pode chamar de passeio uma tal deambulação tão atroz, mas, por fim, meus passos me levaram até uma zona onde alamedas com nome de artistas que não batiam bem da cabeça se cruzam: Utrillo, Van Gogh, Ravel — eu pensei: eles estão brincando, por que Ravel? Ele era neurótico, mas não louco. Passo de corredores a galerias cobertas, entre os pavilhões, e em determinado momento vejo uma porta aberta que dá para um grande jardim deserto, cercado por prédios de tijolos que parecem abandonados. Um enclave vazio e silencioso, sem pacientes, sem médicos, sem cuidado, recoberto por folhas mortas, com castanheiros-da-índia de troncos pretos e galhos podados. A versão psiquiátrica e macilenta do *Jardim feérico*, a última parte, de fato feérica, da suíte de Ravel *Mamãe Gansa*. O lugar ideal para executar meu projeto. Os galhos mais baixos estão a cerca de dois metros do chão e encostada em um muro há uma pilha de cadeiras de jardim com rodinhas. Bastará subir em uma delas e empurrá-la com um chute. Meus pés vão se agitar e pender a vinte centímetros do chão. É pouco, mas suficiente: é possível se enforcar a vinte centímetros ou a dois metros do chão, assim como é possível se afogar a dez centímetros da superfície ou a dez metros de profundidade. Faltam apenas a corda e o momento propício para agir sem ser surpreendido. Alimentei esse pequeno roteiro por alguns dias, localizei na Rue de la Gaîté uma mercearia das antigas que vendia corda de varal. Depois voltei para a esquina da alameda Ravel e não encontrei a porta aberta. Não é apenas que ela não estivesse mais aberta: ela não estava mais lá. Eu procurei, procurei, em vão. Talvez essa porta nunca tenha existido.

O QUARTO PERDIDO

Muito tempo atrás li um livrinho fascinante de Roger Caillois que se chama *L'Incertitude qui vient des rêves* [A incerteza que vem dos sonhos]. Lá ele conta algo que nunca mais deixou de me assombrar.

O sonhador é um homem que caminha no bairro de Ternes. Ele sabe aonde vai, está feliz de ir até lá. O percurso desde a estação de metrô onde ele desce é conhecido. Ele poderia fazê-lo de olhos fechados, poderia descrevê-lo com extrema precisão, e se gosta tanto de fazer esse percurso é porque o leva até uma rua, até um prédio onde mora uma mulher com quem há mais de dez anos tem um caso completamente secreto, e esse caso é a coisa mais preciosa que existe no mundo. A cada quinze dias, eles combinaram essa frequência, ele desce na estação Ternes do metrô, caminha por cinco minutos até a ruazinha tranquila, até o prédio burguês onde fica o apartamento dessa mulher. Ela abre a porta, eles se beijam, a porta volta a se fechar atrás deles, as horas que se seguem pertencem somente a eles. Nessa bolha de espaço e tempo, totalmente protegida do mundo exterior, existem apenas desejo, delicadeza, quietude, entendimento dos corpos, conversas sussurradas. O amor deles se desenrola em segredo e os dois pensam que, protegido assim, esse amor vai durar para sempre. Até que um deles morra, eles se encontrarão a cada quinze dias na paz desse apartamento ao qual o homem se dirige num passo confiante. Ele desce então a avenida aonde dá a rua que abriga sua felicidade. Ele devia estar distraído, ele passou direto pela rua, ela não chegava. Ele sobe de novo a avenida. E não encontra mais a rua. Tem a rua de cima, tem a rua de baixo, mas a rua que ele procura e que deveria estar entre as duas não está mais ali. Ele sobe de novo, desce de novo, diversas vezes, como se esperasse que a rua voltasse a seu lugar, mas não: não está mais ali. Não é possível, pensa o homem, eu conheço esse percurso de cor, da avenida à rua, da rua ao prédio, do prédio ao apartamento. Mas mal pensa isso o homem se dá conta de que ele na verdade não se lembra de mais nada: nem da rua que acabou de desaparecer, nem do prédio, nem desse apartamento cuja planta ele teria podido desenhar de memória e que foi engolida pelo esquecimento, nem mesmo do rosto dessa mulher que era, em segredo, o grande amor da vida dele. Ele não se lembra mais do rosto dela, ele não se lembra mais da voz dela, ele não se lembra mais das palavras que ela lhe dizia, ele não se lembra mais do nome dela. Nada disso existe mais pois nada disso, ele entende, jamais existiu. Essa mulher maravilhosa, esse caso delicioso, tudo não passou de um sonho, e é nesse momento, quando se dá conta de que a coisa mais preciosa da vida dele não passou de um sonho, que o homem acorda. E então acontece o que há de mais comovente nessa narrativa de Roger Caillois: nada disso passou de um sonho, um sonho de angústia clássico, mas o sonhador experimenta na realidade o mesmo sentimento de aflição que seu duplo no sonho. Esse bem tão precioso — a mulher, o caso, o segredo compartilhado — ele não possui senão no sonho e nunca o possuiu senão no sonho, isso aconteceu durante um segundo mas nesse segundo se passaram dez anos de um amor louco, e o que lhe resta é a perda. Como se esse bloco de passado maravilhoso lhe tivesse sido dado para sempre e acabasse de lhe ser tirado para sempre, deixando-o no desespero, na viuvez, na vertigem da perda, e cada vez que me lembro desse sonho que Roger Caillois teve ou inventou, como faço neste momento na lanchonete do Sainte-Anne, experimento por minha vez todo esse desespero, essa viuvez, que me dão vontade não só de morrer mas de *estar morto*, de que eu também nunca tivesse existido.

"EU CONTINUO A NÃO MORRER"

Minha amiga Ruth Zylberman me manda essas duas cartas breves que um menino de oito anos enviou a sua avó durantes os expurgos de 1936 na União Soviética. Eis a primeira: "Querida Babushka, eu ainda não morri. Você é a única pessoa que tenho no mundo e eu sou a única que você tem. Se eu não morrer, quando eu for grande e você for muito muito velha, vou viajar e cuidar de você. Seu neto, Gavrik". E a segunda: "Querida Babushka, eu ainda não morri dessa vez de novo. Não é a mesma vez de que eu falei na minha última carta. Eu continuo a não morrer".

O CARTAZ DA EXPOSIÇÃO DUFY

É uma praia na Normandia ou na Bretanha, de todo modo na costa atlântica. Um píer avança sobre as ondas. O céu está nublado, iluminado. Mulheres usando vestidos e chapéus, sentadas em cadeiras dobráveis ou direto na areia observam as crianças brincarem. Uma pintura pacata, sem histórias: é o cartaz de uma exposição dedicada a Raoul Dufy, amarelado e cansado como são os cartazes que decoram salas de espera, onde também as revistas são desatualizadas. Essa praia, esse quadro, esse cartaz são para mim o espetáculo mais triste do mundo, e não apenas o mais triste: o mais assustador. Espero nunca mais vê-lo. Só de pensar nisso, só de imaginar, já estou no lugar para onde não se deve ir de jeito nenhum. É o lugar ruim por excelência, é o lugar do Mal. Esse cartaz, esse quadro, essa praia são a primeira coisa que vejo quando volto à superfície na sala de recuperação, de volta do eletrochoque realizado sob anestesia geral. Quando voltei à consciência, estava deitado em uma maca. Ao meu redor havia outras macas, outros pacientes sobre as macas, mas eu não os via. É curioso, pensando agora que escrevo isso, que minha maca estivesse sempre posicionada de tal modo que, ao abrir os olhos, eu sempre tenha visto essa praia normanda e suas mulheres de crinolina monitorando os filhos com roupas de marinheiro. É curioso, é assim. Eu me recordo de cada despertar como um momento de aflição insuportável. O que os tornava insuportáveis é o fato de ser impossível considerá-los um momento, que poderiam ser relativizados e seguidos por um momento melhor. Não eram um momento, não haveria mais momentos, nunca houve: eram a eternidade, uma eternidade de aflição e pavor. A Realidade última, de que falam os místicos, sobre a qual discorríamos ao caminhar pelo Valais, Hervé e eu, era enfim isso: esse quadro de Raoul Dufy e a maldade infinita que emana dessas mulheres de crinolina e dessas crianças com roupas de marinheiro. Vi aquilo que não deve ser visto: a realidade última. E, como em alguns pesadelos que eu tinha quando criança, que como escorregadores aceleravam minha descida em direção a um lugar de condenação, eu ouvia uma voz me dizer ao pé do ouvido, tranquilamente, delicadamente, o pior de tudo era essa delicadeza: "Você chegou. Você está aqui. Você não sabia, mas na verdade sempre esteve aqui. Você contou essa história comprida e complicada que chama de sua vida, uma história segundo a qual você nasceu, você teve pais, você frequentou escolas, você conheceu pessoas, você viajou, você aprendeu línguas estrangeiras, você leu livros e os escreveu, você amou mulheres, você acariciou seus corpos, isso foi o que você mais gostou de fazer no fim das contas, você teve filhos, vocês fez ioga, você cagou e mijou, você às vezes foi feliz, você sofreu bastante porque você é assim, você fez os outros sofrerem também porque você é assim, e então chegou um momento em que essa história comprida cheia de personagens e acontecimentos que você chama de sua vida desembocou aqui. Aqui, na aflição infinita, aqui, no poço sem fundo, aqui, no pranto e no ranger de dentes, aqui, com seu vizinho de unidade protegida aos berros. Ponto final. Você voltou. Nós estávamos à sua espera.

"*Você está aqui.*"

ECT

"Diminuição do humor importante, com dor psíquica intolerável, sentimento de angústia, de incurabilidade, numerosas crises de choro, impressão de bradipsiquismo." Com a psiquiatria nós adquirimos vocabulário: o bradipsiquismo é uma lentidão do fluxo do pensamento, e eu devia estar bastante lento, para além da minha dor psíquica intolerável, para que a equipe médica decidisse passar para a artilharia pesada, isto é, para aquilo que antigamente se chamava de eletrochoque e hoje em dia se chama de ECT — sigla para eletroconvulsoterapia. Essa alteração de nome tem o intuito de nos fazer esquecer da reputação arcaica e bárbara de um tratamento que leva imediatamente a pensar em Antonin Artaud em Rodez, ou em *Um estranho no ninho*. Depois de ter sido praticamente abandonado por esses motivos, voltou-se a ele a partir dos anos 1990. Essa crise de epilepsia artificial, que provocaria no paciente uma espécie de *reset*, de reinicialização do sistema, é considerada hoje um tratamento de ponta, recomendada para depressões pesadas e alguns casos de esquizofrenia. A decisão de recorrer a ela continua sendo difícil, e o paciente normalmente não está em condições de tomá-la por si mesmo: era o meu caso. Se os psiquiatras submetem os seus parentes a tal decisão, é porque a cabeça deles está feita: o procedimento é necessário. Eles até deixam subentendido que é preciso fazê-lo porque não têm mais nada a sugerir. Chegamos ao limite, caso se queira salvar o cara é tudo ou nada. François Samuelson, meu agente e amigo há trinta anos, foi o principal interlocutor de Nathalie nesse momento, e ele me contou das horas de angústia pelas quais passaram antes de enfim dizer: ok, se não temos escolha, vocês sabem o que estão fazendo, vamos em frente. Mas será que não havia mesmo escolha? Será que eu teria saído dessa sem isso? Como eu teria saído dessa sem isso? Que caminho minha vida teria tomado se, em vez de ir ao Sainte-Anne e acordar catorze vezes seguidas diante daquele cartaz atroz da exposição de Dufy, eu tivesse ido, despedaçado, mas ainda assim ido, ao Iraque? Não sei e nunca saberei. Nunca se sabe aquilo que teria acontecido se tivéssemos tomado outro caminho. Algumas vezes penso que o perigo e a adrenalina teriam me devolvido o gosto pela vida, outras que a alternativa não era "ECT ou Iraque", mas "ECT ou a morte": é isso que pensa o psiquiatra que continuou a me acompanhar desde então e em quem confio muito. Ele viu diversas depressões melancólicas no departamento que dirige. Sabe avaliar o risco de suicídio que, no meu caso, ele estimou ser bastante elevado, e eu mesmo me dou conta, relendo estas páginas, de que não consigo encontrar as palavras para expressar realmente esse "sofrimento psíquico insuportável" de que fala meu prontuário. Se não encontro essas palavras é porque hoje estou distante e apartado demais para ser capaz de lembrar, descrever e nomear o horror no qual eu estava então mergulhado, e sobretudo, acho, porque não existem palavras para isso. Isso que estou contando parece horrível mas na verdade foi muito mais horrível, de um horror inenarrável, indescritível, inominável, e a palavra não existe, não importa, eu a invento: imemorável. Quando não se está mais dentro dele, não se pode recordá-lo — e felizmente. Então, sim, talvez a ECT tenha salvado minha vida. A melhora, qualquer que tenha sido, não foi espetacular. Ao longo do tratamento, meu prontuário da internação fala de "evolução não linear com momentos de melhora do humor, sem retomada clara do desejo de viver". De "diminuição do humor importante com angústia e ideias obscuras" e "confusões de memória crescentes". Ah, sim, as confusões de memória crescentes... Seria bom falar disso, falemos disso.

"CONFUSÕES DE MEMÓRIA CRESCENTES"

Essas confusões da memória são, na minha experiência, o efeito secundário maior e mais grave da ECT. Dizem que é temporário, que vai voltar, que na pior das hipóteses só diz respeito ao período do tratamento, mas não é verdade. Escrevo estas páginas três anos depois do tratamento e minha memória ainda é um campo de ruínas. Ouvi por acaso, há alguns dias, uma versão da "Chanson des vieux amants", de Jacques Brel, interpretada pela cantora americana Melody Gardot, versão de que gostei tanto que fui procurar saber mais sobre Melody Gardot, e a primeira coisa que li foi uma entrevista em que ela conta o seguinte: depois de um acidente terrível, ela sofre uma perda de memória remota e recente de modo que cada dia seu começa como uma escalada do Evereste. Antes de se levantar, ela precisa reunir o máximo de lembranças acessíveis e úteis, não apenas sobre o que ela precisa fazer nas horas seguintes e sobre o que fez na véspera, mas sobre a história inteira e até sobre sua própria identidade. Para ela é um esforço lembrar a cada manhã o seu nome, sua idade, os principais acontecimentos da sua vida. Não estou absolutamente nessa situação, mas me acontece com frequência de falar com um amigo sem me lembrar do que conversamos na véspera, nem mesmo que nos falamos na véspera. Tenho um medo constante de que as pessoas que eu amo pensem que sou negligente e desatento ou que estou com início de Alzheimer — o que, aliás, seria mais provável, uma vez que o risco de Alzheimer é, como o de suicídio, vinte vezes mais elevado que a média para quem tem doença bipolar. Agora, há males que vêm para o bem, e se a destruição da memória é um dano colateral dos eletrochoques ela traz uma vantagem, também colateral e totalmente inesperada: passei a decorar poemas.

DECORO POEMAS

Um dia, na lanchonete do Saint-Anne, reclamei dessas confusões de memória para meu amigo Olivier Rubinstein, que tinha ido dividir um chocolate comigo, e ele me disse: "Você devia decorar poesia, vai desenferrujar seus neurônios". Olivier, que era muito ligado a Claude Lanzmann, falava sempre com admiração de seu extraordinário repertório poético: sabia de cor milhares de poemas franceses e não raro, numa festa, declamava "O barco ébrio" ou "Booz adormecido" com aquela ênfase arrogante, rascante, colérica, que o tornava ao mesmo tempo magnífico e odioso. Quanto a mim, nunca fui leitor de poesia. Cheguei até a considerar toda a minha vida completamente bloqueada para a poesia, ainda que lastimasse isso. Mas Olivier me trouxe a maravilhosa antologia da poesia francesa de Jean-François Revel, que eu tinha mas praticamente não abria fazia dezenas de anos, desde a época em que cruzávamos com seu autor empurrando um carrinho de supermercado lotado de garrafas de vinho barato no Codec de Paimpol, e nessa fase terrivelmente ruim ela tornou a minha vida mais suportável. O que faz dela uma maravilha é que não é um quadro de honra ou produto de um consenso, mas a expressão de um gosto particular, absolutamente independente, de um homem que, guiado apenas por si mesmo, guardou apenas um verso de um poeta extremamente famoso e, por outro lado, conservou *tudo* que Louise Labé deixou. Depois disso decorei muitos outros poemas, mas o primeiro foi justamente esse soneto de Louise Labé — uma escolha que, depois de tudo o que acabei de contar, não me parece necessário justificar:

Eu vivo, eu morro; no fogo eu me afogo.
No calor sinto o frio que me perfura;

A vida é muito mole e muito dura.
Sinto fastios e alegrias logo.

Jorrando as lágrimas, o riso eu jogo,
E com prazer sofro muita amargura;
Meu bem se vai, mas eterno perdura;
Vicejo assim que me resseca o fogo.

Assim Amor volúvel faz comigo;
E quando penso estar mais dolorida,
Sem mais pensar me vejo sem castigo.

Se penso estar feliz e sem perigo,
E estar bem no auge da sorte querida,
Ele me faz novamente sofrida.

"BOA EFICÁCIA TRANSITÓRIA..."

Deixam-me sair do Sainte-Anne no fim de abril, o prontuário se encerra com este resultado: "Boa eficácia transitória, mas recidivas rápidas". O fato é que as coisas melhoraram, melhoraram muito, até, durante pelo menos três meses. Os remédios pareciam funcionar. Os psiquiatras me autorizam a viajar para o Iraque, onde nossa reportagem, minhas e do Lucas, se pareceria muito com o trailer dela, isto é, com as horas tranquilamente monótonas que tínhamos passado no consulado da Avenue Foch no inverno anterior. Como em Paris, em Bagdá aguardaríamos em sofás profundos e hediondos, bebendo copinhos de chá bastante forte, bastante doce, delicioso, até que depois de muitas horas de espera fôssemos introduzidos ao escritório de um alto dignitário, ulemá ou aiatolá, xiita ou sunita, que desfiaria quilômetros de uma conversa fiada político-religiosa. De alto dignitário em alto dignitário, desfilávamos em um jeep blindado entre os muros de concreto que circundam e protegem todos os prédios de Bagdá de atentados com carros-bomba, fazendo dela uma cidade completamente murada. Nenhuma ameaça palpável, nenhum perigo manifesto: sob esse aspecto, estou um pouco decepcionado. Não encontraremos o Corão de sangue. Seu rastro se perdeu na famosa mesquita de minaretes em formato de kalashnikovs chamada "mãe de todas as batalhas", onde ele estava exposto até ser transferido para um local desconhecido, provavelmente na Arábia Saudita. Como o objeto da nossa investigação se deslocou imperceptivelmente de Saddam para seu misterioso calígrafo, que parece ter também se refugiado na Arábia Saudita, Lucas e eu montamos o plano de ir até lá para dar sequência à nossa reportagem e sobretudo reviver a cumplicidade amistosa que tornou tão agradável nossa estadia em uma cidade tão pouco agradável quanto Bagdá — sendo o Iraque do mesmo modo o arquétipo daquilo que Donald Trump, com seu linguajar pueril, chama de a shitty country, um país de merda.

"... MAS RECIDIVAS RÁPIDAS"

Chega o verão, nos instalamos nessa linda ilha de Patmos onde temos uma casa, ao pé do monastério dedicado a são João — que aqui teria escrito o Apocalipse. Nas minhas representações de vida serena e maturidade luminosa, Patmos faz o papel de Ítaca, mas assim que boto os pés na ilha, da qual eu esperava quietude e uma rotina leniente, alguma coisa acontece comigo, algo que me escapa e me assusta. A princípio tento esconder isso, sobretudo de mim mesmo. Nuvens passageiras, todo mundo vive isso, não há por que se preocupar. Na verdade, sim, há por que se preocupar, e essa preocupação se autoalimenta. Tenho medo de que a loucura volte. Tenho medo de ser o joguete de uma espécie de monstro interior sobre o qual não tenho controle algum. Tenho medo de uma onda repentina de agressividade, o que não tem nada a ver comigo, anunciar uma crise maníaca. Tenho medo do contragolpe depressivo. Tenho medo dos efeitos subterrâneos dos remédios que me prescreveram e que podem me transformar sem que eu tenha consciência disso. A harmonia de Patmos, à qual tanto aspirei, começa a me atormentar. Ela me irrita. Só gosto de férias se posso trabalhar, pelo menos um pouco. Assim que o sol nasce, depois de um pouco de ioga na sacada, costumo ir escrever no único café já aberto da cidadezinha. Sou o único cliente de lá. Quando outras pessoas começam a chegar, eu levanto acampamento e passo na padaria para comprar brioches e croissants de chocolate, que levo para casa para um café da manhã que, em função dos despertares sucessivos, dos bules de chá e cafeteiras constantemente repostos, se estende por muitas horas. Adorei esses rituais alegres e descontraídos, adorei que nossos amigos se reunissem debaixo do nosso caramanchão, adorei ser esse anfitrião generoso. Agora me sinto um estrangeiro na nossa casa, um estrangeiro febril e irritadiço. Mesmo que a cada manhã eu leve minha pasta de anotações sobre a ioga, não tenho mais nada para escrever no café, mais nada para dizer ao dono do café com quem em tempos normais adoro bater papo, mais nada para dizer a nossos amigos. Não tenho mais vontade de recitar para ninguém todos esses versos de Ronsard ou La Fontaine, Apollinaire ou Yves Bonnefoy, que obstinadamente decorei na esperança de sufocar minha angústia e que não sufocam absolutamente nada.

Cumpre deixar mansão, jardim, veiga florida,
Baixela que o artesão adorna cinzelando,
Sua morte cantar, ao cisne semelhando,
Que canta em seu país, quando lhe foge a vida.

Acabou-se! Gastei da existência a medida,
Vivi, pude tornar meu nome venerando...

Hoje não estou nem aí para tornar meu nome venerando. Tudo isso que foi importante para mim, tudo com que sonhei, glória e mansões, amor e sabedoria, não sei nem mais o que é isso. Ando em círculos, ora estou prostrado, ora não consigo ficar parado, não sei mais qual é o meu lugar. Eu me tornei um fantasma que os amigos observam com preocupação. É o começo do que se chama de crise dos refugiados. Não podemos dizer que ouvimos falar muito disso em Patmos, mas centenas, milhares de migrantes oriundos do Afeganistão, da Eritreia, da Somália e principalmente da Síria sob fogo de Bashar al-Assad afluem todo os dias para as costas gregas. As ilhas pacíficas do Dodecaneso, a alguns cabos de distância da Turquia, os acolhem de maneira seletiva. As ilhas mais chiques, como a nossa, são poupadas disso que habitantes e veranistas concordam em considerar, sem falar em voz alta, um flagelo; as menos diferenciadas, como Leros ou Lesbos, pegam mais do que a sua cota. Nossa amiga Laurence de Cambronne, que era jornalista antes de morar em Patmos durante metade do ano, voltou à ativa para uma reportagem em Leros. Ela vai jantar em nossa casa, ela conta, ela se exalta, ela fica indignada. Fala da coragem dos migrantes, da indiferença de uns, da dedicação de outros, de uma historiadora americana que largou tudo para, diz ela, ir lá fazer um trabalho formidável. Ao escutá-la, sentimos um pouco de vergonha da nossa negligência de bem-aventurados, vestidos de linho branco elegantemente amassado e ocupados principalmente em escolher a praia do dia em função do restaurante e do vento. Penso comigo mesmo que me fez bem ir a Bagdá e que, nessa ilha tão próxima onde coisas graves estão acontecendo, o destino me oferece talvez uma segunda oportunidade de fugir de mim mesmo. É assim que na manhã seguinte desço para o porto levando uma mochila com algumas roupas e minha pasta de anotações sobre a ioga e, sem saber que abandono para sempre nossa Ítaca, embarco a bordo da balsa para Leros, onde Frederica Mojave me aguarda.

IV

Os garotos

FREDERICA

Impossível não vê-la no desembarcadouro. Ela é muito grande, pelo menos um metro e oitenta e cinco, de estrutura robusta, com um rosto anguloso e desagradável no qual imediatamente identifiquei nobreza. A mulher, uma cabeleira grisalha de fios grossos, tem seus sessenta anos, usa um vestido azul noturno formal demais para uma ilha grega em pleno verão e me recebe com brusquidão, sem propor que nos sentemos para tomar um café, sem sequer pedir notícias de Laurence, que nos colocou em contato. A oficina de escrita que ela ministra começa em meia hora, não há tempo a perder. Nós quase corremos, eu atrás dela, até uma locadora de scooters. É a primeira coisa que se faz numa ilha grega, alugar uma scooter, a coisa se arranja rápido mas me surpreendo quando Frederica sobe na garupa. Ela mora em Leros o ano todo e não tem uma scooter? Também não tem carro? Como ela se vira? Diante da minha pergunta, ela responde com irritação: "Eu me viro" e partimos, ela me guiando. À primeira vista, Leros é bastante diferente de Patmos e das outras ilhas gregas que conheço. As casas não são conjuntos fotogênicos de cubos brancos com persianas azuis, mas casas de campo de arquitetura modernista, vestígios da ocupação italiana nos anos 1930, como descobrirei depois. Essas casas de campo estão decrépitas, cheias de rachaduras, cercadas por jardins abandonados. Também se veem grandes prédios neoclássicos margeando praças desenhadas com régua e compasso, grandes demais, circulares demais, vazias demais, e que sob o sol de rachar lembram as pinturas metafísicas de Giorgio de Chirico. Raízes enormes penetram no revestimento das estradas, nas quais dormem cães que talvez não sejam sarnentos mas, ao descrevê-los, é esse o adjetivo em que se pensa espontaneamente. Frederica deve ter percebido meu espanto, do seu lugar na traseira ela se inclina sobre meu ombro: "Este lugar é a África". África, talvez; eu penso mais em San Clemente, essa ilha perto de Veneza que é inteiramente um amplo manicômio e sobre a qual Raymond Depardon e Sophie Ristelhueber fizeram um documentário impressionante. Nesse momento passamos justamente pelo hospital psiquiátrico, um amplo conjunto de pavilhões destinado a acolher os loucos de todo o Dodecaneso e cuja maior parte se transformou agora em hotspot, isto é, em campo de refugiados. Da estrada empoeirada se veem contêineres, arames farpados, policiais. Não há árvore alguma nesse pedaço da ilha, sombra alguma. "Tem mil pessoas lá dentro", grita Frederica na minha orelha, "mas não temos o direito de entrar." Quando se chega da elegante e tranquila Patmos, essas imagens, que são quase imagens de guerra, surpreendem. Tudo isso é medianamente claro para mim, meu colapso pessoal me deixou com pouco tempo para acompanhar a crise dos refugiados, não sei muito bem quais os termos do acordo assinado alguns meses antes entre a Turquia e a União Europeia. Se vim para cá é porque estou procurando um lugar para ir quando não se sabe mais para onde ir, e tenho a impressão de tê-lo encontrado.

NO PIKPA

Pikpa é o nome de um prédio imponente, de arquitetura também mussoliniana, que como vários prédios da ilha era uma dependência do hospital psiquiátrico e foi designado às pressas para o acolhimento de migrantes. Ao entrar no hall, você pensa que é uma sorte relativa mas ainda assim uma sorte vir parar aqui e não nos contêineres e no cercadinho em brasa do hotspot. É limpo, claro, ventilado. As crianças estão brincando, rindo, correndo umas atrás das outras. Jovens oriundos de todos os lugares da Europa cuidam delas. Um calendário fixado no corredor anuncia cursos de línguas (grego, inglês, alemão), jardinagem, culinária, ioga e creative writing, este último oferecido por Frederica. Ele acontece em uma sala de aula transformada em dormitório, que nossos quatro alunos dividem. Beliches, cortinas improvisadas para se isolar tanto quanto possível e, no meio, duas mesas juntas, em torno das quais eles nos esperam, comportadamente sentados: quatro adolescentes, com camisetas muito limpas e jeans — nenhum de short, ao contrário de três quartos das pessoas aqui. O dormitório também é muito limpo, não tem nada largado — talvez por eles serem organizados, mas sobretudo por não possuírem muitas coisas. Frederica me apresenta como Emmanuel, um escritor francês que veio compartilhar sua aptidão — é a expressão dela: *to share his competence*. Ao dizer isso, ela vira a cabeça bruscamente para a esquerda, como se a tivessem chamado, como se ela tentasse ver alguém ou alguma coisa à esquerda dela, mas ninguém a chamou, não tem ninguém à esquerda dela. Quando ela nos olha novamente, seu rosto permanece apreensivo por alguns instantes. Os alunos parecem acostumados a esse tique que ela tem com frequência, talvez a cada cinco minutos. Também vou me acostumar rápido. Ela pede que cada um se apresente. Em volta dela, no sentido horário, há Hamid, um garoto bonito de expressão séria, afegão, dezessete anos; Atiq, menos bonito mas de expressão franca, sorridente, também afegão, também de dezessete anos; Mohamed, que é paquistanês, mais apreensivo, mais temeroso, dezesseis anos; e por fim Hassan, afegão, o mais novo, quinze anos. Frederica conclui a rodada se apresentando apenas para mim, uma vez que ela trabalha com os quatro garotos já há várias semanas. "Frederica", ela diz, "mas as pessoas me chamam de Fred ou Erica, pode escolher." Eu digo: "Está bem, vou ficar com Erica". Os garotos dão risada, Erica também, eu pergunto por quê, Atiq me explica que Hamid e ele tinham escolhido chamar Frederica de Fred, e Mohamed e Hassan a chamam de Erica, e que esse pequeno conflito, *this small conflict*, os diverte muito: é como se eles tivessem duas professoras em vez de uma só, com personalidades diferentes. Atiq se dirige a mim diretamente. Ele me olha, tenta prender minha atenção, é o único que fala bem inglês. Erica acrescenta que ela é americana, vem de Boise, em Idaho, onde era professora de história medieval, e agora mora em Leros, onde também compartilha suas aptidões. Ela fala apenas inglês, não fala grego, muito menos farsi, que Hamid, Atiq e Hassan falam, ou urdu, que Mohamed fala. Nos últimos dois meses, desde que estão aqui juntos, Atiq se dedica a ensinar inglês aos outros três. Apenas Hamid aproveitou de verdade essas aulas, de modo que os dois servem de intérpretes a Mohamed e Hassan. Os quatro, me explica Hamid, se conheceram no grande campo de Moria, em Lesbos, e se consideram sortudos por terem sido enviados juntos a Leros. Juntos eles formam um bando, quase uma família, e nada é mais precioso que isso ao longo de uma viagem como a deles. Eles podem contar uns com os outros, têm medo de serem separados. Ao mesmo tempo, acrescenta Atiq, sempre se dirigindo a mim, eles sabem que serão separados, mas seria bom se pelo menos dois deles conseguissem ficar juntos. É emocionante e cruel ver, em um garoto de dezessete anos, essa maneira de não alimentar ilusões, essa consciência de que a vida é uma máquina de separação. Também é emocionante e cruel o que adivinho e Erica confirmará: Atiq e Hamid gostam muito de Mohamed e Hassan, mas se há dois deles que deveriam ficar juntos, que serão espertos o bastante para não deixar que a vida os separe, são eles dois, uma pena para os dois outros que estão menos armados para a sobrevivência. Ao longo de toda a sessão, que vai durar uma hora e meia sem que ninguém dê sinal de cansaço, eu observo esses dois: Hamid notavelmente bonito, de traços finos, os olhos pretos aveludados e melancólicos, Atiq mais apreensivo, o rosto arruinado pela acne e já uma promessa de papada, mas o carisma e a vitalidade caminham ao lado, é ele o líder natural, é ele que vai pegar as garotas, que talvez já pegue — não, isso me espantaria, os quatro com certeza são virgens.

THE NIGHT BEFORE I LEFT

Frederica pediu aos garotos que explorassem o tema *The night before I left*: a noite anterior à minha partida. Como se poderia esperar, Atiq é o primeiro a entregar seu trabalho. Ele escreveu e imprimiu nos escritórios do Pikpa um texto de duas páginas que lê para nós, avisando que vai começar não pela última noite, mas pela penúltima. Era em Quetta, no Paquistão, onde ele foi criado pela tia e o marido depois da morte de seus pais quando ele ainda era bem pequeno. Ele saiu para fumar uma shisha com os amigos: uma noite deliciosa, de piadas, brincadeiras, foi legal. Atiq é sociável, para ele é muito importante ter bons amigos, garotos com quem ele pode contar e que podem contar com ele. Chegou em casa bastante tarde, sua tia e o marido, que deveriam estar dormindo havia muito tempo, o esperavam embaixo no prédio. Ele pensou que estavam preocupados e bravos porque ele estava chegando tarde e que ia levar uma bronca, mas não: se o esperavam, era para avisá-lo de que ele ia embora para a Europa dois dias depois. Já estava tudo combinado com um tio que mora e trabalha como cozinheiro na Bélgica e que está organizando e pagando a viagem. Ninguém havia falado desse acordo para Atiq. Mancomunaram tudo pelas suas costas, para seu bem mas pelas suas costas, e ele se sente enganado. Ele diz isso. Seus pais adotivos estão constrangidos, como se não tivessem previsto essa reação. Na manhã seguinte, a última manhã de vida normal dele, a tia lhe dá cinquenta dólares para que vá comprar roupas para a viagem: jeans, camisetas. Ela parece ter a esperança de que isso vai fazê-lo engolir a situação. É ainda mais conveniente fazer essas compras uma vez que o tio é gerente da loja de departamentos em cima da qual mora toda a família. Atiq desce para a loja, caminha um pouco pelos corredores, mas está tão triste que não experimenta nada, não compra nada. Ele pensa por um momento em visitar cada um dos seus amigos, se despedir deles um a um, talvez usar os cinquenta dólares para convidá-los para uma última noite como as que eles costumam passar juntos, como a que eles passaram na véspera. Mas pensa que essa noite seria horrível. Se ele quisesse reencontrar os amigos seria fácil, poderia ser divertido, mas a verdade, que nenhum deles ignora, é que ele nunca mais os encontrará, então o que ele pode dizer a eles? Vai ser triste demais, é triste demais. Ele se contenta em ir até o túmulo de seus pais para lhes dizer adeus. Em seguida, ele narra o jantar com a tia e a família. A comida está com um gosto esquisito, ele não consegue comer. É estranho porque parece uma noite normal, eles falam de coisas normais, não de sua partida, e no entanto ele vai partir às quatro horas da manhã, aos dezesseis anos, para sempre. A tia vai até o quarto dele para ajudá-lo a fazer a mochila. É uma mochila esportiva, ele costuma colocar ali os equipamentos de tênis, o cabo da raquete fica pra fora. Ele joga bem e se pergunta se vai levar a raquete. Quando faz que vai levá-la, a tia a tira da mochila e guarda de volta no armário, sem dizer sequer uma palavra. Ela está espantada, até contrariada, com o fato de que ele não gastou os cinquenta dólares que ela lhe deu. Além disso, ele já tem tudo de que precisa, duzentos dólares em uma pochete. Ele precisa levar a jaqueta de fleece, diz a tia, vai fazer frio em algumas etapas da viagem. Quando ela dobra e guarda o casaco na mochila, Atiq começa de repente a chorar, chorar como uma criança. A tia não o abraça, mas diz, muito séria, como se falasse com um homem, ele se lembra exatamente das palavras dela: "Pare de chorar, menino, na vida é preciso abandonar tudo, e no fim é a vida que nos abandona, então não adianta chorar, não chore". Atiq passa as horas que lhe restam vagando pela casa de sua infância, empurrando as portas dos quartos que não têm mais uma aparência normal. Ele se sente, eu anotei a rajada de adjetivos, *confused/sad/angry/lonely*. Não é mais a sua casa, mas já é a casa como ela será no dia seguinte, a casa de onde ele terá ido embora, a casa sem ele. Depois de ter dito isso, Atiq se cala, dando a entender que seu relato tinha chegado ao fim. Erica torce o pescoço para ver, o mais longe possível, o que está acontecendo de seu lado esquerdo. Quando volta para nós, ela sussurra: "É tão difícil... É uma tristeza tão imensa... Tão imensa...". O modo de ela dizer isso soa acertado, a emoção dela soa acertada, e sinto um verdadeiro ímpeto de simpatia por ela. Atiq, então, aponta para Hassan, aquele cuja voz só ouvi quando perguntado seu nome, e ele diz: "Foi difícil, mas para Hassan foi ainda mais. Porque ele não tinha ninguém de quem se despedir. Ninguém o ajudou a fazer a mochila". Depois disso, um silêncio. Hassan olha para Atiq, apreensivo. Entende que o garoto acabou de falar dele, mas não o que foi dito. É Hamid que se inclina para traduzir. Então Hassan segura a cabeça entre as mãos e começa a batê-la na mesa, soltando longos gemidos. Todos ficamos petrificados, mas Erica, que está ao lado dele, coloca os braços em volta de seus ombros, o abraça, começa a acalentá-lo e a acalmar seu choro, dizendo: "Hassan, Hassan, eu estou aqui, nós estamos aqui, nós estamos juntos, nós somos como uma pequena família, vocês todos foram tão corajosos, vocês todos são tão corajosos...". Nós todos, então, vamos tocar Hassan para confortá-lo, um toca seu ombro, outro toca seu braço, eu passo a mão em seus cabelos, um gesto de intimidade bastante inusitado mas que me vem naturalmente e naquele momento me parece completamente normal.

MICHAEL HANEKE

O almoço, servido no pátio de recreação, consiste de arroz com frango, servido em bandejas de alumínio. É agradável. As crianças jogam futebol ou amarelinha — penso que faz muito tempo que eu não via crianças brincando de amarelinha. Os voluntários parecem monitores de uma colônia de férias. Há duas irmãs gêmeas italianas, bonitas. Uma irlandesa anoréxica, toda tatuada, ensina as crianças a confeccionarem bijuterias com clipes ou cabides de ferro, e uma pequena eritreia me mostra a sua com um sorriso que poderia ser a definição da palavra "radiante". São todos jovens, com exceção de um casal de austríacos, ele, cego de um olho e com um sorriso bonito também, do tipo evangélico, ela, corpulenta, calorosa, falando alto demais. Até se aposentarem eram ambos arqueólogos e contam rindo, como uma boa piada repetida sempre, que falam mal grego moderno mas são fluentes em grego antigo e que, ao contrário do que se poderia imaginar, até que dá para se virar com isso. Foi na Síria que fizeram seus mais importantes trabalhos de campo, e se dedicam uma parte de suas férias a esse trabalho voluntário e humanitário é para retribuir parte da magnífica hospitalidade que os sírios lhes ofereceram. Ela, Elfriede, me explica aos gritos como está impressionada com a devoção dos gregos e envergonhada por seu país, que não respeita sequer o compromisso de acolher trinta e sete mil e quinhentos refugiados, número que ela calcula ser obsceno de tão baixo. Enquanto, com uma distração crescente, a ouço continuar seu monólogo sobre as políticas de imigração dos países de acolhimento e aquela que, acima deles, é definida pela União Europeia, observo de canto de olho seu marido, o evangélico, Moritz, sentado a uma mesinha de escola maternal, debaixo de uma árvore, com uma criança de seis ou sete anos que ele ajuda a fazer um desenho. A criança, que logo saberei ser síria e se chamar

Elias, se recusa a colocar a tampa da canetinha que acabou de usar e a deixa cair no chão. Moritz diz que ele pode levar quanto tempo quiser, que se quer deixar a tampa cair tudo bem, ele vai fazê-lo pegar de volta cem vezes, até mil se for necessário. Ele fala isso com uma voz calma, mas cada vez mais seca e ameaçadora, e é difícil saber se aquilo é um jogo que diverte a criança ou uma manifestação de rigidez sádica que poderia ser uma cena de um filme de Michael Haneke.

MINHA FOTO DE PERFIL

É fácil se hospedar nas ilhas gregas, eu não tinha reservado nada e, quando pergunto a Erica se ela tem algum lugar para me indicar, ela me responde com sua costumeira brusquidão que basta que eu vá ficar na casa dela: ela tem uma casa grande, um quarto de hóspedes, vai ser mais simples para o trabalho que temos a fazer. Situada na direção do porto onde desembarquei, bastante longe do mar, a casa de Erica não era nem um cubo branco e azul nem um espécime da arquitetura fascista, mas uma construção dos anos 1970 de acordo com o gosto dos pequeno-burgueses gregos dessa época, isto é, feia. Apenas o quarto dela, no primeiro andar, desfruta de uma vista para o porto e um pedacinho de mar azul. A sala do térreo não tem janelas, está quase vazia, e o quarto de hóspedes que vou ocupar é um quarto de criança transformado em depósito, com uma cama pequena demais para uma pessoa e pilhas de caixas ainda por abrir. Em cinco minutos eu teria encontrado no porto um quarto dez vezes mais agradável, mas é tarde demais para mudar de ideia, Erica já me entrega um par de lençóis descombinados, uma toalha áspera e me oferece um café para tomarmos na sacada, também sem vista pois construída na parte de trás da casa. Ela também me ofereceu um banho, que eu recusei, sendo que ninguém neste calor perde a oportunidade de tomar um banho, sobretudo depois de uma viagem e um dia cheio, mas nestes dias experimento um prazer sombrio em marinar no meu suor nervoso e nas minhas roupas rançosas. Também voltei a fumar, e fumo da mesma maneira que bebo: em grande quantidade. Nós ainda estamos abalados pela sessão, pelo relato de Atiq e sobretudo pela violência com que ele revelou a privação de Hassan. Hassan não tem nada. Está completamente sozinho. Ele é o mais novo do grupo, o único sem um smartphone, e na condição de vida deles essa é a pior coisa que poderia acontecer. Os outros têm ao menos esse meio de se comunicar, tudo o que possuem no mundo está na memória dos smartphones, perdê-los seria uma catástrofe. Eles são muito ativos no Facebook, onde Erica os acompanha todo dia. Ela me mostra alguns posts deles em seu telefone. Atiq: "Você sabe a diferença entre *like* e *love*? Se você *like* uma flor, você a colhe. Se você *love* a flor, você a rega. Quem entendeu isso entendeu a vida". Eu me pergunto se é uma frase conhecida, como "Não dê o peixe, ensine a pescar", ou se Atiq a inventou. Eu não a conheço, Erica também não. Um post de Hamid agora, como legenda de uma selfie em que a beleza dele é impressionante, a beleza do jovem Alain Delon, não estou exagerando: "Atrás do meu sorriso o meu coração sangra, esse rosto que vocês veem é de um garoto perdido". Hamid também postou, três semanas antes, fotos de si mesmo em uma cama de hospital, com o braço dilacerado depois de uma tentativa de suicídio com lâmina de barbear. Atiq, que parece tão positivo, tão dinâmico, também tem crises terríveis de desânimo. Todos eles têm, todos eles se sentem tão sozinhos no mundo que, uma hora ou outra, pensam que não vale a pena lutar, que é melhor morrer. Erica me pergunta se tenho uma conta no Facebook. Sim, acabei de abrir uma, Laurence havia me dito que era indispensável se eu quisesse me relacionar com refugiados. Minha filha Jeanne, que tinha então dez anos, me ajudou com isso, e mesmo se nesse dia as coisas não iam muito bem ela morreu de rir quando me pediram para enviar uma foto de perfil e eu me posicionei de perfil para que ela me fotografasse. Conto essa história para Erica e, já que comecei a fazer graça, emendo com uma outra do mesmo tipo, a do meu professor de ioga, Toni, que durante uma aula falou: "Segurem suas panturrilhas", e um de nós se abaixou para pegar nas panturrilhas com as mãos, e todos os outros deram gargalhadas sonoras pois não se tratava, é claro, de fazer essa coisa literal e tosca, mas de segurar as panturrilhas *por dentro*, mentalmente. A história me parecia muito engraçada quando comecei a contá-la, mas ao chegar ao final, uns trinta segundos depois, tive a impressão não apenas de que era um fiasco mas de ter mostrado minha degradação psíquica de modo tão implacável quanto Atiq ao revelar a privação quase metafísica de Hassan. Em vez de me olhar com consternação, Erica também dá uma gargalhada sonora, uma risada que de repente relaxa a tensão permanente dela, e me pergunta que tipo de ioga eu pratico. Iyengar? Ela é da Ashtanga, e se eu quiser praticar ela tem um tapete que pode me emprestar. Um tapete de ioga para dois, uma scooter para dois: já estamos nos tornando um casal, Erica e eu.

MEDITAÇÃO TÓXICA

É possível meditar com um nó de angústia no plexo, dois pacotes de cigarros furiosamente fumados por dia nos pulmões e a consciência atravessada por um fluxo ininterrupto de pensamentos tóxicos: arrependimento, remorso, rancor, medo do abandono? Quando não se encontra refúgio em lugar algum e você é completamente abandonado ao que há de pior em você? Mesmo assim eu tento, na hora da sesta, no quarto de criança de Erica. Com a janela fechada, escuto o barulho tranquilo do lado de fora, uma vassoura passada sem pressa, a água correndo pelo encanamento, o miado de um gato, o escapamento de uma scooter pipocando ao longe, o zumbido de uma geladeira bem perto. Tento levar minha atenção para eles e para o barulho sutil da respiração que passa pelas minhas narinas: irregular, rouca, oprimida. Ficar imóvel é um trabalho penoso. Mesmo quando não temos consciência disso, mesmo quando é imperceptível, nós na verdade nos mexemos sem parar — apenas um pouco menos que aquelas pessoas irritantes que, quando cruzam as pernas, sacodem o pé no ar sem trégua. Não se mexer em absoluto exige uma grande concentração. Para conseguir, faço uso de uma técnica da ioga: puxar o que está fora de si para dentro, e o que está dentro para fora. A pele em direção aos músculos, os músculos em direção aos ossos, os ossos em direção à medula. E o contrário: a medula em direção aos ossos, os ossos em direção ao músculo, o músculo em direção à pele. Expansão e retração ao mesmo tempo. Movimento centrífugo e movimento centrípeto ao mesmo tempo. A manteiga e o dinheiro da manteiga. Mesmo que quanto à medula seja preciso ter um pouco de imaginação, desse modo consigo me encurralar e, preso, me impedir de me levantar para fumar mais um cigarro, que é simultaneamente o sintoma e o alimento da minha angústia. Não dá para dizer que, mesmo imobilizado, esse desejo diminui, nem que os pensamentos tóxicos se acalmam, nem que a angústia é menos intensa. Não dá para dizer que eu a vejo com mais clareza. Não dá para dizer que eu me distancio de todo esse sofrimento. Não dá para dizer nada disso, e quando penso na linda série de definições da meditação que imaginei esmiuçar ao longo do meu ensaio simpático e perspicaz sobre a ioga ela não me traz simpatia alguma, muito menos de um modo perspicaz, e sim me leva a fazer uma careta amarga. Entretanto, ao me sentar em posição de lótus durante uma meia hora, como acabei de fazer no quarto de hóspedes de Erica, tenho uma sensação não de alívio, mas ainda assim de proteção. Não se suspende o vaivém terrível dos pensamentos, mas ao menos o dos gestos. Não faz um bem imenso, mas faz um pouco, bem pouquinho. Sei que, quando descruzar as pernas, vai ser para pegar um cigarro, consultar febrilmente o tablet, escrever um e-mail que, com o pretexto de esclarecer as coisas, vai apenas piorá-las, então faço o momento que precede essa derrota programada durar. Espero mais um pouco. Fico protegido mais um pouco.

NADA NOS ARMÁRIOS

No fim da tarde, Erica bate na minha porta e pergunta se quero beber alguma coisa na varanda. Sendo a resposta afirmativa, preciso ir com ela na mercearia da esquina. Entendo que faremos tudo juntos a partir de agora. Nossas compras são sumárias: uma garrafa de vinho branco, azeitonas, um saco de pistaches. Uma casa onde não tem nada guardado, nenhuma garrafa já gelada, nenhum pacote de biscoitos no armário, é uma imagem de desolação excepcional: o exato oposto de uma casa bem cuidada onde vive uma família, onde a geladeira está cheia, onde se está sempre pronto para receber amigos em torno de uma grande travessa de massa improvisada. Moro há anos numa casa assim, estou me empenhando para expulsar a mim mesmo desse lugar e é com pavor que me vejo, na melhor das hipóteses, morando em breve numa versão mais abastada da casa em que Erica afirma bravamente se sentir bem mas que transpira a mais cruel solidão e que, mesmo em pleno verão, adivinhamos ser glacial de setembro em diante. Apesar da minha capacidade particularmente fraca de me interessar por outra pessoa no momento, Erica me intriga. Como ela veio parar aqui? Qual é a história dela? Pergunto isso diretamente enquanto abro a garrafa de vinho branco. Ela espera que eu tenha enchido nossos copos, levanta o seu brindando à minha saúde e responde também diretamente: "Cagadas de gente apaixonada, a história da minha vida". Em resumo: ela tinha acabado de se aposentar de seu cargo de história medieval na faculdade de Boise, em Idaho, quando, numa viagem a Amsterdam, conheceu um baixista de jazz holandês por quem se apaixonou — um amor tão correspondido, ao que parecia, que ele a trouxe para Leros, onde, ao fim de algumas semanas, eles compraram aquela casa. Eles planejavam morar aqui durante metade do ano e, na outra metade, em Amsterdam. Poderia ter sido uma vida maravilhosa, mas eles não viveram juntos nem em Leros nem em Amsterdam, pois o baixista holandês deu no pé com outra mulher sem mais nem menos e agora exige que eles vendam a casa ou que Erica compre a parte dele, e ela não tem recursos para isso. Esse detalhe me surpreende um pouco, pois a metade de uma casa tão pouco sedutora quanto esta, longe do mar, em uma ilha nada popular em termos turísticos, não deve ser, na minha opinião, fora do alcance de uma professora universitária aposentada norte-americana. Seja qual for a explicação financeira para sua falta de conforto, Erica está presa nesta ilha onde não conhece ninguém e só pode se deslocar de táxi, pois não sabe dirigir uma scooter e tem medo de aprender. E assim, ela resume com um humor robusto, você se torna a voluntária ideal, que afoga a própria tristeza amorosa no altruísmo.

A SUBTLE FLAVOUR OF ASSHOLE

Tendo esvaziado a garrafa, vamos jantar em uma taverna do porto. O vento começou a soprar, esse meltem selvagem que é a versão grega do nosso mistral. Ele enche de areia nossos pratos de peixe grelhado, vira as mesas e sopra com tanto barulho que temos dificuldade em nos escutar, mas Erica, nesta noite, está com vontade de falar. Faço meu melhor para ouvir o que ela está me explicando, aos berros, sobre a fabricação do vinho retsina que bebemos, as porcarias químicas com que hoje em dia se dilui o vinho, até os mais conceituados, a confusão que a ditatura do enólogo inglês Robert Parker provocou nos grandes bordôs... Essa competência quase fundamentalista não combina com seu jeito de beber, que, observo, é bastante parecido com o meu: não estamos nem aí para a qualidade, qualquer pinga dá conta do recado, a única coisa que importa é ficar bêbado. Do jeito russo. Eu a faço rir, de um modo que para ela deve ser prazerosamente transgressor, ao explicar com veemência que acho a enologia um saco e que tenho horror de pessoas que, como eles mesmos dizem, *degustam* o vinho e o giram em taças gigantescas antes de encontrar notas arborizadas ou retrogosto de cu. Eu realmente disse isso, *a subtle flavour of asshole*, no fundo do meu desespero eu estava bastante alegre naquela noite. Depois de pedir mais uma garrafa de vinho branco, a terceira, Erica me faz uma pergunta que me surpreende e diverte: se nós falássemos em francês, no lugar do *you* anglo-saxão nós usaríamos *tu* ou *vous*? Respondo que, na minha opinião, nós estaríamos neste exato momento decidindo passar do *vous* formal para o *tu*. A garrafa chega, encho nossas taças, brindamos ao nosso tratamento informal e à nossa amizade nascente. Erica acha uma pena que não exista em inglês essa distinção entre o *tu* e o *vous*. Ela acredita que isso diz algo sobre as pessoas, a preferência pelo *tu* ou pelo *vous*. É a mesma diferença, ela acrescenta, sem que a relação de uma coisa com a outra fique muito clara para mim, entre as pessoas que nadam em paralelo e aquelas que nadam perpendicularmente à praia, em direção ao fundo do mar. "Eu nado em direção ao fundo", ela me diz. Depois de um momento de reflexão, digo que eu também, e ela aquiesce, satisfeita: isso não a espanta. Tenho a sensação de ter passado num teste: caso eu nadasse paralelamente à margem, estaria tudo terminado entre mim e Erica. Há também, ela prossegue, as pessoas que apagam a luz ao saírem de um cômodo e aquelas que não apagam, as pessoas que pegam elevador para descer e aquelas que nem entendem que isso possa ser feito, as pessoas que dão esmolas e aquelas que não dão, as pessoas que, se deparam com o diário de alguém que amam, cedem à tentação de ler e as que não cedem, as pessoas que se comportam do mesmo modo na presença ou na ausência de uma testemunha. Essa distinção me abala, como a evidência cuja obviedade não se tinha compreendido até então. Não li Kant, mas de acordo com o pouco que sei dele poderia ser de Kant: agir da mesma maneira quando existe uma testemunha e quando ninguém o vê, isso me parece ser o critério absoluto da moralidade. Nós concordamos quanto a isso, felizes em concordar, nós decididamente concordamos a respeito de muitas coisas e, ao longo do jantar, falando muito alto para nos escutarmos, nos divertimos muito aumentando a lista das fronteiras que separam a humanidade em dois: os que enxergam o copo metade vazio e os que o enxergam metade cheio, os que votam nos Democratas e os que votam nos Republicanos, os que preferem Dostoiévski e os que preferem Tolstói — na versão francesa é Voltaire e Rousseau, na versão americana, Faulkner e Hemingway —, os que, em uma cozinha estranha, encontram sozinhos onde as coisas estão guardadas e botam a mão na massa sem pedir nada e os que, de braços cruzados, perguntam languidamente: "Posso ajudar?" — confesso fazer parte da segunda categoria. Nesse fluxo pergunto o que ela sabe dos polos yin e yang, que são a essência do pensamento chinês. Não muito, mas ainda assim um pouco mais do que o jornalista que me entrevistou sobre ioga, e uma vez que eu lhe dou alguns exemplos evidentes, como os sempiternos dia/noite, calor/frio, ataque/defesa, ativo/passivo, inspira/expira, par/ímpar, nós começamos a procurar alguns mais inesperados, e ela rapidamente entendeu o princípio do jogo, já que sua primeira proposição, uma vez estabelecido que o vazio é yin e o cheio é yang, foi que o pau é yang e a boceta é yin — isso é a minha tradução, acredito que ela tenha dito "pênis" e "vagina", duas palavras que pessoalmente tenho dificuldade em usar. Xixi é yin, continuamos, e cocô é yang, ler é yin, escrever é yang, a poesia é yin, a prosa é yang, o que se desenrola no tempo é yin, o que se desenrola no espaço é yang, logo a música é yin e a pintura, yang. O avesso é yin, o direito é yang, a traseira é yin, a frente é yang, a metade é yin e o inteiro é yang — essa sou eu que solto, querendo evocar esta frase esplêndida de Hesíodo, que devo naturalmente a Hervé: "A metade é melhor que o todo". A frase esplêndida de Hesíodo espanta Erica, que a repete com respeito: "*Half is better than all...*", e é minha vez de ficar espantado quando ela replica que perder é yin e ganhar, yang, mas que perder é a melhor maneira de ganhar — "Pensar isso nos convém, a você e a mim, não?". A cada quatro ou cinco minutos, Erica torce o pescoço para procurar as palavras em seu lado esquerdo, tão longe quanto consegue, e é de uma dessas expedições para trás de si mesma que ela traz essa distinção final entre dois tipos de humanidade: os que a chamam de Fred e os que a chamam de Erica. Entendi que o motivo de eu ter escolhido chamá-la de Erica, e não de Fred, dizia muito sobre mim, mas sou obrigado a confessar que não tenho a resposta.

A *POLONAISE* HEROICA

Quando voltamos para casa, não sem antes ter comprado uma quarta garrafa na taverna, venta demais para nos instalarmos na varanda e nos retiramos para a sala sem janelas. Enquanto abro nossa última garrafa me perguntando se não teria sido prudente comprar duas, Erica vasculha sua coleção de CDs e introduz um deles em seu aparelho de som portátil enorme e ruidoso. Piano. Um estrondo de arpejos. Sem tocar, infelizmente, nem ler, eu adoro música e conheço bastante bem. Quando escuto a France Musique, o que acontece principalmente no carro, sinto um orgulho infantil de identificar a maioria das obras desde os primeiros compassos. Erica me encara, impaciente, imperiosa, como se soubesse desse meu talento social e me lançasse um desafio, que aceito com brio: Chopin, a mais célebre *Polonaise* de Chopin, a *Polonaise* chamada "heroica". Ganhei, Erica está nos céus. Essa grande máquina épica não é, a bem dizer, a obra que prefiro de Chopin, longe disso, mas nesta noite sou transportado por sua grandeza, sua majestade, e agradeço a Erica efusivamente por ter colocado exatamente essa peça, exatamente nesse minuto: nada cairia melhor que isso. Pergunto quem toca: Vladimir Horowitz, ela diz com tanto orgulho quanto se fosse ela, e é uma interpretação de um virtuosismo louco, diabólico. Ao ouvi-lo, você sonha estar em seu lugar, sonha em desencadear com seus dez dedos esses cataclismas sonoros permeados por momentos de devaneio elegíaco. Nós escutamos, de pé, os dois no meio da sala. Erica sabe a peça de cor, me avisa com copiosos gestos e mímicas quando se aproximam as passagens que ela prefere, aquelas que a deixam arrepiada e a levam aos céus, e eu me pergunto como pude, amando Chopin como amo, negligenciar até meus quase sessenta anos a *Polonaise* heroica, com sua potência rítmica inacreditável, seus suntuosos crescendos em intervalos de oitavas, os retornos cada mais vez mais grandiosos do tema principal, o primeiro interlúdio, que é uma espécie de cavalgada fantástica, e o segundo, que parece uma guirlanda graciosamente desenrolada, Chopin puro, imponderável, mágico. Quando a peça chega ao fim, Erica, sem perguntar minha opinião, mas não há necessidade de perguntar minha opinião, a coloca de novo desde o início, e na segunda vez eu escuto melhor aquilo que, na primeira, tinha caído em cima de mim como um Steinway lançado do décimo andar. Entusiasmada com o meu entusiasmo, Erica pega no meu braço e diz: "Escuta, escuta essa notinha aqui!". E, sim, uma vez que se ouviu essa nota, a única vontade é ouvi-la de novo, essa notinha que posso dizer agora mas que eu não sabia então que é um ré bequadro, notinha suspensa no céu, sozinha, frágil, estrela distante a partir da qual a guirlanda vai miraculosamente se desenrolar. Nós a escutamos se desenrolar, a guirlanda que Chopin claramente ama tanto que não quer soltar, então ele a recomeça, ele retoma a melodia um pouco mais alto, ele a embeleza mais com trinados, e você quer que ela dure para sempre, mas sabe que o tema principal, o grande tema heroico vai retornar e que vai ser ainda mais bonito, ainda mais jubiloso se isso for possível, e quando o tema retorna, *maestoso*, fazendo nossa alegria transbordar, a de Erica e a minha, começo a fazer gestos amplos com os braços e, ainda que nesse momento eu me tome por uma mistura de Horowitz e Karajan, minhas gesticulações devem lembrar sobretudo Boris Iéltsin quando, completamente bêbado durante uma cerimônia em que era convidado de Helmut Kohl, se dirigiu cambaleando até a orquestra militar, tomou a batuta do maestro e começou a se estrebuchar com ela, envergonhando a imensa maioria dos seus compatriotas apesar da indulgência deles em relação a tudo que envolve o alcoolismo. Agora nós dançamos na sala, Erica e eu, se é que se pode chamar de dança a mistura de cambaleios de urso e movimentos de tai chi a que me entrego e que a faz literalmente chorar de rir. Quando a música vibra nela e ela dança, tão mal e com tanto deleite quanto eu, Erica não tem mais aquele tique. Efusivo como sempre fico depois de beber, repito para ela com uma voz pastosa que a partir de agora somos amigos, porque só se fica necessariamente amigo de alguém, grandes amigos, quando no mais profundo desespero vocês escutaram juntos a *Polonaise número 6*, chamada "heroica". Assim que ela acaba, Erica a coloca do começo. Há outras obras magníficas nesse estojo de dois CDs de Vladimir Horowitz, em particular sonatas maravilhosas de Scarlatti, Erica tem outros CDs, aliás não muitos, uma meia dúzia, mas nesta noite a *Polonaise* heroica nos basta, toda a música do mundo se resume à *Polonaise* heroica, que na interpretação de Horowitz dura seis minutos e quinze segundos, e que devemos ter escutado quinze ou vinte vezes seguidas. Continuamos os dois dançando no ritmo dessa música que é, entretanto, tudo menos dançante, nós dois nos contorcemos de alegria e êxtase quando o piano saracoteia nas estrelas, quando sem perder o impulso da velocidade ele se permite o ímpeto de desacelerar, e em um tal estado de euforia compartilhada colocou-se necessariamente a questão de dormir juntos. Fizemos bem em não dormir juntos, com certeza, o que não me lembro mais é como e graças a quem de nós dois esse erro foi evitado. Não importa, de certo modo Erica e eu fizemos amor naquela noite.

COM DUAS VOLTAS

Acordo às três da manhã, a garganta seca, a cabeça pegando fogo, consumido pela angústia e sabendo que vou pagar muito caro por esse momento de euforia. Vou até a cozinha beber água, litros de água da torneira, e em vão procuro uma aspirina no armário de remédios. Por sorte há lavabos no térreo, que utilizo, mas o único banheiro de fato está no andar de cima, ao lado do quarto de Erica, na verdade *dentro* do quarto de Erica, e penso que preciso definitivamente ir embora, encontrar um quarto na cidade — o que acabei não fazendo, fiquei quase dois meses na casa de Erica. Certo de que não voltaria a dormir, decido ir dar uma volta lá fora. Caminhar por ruas desertas, a esmo. Adoro caminhar a esmo, tão a esmo quanto possível, tentando me perder, mas a verdade é que não é fácil se perder nesta vila em que, mesmo dando as costas para o mar, ao fim de dez minutos se desemboca fatalmente no porto. Quando vou abrir a porta para sair, uma surpresa me aguarda: ela está trancada. Trancada por dentro, por uma chave que alguém tirou, "alguém" sendo necessariamente Erica. Por quê? Até uma mulher sozinha e um pouco paranoica que costuma trancar a porta antes de ir deitar deixa a chave na fechadura. Há apenas duas janelas no térreo, a do meu quarto e a da cozinha, ambas gradeadas, o que ao chegar achei um tanto apavorante. Será que Erica levou a chave para o quarto? Será que ela me trancou de propósito? Oscilo entre a raiva, a ruminação de acusações com que algumas horas mais tarde vou atormentá-la e uma curiosidade desinteressada que inspira uma conduta indecifrável. O que fazer enquanto espero amanhecer? Uma sessão de ioga ou de meditação, não tenho forças para isso. Não trouxe nenhum livro, mas há uns quinze numa prateleira, que examino. Diferente dos discos, que realmente refletem o gosto de Erica, tão parecido com o meu, esses livros não dizem nada sobre ela, já deviam estar aqui quando ela se mudou: uma sequência heterogênea de paperbacks em línguas diversas, um best-seller de espionagem de Tom Clancy, *Os homens são de Marte, as mulheres são de Vênus*, um guia Lonely Planet obsoleto que nem da Grécia é, mas do Sultanato de Omã... Ah! Esse manual de meditação de atenção plena deve ser dela... No fim da prateleira uma outra surpresa me aguarda, uma surpresa enorme: uma edição gasta, em inglês, da coletânea de contos de George Langelaan *The Fly and Other Stories* [A mosca e outros contos]. Li quando adolescente, e nunca esqueci, esse livro que foi publicado em francês com o título *Nouvelles de l'antimonde* [Contos do antimundo], em uma coleção barata de romances fantásticos e de ficção científica, Marabout, cujo catálogo inteiro consigo ainda hoje recitar: nada foi tão decisivo na formação do meu gosto quanto esses livros. Na última página figura uma breve nota sobre o autor, acompanhada de uma foto, e essas informações dão o que pensar. Para além de sua atividade bastante ocasional de autor de ficção, durante a guerra George Langelaan serviu como contato inglês a serviço da Resistência gaullista e dedicou-se a isso ao ponto de, antes de se atirar de paraquedas, passar por uma operação de cirurgia facial com o objetivo de se infiltrar no lado inimigo com as feições de um colaboracionista francês — enfim, a partir da imagem que se fazia de um. A foto, eloquente, mostra um homem pequeno intrigante, rechonchudo, baixinho, e você obrigatoriamente se pergunta como era George antes de sacrificar um físico talvez mais agradável pela França Livre. Quando se conhece esse detalhe biográfico, é inquietante que o conto mais conhecido dele, "A mosca", narre a trágica metamorfose de um cientista que tenta uma experiência audaciosa de teletransporte. Ao contrário de meu colega de Tiruvanamalai, ele não conta apenas com os poderes do espírito e da meditação Vipassana para isso, e sim com um apetrecho típico da ficção científica dos anos 1950, isto é, a ideia é se fechar dentro de um armário cheio de eletrodos, se volatilizar e se reconstituir de modo idêntico, célula por célula, em outro armário cheio de eletrodos, no outro canto do laboratório. As primeiras experiências são encorajadoras, mas a catástrofe acontece sob a forma de uma mosca que o cientista por descuido fecha consigo no armário, de modo que o que se desintegra e depois é reconstituído célula por célula não é apenas ele, mas ele e a mosca, uma mistura aterradora dele e da mosca. Esse conto memorável foi adaptado duas vezes para o cinema, a versão mais merecidamente famosa sendo aquela, não apenas aterrorizante mas angustiante, de David Cronenberg. Conto isso aqui para você saber, pois, quanto a mim, não foi "A mosca" que reli naquela noite, mas outro conto, "Récession", que eu tinha prometido a mim mesmo reler durante o retiro Vipassana, e então aconteceu o *Charlie Hebdo* e depois meu colapso pessoal, e tudo desapareceu completamente da minha cabeça até que eu me encontrasse, agonizando, na casa dessa medievalista melômana de Boise, Idaho, que, ao me trancar em sua casa úmida e lúgubre dando duas voltas na chave, me presenteou com essas vinte páginas que eu não lia havia quarenta e cinco anos e que percebi, no entanto, conhecer quase de cor.

O CONTO DE GEORGE LANGELAAN

Um velho está morrendo. Médicos e enfermeiras, de aventais brancos, se ocupam em torno da cama dele. Instrumentos tilintam em uma bandeja de metal. Espetam uma seringa no braço. As vozes abafadas ao redor parecem as mesmas que ele ouvia quando era uma criança pequena e adormecia nos braços da mãe. Introduzem um cano na boca dele. Um tinido metálico e depois o empurram, em cima de uma maca, por um corredor muito longo, estreito e escuro. Acima de sua cabeça, bem no alto, brilha uma luz. Como está deitado, ele a vê bem. Escuta uma voz, a de seu filho mais velho: "Ele ainda está consciente?". "Não mais, na verdade. Ele já está longe, muito longe, você sabe..." O corredor se tornou ainda mais estreito, a luz acima dele ainda mais distante. E então as vozes desaparecem. De repente ele se dá conta de que não vê mais nada, não escuta mais nada, não sente mais nada. Ele está no escuro. Será que alguém vai chegar? Será que alguém vai acender a luz de novo? Será que ainda tem alguém do lado dele? Será que estão todos em torno dele, seu filho e os outros, e perscrutam seu rosto de cera perguntando-se se, atrás desse rosto, muito distante, fora de alcance, subsiste um resquício de consciência? Ele tenta levantar uma pálpebra, não consegue. Tenta gritar, mas não escuta a si mesmo. Quem o escutará se nem ele mesmo se escuta? Será que está em coma? Ou: *Será que morreu?* Isso que está acontecendo aqui com ele não é simplesmente a morte? Mal pensou já sabe a resposta: é exatamente isso. É a morte. "Estou morto." Por outro lado, se ainda consegue pensar que está morto é porque seu cérebro ainda funciona, seu sangue continua a correr, seu coração não parou de bater. Ocorre-lhe a ideia de que isso que nele permanece consciente, isso que nele consegue dizer "estou morto", isso que nele consegue dizer "eu", é a alma dele, é o que não pode perecer. Será que já o enterraram? Não há sensação alguma, não há como saber. Não há como se situar num espaço, como medir o tempo. É assustador. O mais assustador é ainda estar consciente. Se ao menos conseguisse perder a consciência! Se ao menos tudo se apagasse. Se ao menos ele conseguisse dormir. Dormir, talvez sonhar... Para adormecer, ele tenta contar carneirinhos. Tranquilamente, sem pressa, mais carneiros que a Austrália jamais terá. Ele conta, conta, conta e chega um momento em que percebe que está em 998 milhões de carneirinhos, 998 milhões de carneirinhos que ele visualizou e contou um por um, assistiu saltar um por um por cima de uma cerca, em um campo ensolarado. Digamos que seja um carneirinho por segundo, o que parece razoável, isso dá sessenta carneirinhos por minuto, 3600 por hora, 86400 carneirinhos por dia, doze dias de contagem para um milhão de carneirinhos e, para quase um bilhão, o número a que ele chegou, cerca de doze mil dias, ou quase trinta anos. Ele acreditava estar contando por cerca de meia hora, mas eis que faz trinta anos que conta carneirinhos. Droga. Está claro que, se não quiser ficar louco, ele precisa encontrar outra ocupação que não contar carneirinhos. Qual? Reviver toda a sua vida? Dedicar sua eternidade a uma autobiografia eterna? Com todo o tempo para entrar em detalhes: um século para contar a si mesmo um café da manhã de quinze minutos? Ou então repetir sem fim um mantra, como os místicos? Ser absorvido pelos problemas do xadrez? Refazer mentalmente a forma do tai chi, com todo o tempo diante de si para se tornar um grande mestre? Lembrar os quartos em que dormiu, os hábitos que alimentou, os lugares onde morou, o conteúdo de cada gaveta nos lugares onde morou? Lembrar todas as vezes em que fez amor? E com quem, e a sequência de posições? Passar a eternidade se masturbando sem sexo, sem corpo, sem sensações? Esquisito, estar morto e conservar a consciência de si mesmo. Prisioneiro da prisão mais perfeita: quando você não é nada além de uma consciência, não pode escavar um túnel para fugir. Por outro lado, quando você não é nada além de uma consciência, pode *imaginar* que escava túneis. Então ele passa a fazer isso. Decide construir, sozinho, mentalmente, do fundo de seu túmulo, caso esteja enterrado como pensa estar, um túnel que ligará, sob o canal da Mancha, a França e a Inglaterra. Ele começa a desenhar mapas. Depois constrói, depois fracassa, depois recomeça do zero porque esqueceu de considerar as marés. Ele não pula nenhuma etapa, se uma tarefa demanda dez operários ele vai ser cada um desses operários. Ele é o escafandrista cujo tubo de oxigênio se rompe e o mergulhador que salva o escafandrista de se afogar. Ele é todo mundo, ele está em todos os lugares, ele tem o tempo inteiro. Nem mesmo em alguns milênios o túnel estará pronto. É mais construtivo que contar bilhões de carneirinhos, mais prazeroso. Nesse movimento, ele se lança na construção de uma cidade nova, maior que Brasília. Cada prédio, cada bloco de concreto, cada maçaneta, cada interruptor, o sistema elétrico que alimenta cada interruptor: nada fica de fora e, ainda que seja puramente mental, tudo funciona. Por que não mirar ainda mais alto, então? Por que não criar a vida? Como criar a vida? Não há muito mistério: criando uma célula. Ainda mais ignorante em embriologia do que em arquitetura, ele não pode delegar nada a operários imaginários, precisa fazer tudo por si mesmo. Sabe apenas que uma célula se divide em duas células, que por sua vez se dividem até que uma montanha de células se torne alguma coisa observável ao microscópio. Mas não é fácil transformar a si mesmo em célula quando aquilo a que se foi reduzido, isso que ainda se pode chamar de "eu", é infinitamente menor e mais imaterial que uma célula. É preciso se concentrar para aumentar um bilhão de vezes. Ele se concentra. Concentra sua consciência em um ponto que pouco a pouco cresce e se torna uma célula, que se divide em outras duas, que por sua vez se dividem, até que esse conjunto de células se torne algo como um corpo rudimentar, algo que pode se mover em um espaço e conhecer sensações. Ele sente o mesmo que um astronauta deve sentir ao pisar no chão depois de uma longa viagem interestelar. Ele pisa no chão. Ele aterrissa. Ele não foi queimado, ele não morreu, ele está feliz. Ele não tem boca para rir e gritar de alegria, ainda não. E de repente, sim, ele se dá conta de que tem uma boca — uma abertura, uma fenda que vai se tornar uma boca com dentes, uma língua. A consciência dele habita a partir de agora um cérebro, feito de células e que se prolonga em uma massa ainda informe, uma espécie de bolsa que logo terá membros, órgãos, um sexo, um cu, e tudo isso será *ele*. Agora ele pode dormir. Ele enfim dorme, um sono perfeito e feliz. Não há nada melhor que esse sono, nada melhor que se banhar no doce calor das águas amnióticas. Ele é um embrião, logo será um corpo que com empenho continua a se ramificar e crescer. O corpo de quem, o corpo do quê? Ele ainda não sabe, mas não importa: seja o que for, vai viver a vida que lhe for concedida. Se tiver de sair da matriz como uma espécie de formiga, sem problemas, ele será uma formiga, qualquer vida vale a pena. Ele não tem vontade nenhuma de sair do samsara, tudo o que quer é ser vivo novamente. Além disso, ele tem sorte: ele é um feto, logo depois um bebê humano, que já dá pequenos chutes. Chega o momento assustador em que o meio quente e líquido onde ele cochilava tranquilamente se esvazia de uma vez só: é como estar em um submarino que afunda. Ele engole água mas não se afoga. Ele entra em um túnel escuro, quente e pegajoso. Não dá para respirar: não surpreende que tantas pessoas revivam isso em seus pesadelos. Ele escuta barulhos, vozes. Esses barulhos, essas vozes que iam desaparecendo quando ele morreu se aproximam agora. Ou na verdade é ele que se aproxima. O túnel se transforma em escorregador. Ele escorrega. Um grande raio de luz o cega. É a saída. A mãe dele empurra, a mãe dele grita. Ele chegou. É ele que grita, agora. A vida dele começa.

IOGA MOLECULAR

Quando meu neto Louis nasceu, li para Jeanne essa história que tinha me impressionado tanto quando eu tinha treze ou catorze anos, que ainda me impressiona e que a maravilhou — sobretudo o final, quando ela enfim entendeu o que a história contava. Ela procurou um resquício dessa odisseia no olhar de seu sobrinho na maternidade. Olhar borrado, olhar de recém-nascido que não entende absolutamente nada, mas já começa a se adaptar. E também, já quase apagado, olhar de um homem muito velho que por alguns instantes ainda se lembra de onde vem. Penso nisso às vezes, quando medito. Pensei nisso durante o retiro Vipassana. Mais uma definição da meditação, a décima quarta: no espaço infinito no interior de si, escavar túneis, construir barragens, abrir vias de circulação, impelir algo a nascer. Os meditadores avançados devem ser capazes de abrir tais canteiros de obras; nós, no melhor dos casos, conseguiremos ver apenas os tapumes. Isso me lembra algo que Faeq Biria, o grande mestre da ioga Iyengar, nos disse durante uma oficina em que nos pôs para trabalhar posturas de base aparentemente muito fáceis, mas nos obrigando a mantê-las por muito tempo. Para nos ajudar nisso que se revelou um esforço exaustivo, ele contava histórias. Lentamente, tranquilamente, como um contador oriental: não à toa ele é iraniano. Em determinado momento ele disse que, para praticar essas posturas muito simples em que havia nos imobilizado, começava-se em nível ósseo, depois em nível muscular, depois em nível articular — grosso modo, era nesse ponto em que estávamos —, e que se você não jogasse a toalha acabaria por se encontrar em nível celular e até em nível molecular. Sim, *celular*. Sim, *molecular*. Através da ioga, dizia tranquilamente Faeq, pode-se preencher cada célula sua, cada molécula sua com consciência. Podemos conhecê-las, cada uma delas, particularmente. Podemos controlá-las, cada uma delas, particularmente. Nós rimos muito disso naquela noite debaixo do imenso plátano onde jantamos bulgur e tortas de acelga, disputando sorrateiramente os pêssegos menos duros, mas tenho certeza de que Faeq não estava brincando. Nunca alcancei isso, mas acredito que é possível praticar a ioga, as mesmas posturas de ioga, em nível celular e molecular. Tenho certeza de que por meio da atenção à pele e ao que há debaixo da pele, à inspiração e à expiração, ao bombeamento do coração, à circulação do sangue, ao fluxo e ao refluxo dos pensamentos, por meio do mergulho no conjunto infinitamente tênue de sensações e consciência, um dia se desemboca do outro lado, no infinitamente grande, no infinitamente aberto, no céu que o homem nasceu para contemplar: isso é a ioga.

O SAMSUNG GALAXY

Laurence, a amiga jornalista através de quem conheci Erica, me aconselhou a levar pequenos presentes para os jovens refugiados que eu encontraria em Leros. Os mais valorizados, além de dinheiro, que ela desaconselha, são os cartões com créditos para telefone, do tipo Vodaphone. Nunca usei esses cartões e pensei que, melhor que comprá-los com antecedência e correr o risco de comprar os errados, seria escolher com os próprios garotos o que eles quisessem. Mas me vem uma outra ideia, enquanto mexo meu saquinho de chá Lipton dentro da minha cumbuca, uma ideia de presente para o mais desprovido do nosso pequeno grupo, Hassan. Não posso fazer com que alguém o tenha ajudado a arrumar a mochila na noite de sua partida, mas uma outra maneira de atenuar sua infelicidade está ao meu alcance: já que ele é o único que não tem um smartphone, dar-lhe um de presente. Esse projeto naturalmente suscita objeções: por que um presente tão caro assim apenas para ele? O que os outros vão pensar disso? Vejo bem essas objeções, mas as descarto sem respondê-las, como fazemos quando somos tomado por uma compulsão de comprar e nada parece mais necessário e urgente que adquirir uma caixa de som bluetooth de luxo ou os pré-socráticos da coleção Pléiade. Nesta manhã, é um smartphone que quero comprar para Hassan, e minha única preocupação é que não sejam vendidos na ilha, e fico aliviado ao encontrar no porto uma pequena loja de telefones. Não é uma Apple Store, claro, mas de todo modo eu não tinha intenção de comprar um iPhone para ele, nenhum dos garotos tem um iPhone, seria uma provocação. Escolho um Samsung Galaxy de duzentos e quarenta euros sem saber como usá-lo exatamente, isto é, se é preciso fazer um plano com alguma operadora ou se os famosos cartões Vodaphone bastarão. No caminho conhecido para o Pikpa, me pergunto com preocupação como vou fazer para entregar o presente. Na verdade, há apenas dois jeitos de fazer, às claras ou às escondidas, e as duas são ruins. Não vou puxar Hassan para um canto para lhe passar, como um traficante, o pacote de dentro da minha mochila, deixando a cargo dele a tarefa de contar que a coisa caiu do céu. Tampouco vou reunir todo o pessoal e fazer como se fosse o aniversário de Hassan — ainda que essa solução, pensando bem, seja menos pior que a primeira, a solidariedade parece ser algo bastante desenvolvido nos garotos. Ainda não decidi nada quando chegamos e Hamid nos anuncia, muito apreensivo, que Hassan foi embora. Não que foi embora para matar aula: foi embora de verdade. Desapareceu. A cama dele está arrumada, a mochila não está mais aqui, nem nenhuma das coisas dele. É só Hamid que fala. O silêncio de Mohamed é comum, mas não o de Atiq, e entendo que ele se culpa por ter provocado a fuga de Hassan ao enfatizar teatralmente sua falta de sorte na véspera. Antes disso, Hassan estava tranquilo, me diz Erica, tímido mas tranquilo, ela nunca o viu chorar. Onde ele poderia estar? Ainda na ilha ou teria ido para Atenas, se metendo em uma balsa como muitos fazem? E em Atenas, o que está acontecendo? Normalmente eles acabam na prisão ou então são enviados de volta para o grande campo de triagem de Lesbos; em todo caso eles têm muito poucas chances de chegar a um dos países do norte da Europa com o qual sonham. Nessas condições, a oficina está seriamente comprometida. Erica tem a ideia de procurar em seu caderno os vestígios da contribuição única de Hassan. Ele falou em farsi, Atiq traduziu, ela anotou. Com o título de *A Journey of Hope, but Full of Challenges*, e o relato de sua travessia da Turquia para a Grécia. De Istambul, onde lhe venderam um colete salva-vidas por um preço muito alto dizendo-lhe que era indispensável, desceram pela costa turca cerca de vinte afegãos como ele na parte de trás de uma caminhonete até Bodrum. Por três dias esperaram em uma floresta com quase nada para comer, e na terceira noite os dois coiotes os levaram para a praia onde havia um barco esperando — um Zodiac velho, muito menor e muito mais carregado do que Hassan esperava. Ele sabe que, mesmo que seja curta, essa é a parte mais perigosa da viagem, que os riscos de naufrágio e afogamento são altos, mas ele não tem outra escolha, precisa ir. Hassan percebe que entra água no colete salva-vidas que o fizeram comprar pela metade de suas economias. De todo modo não poderia ficar com ele, porque no momento de embarcar os coiotes os obrigam a deixar na praia tudo o que trazem consigo fora a roupa do corpo. Tudo, inclusive as mochilas que em Istambul eles tiveram o cuidado de embalar em três camadas de sacos de lixo, prevendo a travessia. Precisam abandonar todos os seus únicos bens, aquilo que têm de mais precioso. Para Hassan, é a foto de seus pais já mortos, desses pais que ao menos o teriam ajudado a arrumar a mochila se ainda estivessem vivos, e ele começa a chorar pensando que vai esquecer o rosto deles, que logo não vai mais se lembrar de ninguém que conheceu, de ninguém para quem ele existiu, e que logo ele mesmo não existirá mais para ninguém. Erica se cala, o texto para aí, estamos aturdidos. Não tínhamos combinado de fazer uma oração por Hassan, mas é óbvio que foi isso que acabamos de fazer.

A SOMBRA

De volta à casa, jogo o Samsung Galaxy na gaveta da mesa de cabeceira que, além da cama, é o único móvel do meu quarto. De noite, Erica e eu nos encontramos para jantar e, como um casal de velhos, fazer exatamente a mesma coisa que na véspera, com a diferença de que a véspera foi alegre e efusiva e esta noite é penosa e sem emoção. A ressaca nos obriga a essa meia medida triste que é beber pouco. Quando, depois do restaurante, nos reencontramos na varanda sem vista para tomar um chá com gosto de poeira e de fundo de armário, Erica tem o cuidado de não colocar de novo a *Polonaise* heroica, de não colocar música alguma. Ainda assim, conversamos um pouco. Pergunto se é dela o manual de meditação que vi na noite anterior na prateleira da sala. Sim, ela diz. Ela não chegou a ele pela ioga — os adeptos da Ashtanga não são, de modo geral, loucos por meditação —, mas depois de um acidente vascular cerebral ocorrido dois anos antes, logo depois que ela se aposentou pensando em desfrutar dias felizes com o baixista holandês, o que nunca aconteceu. Ainda que tivesse ido a Amsterdam por causa dele, ela ficou sozinha no hospital, aonde ele foi para raras visitas, sempre com pressa, tratando seu AVC como um resfriado, repreendendo-a por se preocupar tanto, e alguns dias depois da alta do hospital ele lhe revelou a existência não apenas de uma esposa que ele tinha sempre apresentado como um obstáculo superável, mas também de uma amante de longa data a quem ele era muito apegado. A partir disso as coisas não pararam de piorar, mas Erica, em sua infelicidade, pode ao menos se consolar por não ter ficado com sequelas do AVC. Com exceção de uma muito estranha, não exatamente incapacitante mas angustiante, *creepy* ou *spooky*, diz Erica, e muito difícil de descrever. É como se atrás dela, do seu lado esquerdo, houvesse uma forma sem forma, escura, ameaçadora, alguma coisa que poderia se parecer com um urso, um saco preto, uma fumaça espessa, um enxame de vespas, algo indistinto, ameaçador, vagamente repugnante, que revira, rasteja, dilata e a amedronta. Ela não fala disso com ninguém, é verdade que ela não tem ninguém com quem conversar sobre isso. Em segredo ela a chama de a Sombra. A Sombra a acompanha por todos os lugares, está sempre à espreita do seu lado esquerdo, no limite do campo de visão dela. Erica a vigia o tempo todo de canto de olho. Espera surpreendê-la, ser mais rápida que ela um dia, mas na verdade nunca a viu. Está sempre a ponto de vê-la, *on the verge of seeing it*. No serviço neurológico do hospital de Amsterdam em que, segundo ela, foi muito bem cuidada, um médico lhe ensinou uma técnica de meditação chamada de atenção plena dizendo que isso poderia ajudá-la. Fora o fato de se considerar estritamente científica e recusar qualquer espécie de formalidade, a meditação de atenção plena não se distingue em nada da meditação budista do tipo Vipassana. Trata-se de se sentar em silêncio, imóvel, prestar atenção à respiração, estar presente em tudo aquilo que atravessa o campo da consciência, observar sem julgar, não esperar nada, deixar acontecer, desapegar. São comprovadas as virtudes desse método para reduzir o estresse, ele é cada vez mais praticado no meio médico e a seu respeito há apenas coisas boas a serem ditas. Erica saiu do hospital com um livro do psiquiatra americano Jon Kabat-Zinn, que divulga essa meditação, e um CD de meditações guiadas que ela tenta escutar com regularidade. Eu pergunto: "Isso te faz bem?". Ela responde que sim. Depois um silêncio. Ela novamente diz sim, um sim menos seguro que o anterior, balança a cabeça como se para dizer não e, apesar de até agora ter falado com muita tranquilidade, as lágrimas brotam em seus olhos, os ombros largos são sacudidos por uma espécie de convulsão e ela cochicha: "Emmanuel, é terrível... É terrível... É terrível...". Estamos sentados um de frente ao outro em cadeiras de jardim de plástico branco, exatamente o mesmo modelo que o do declive no Vipassana, e ela repete: "É terrível". Ela chora de soluçar, eu me inclino na direção dela, seguro uma de suas mãos entre as minhas, digo que vai ficar tudo bem, que vai ficar tudo bem, eu queria abraçá-la como abraçamos Hassan na véspera. Ela levanta a cabeça, me olha e diz: "Sabe, esse disco de meditação é bom, me faz bem um pouco, mas olha, tem a meditação do lago, a meditação do céu, a meditação da montanha, você deve imaginar que a sua consciência é um lago calmo e liso como um espelho e que de tempos em tempos há algumas pequenas ondulações na superfície do lago, ou então que são nuvens que passam no céu, ou pássaros, e você deve dizer a si mesmo que seus pensamentos, suas sensações, são como essas ondulações ou essas nuvens ou esses pássaros, é preciso vê-los passar e não segui-los, não se prender a eles, é preciso permanecer concentrado no lago, ou no céu, ou na montanha que é tão sólida e inabalável, e, se você faz isso todos os dias, dizem que você se torna tão sólido e inabalável quanto a montanha e ao mesmo tempo cheio de doçura e compaixão, cheio de doçura e compaixão e benevolência para com os seus pensamentos de merda e a sua vida de merda e a sua casa de merda nesta ilha de merda, e esse filho da puta que fodeu a sua vida, e a Sombra sobretudo... A Sombra, Emmanuel... O que eu faço com ela? Você não consegue imaginar como é terrível, essa Sombra que está o tempo todo aqui e que eu não vejo. É tão terrível...". Escuto Erica, entendo muito bem o que ela está dizendo, terrivelmente bem. A minha Sombra é uma linda marina de Raoul Dufy, e ela é tão terrível quanto a de Erica. Todo mundo deve ter a sua, ela apenas fica um pouco mais sensatamente atrás das costas da maioria das pessoas, enquanto que a outros, como Erica e eu, ela ameaça mais de perto: "A família lamentável e magnífica dos neuróticos", dizia Proust, e ele dizia também que nós somos o sal da terra, nós, os neuróticos, os melancólicos, os bipolares, nós que passamos nossas vidas nos debatendo contra esses "cães negros" de que fala um outro grande deprimido, Winston Churchill. Eu adoraria consolar Erica com essas palavras que me consolam um pouco, recitando para ela este poema de Catherine Pozzi que é uma espécie de homenagem a Louise Labé e cujos últimos versos adoro tanto — mas como traduzi-los?

Je ne sais pas pourquoi je meurs et noie
Avant d'entrer à l'éternel séjour
Je ne sais pas de qui je suis la proie
*Je ne sais pas de qui je suis l'amour.**

* Em tradução livre: "Não sei por que morro e desapareço/ Antes de entrar na estada eterna/ Não sei de quem sou a presa/ Não sei de quem sou o amor". (N. T.)

ATIQ VIAJA

Filho único, Atiq viveu no Afeganistão apenas até os dois anos de idade. Seus pais, ele me disse, foram ambos mortos em um acidente de carro e ele foi acolhido pela tia em Quetta, no Paquistão, onde ela mora com o marido. A família pertence à etnia hazara, e como não sei nada dos harazas, ele me mostra em seu celular o verbete da Wikipedia sobre eles. Perseguidos no Afeganistão pelos talibãs, eles também são no Paquistão, onde muitos se refugiaram. O celular de Atiq é praticamente do mesmo modelo que escolhi para Hassan, ele paga dez euros por mês pelo 3G porque estar constantemente conectado é, a seus olhos, indispensável. Estamos os dois sentados à beira-mar, nas confortáveis cadeiras de palha do café Púchkin, a cinco minutos do Pikpa. Esse café que passei a frequentar deve seu nome, tão incongruente aqui, à simpática senhora russa Svetlana Sergueievna, que o abriu há mais de vinte anos. Svetlana cobriu as paredes de ícones, faz o sinal da cruz o tempo todo e bebe seu chá, como os russos, com um cubo de açúcar na boca — sei disso porque de vez em quando bebemos um copo de chá juntos. Conversamos em russo, o que agrada a nós dois. Scooters passam pipocando no caminho empoeirado. Quando, a princípio, me surpreendi que Atiq bebesse cerveja, ele deu de ombros e respondeu que o Islã tolera determinadas liberdades quando se está viajando, por exemplo, não se é obrigado a fazer as cinco orações diárias. Então bebemos Mythos, a cerveja grega, cuja garrafa derramei sem querer, manchando e quase inutilizando os mapas do Oriente Médio que eu tinha imprimido do Google Maps para melhor acompanhar o relato dele. O marido da tia de Atiq é dono de um supermercado de três andares, dos quais o último também cumpre a função de salão para casamentos. Eles têm dois meninos e uma menina, Parwana, que na foto que Atiq me mostra exala graça, doçura, alegria. Cada um tem seu quarto no apartamento situado acima do supermercado, e Atiq nunca foi tratado como um parente distante. Além disso, ele pode contar com seu tio que é cozinheiro em Bruxelas, que ele viu apenas uma vez na vida em carne e osso, quando era pequeno, mas com quem fala uma vez por semana por Skype. O tio lhe envia dinheiro, com o qual ele a cada ano compra uma moto nova. Ele me mostra uma foto em que está montado na mais recente, uma Yamaha 150: parece um adolescente despreocupado, feliz. Foi quando ele dirigia essa moto que atiraram nele. Quem? Por quê? Se era um ataque pessoal, se se tratava de uma vingança contra a família dele ou se ele teve o azar de estar no lugar errado na hora errada ele não sabe, e aparentemente a família dele também não. Dois homens que passavam pelo local foram mortos, ele foi ferido no ombro. Ele desabotoa a camisa para me mostrar a cicatriz. Ao saber disso, o tio chef de cozinha em Bruxelas conclui que Quetta se tornou perigosa demais e começa a falar em sair de lá. Depois de muito falatório de que Atiq não participou, chega-se à cena que ele já nos descreveu. Na segunda vez, eu me faço uma pergunta: se Quetta se tornou de fato perigosa demais, se ali ele corre o risco de ser abatido em qualquer esquina, particularmente quando se é hazara, por que apenas Atiq tem o privilégio de ir embora? E os seus primos? E Parwana? Ele me responde como se fosse óbvio: primeiro porque a viagem é muito perigosa, então ao mesmo tempo é e não é um privilégio, depois que só ele tem um parente no exterior disposto a acolhê-lo e a pagar quatro mil dólares por essa viagem. O tio precisa depositar o valor para os coiotes em duas parcelas: dois mil de Quetta para Teerã, o mesmo valor de Teerã para a Grécia. Atiq vai embora com duzentos dólares no bolso. A mochila esportiva que a tia o ajudou a preparar tem dois jeans, duas camisetas, quatro cuecas, uma jaqueta de fleece, uma nécessaire, quatro garrafas de água de meio litro, um cartucho de cigarros Player's, um fone de ouvido e, numa moldura, a foto de seus pais com ele, bebê, nos braços da mãe. Atiq se interessa por motos, por carros, ele se lembra de que o carro que foi buscá-lo é uma XLI Toyota. Chegou às quatro horas da manhã, a tia e o marido desceram com ele para o térreo, ele os beijou e depois entrou no banco de trás, onde havia apenas um outro passageiro, um cara de cerca de trinta e cinco anos. Sendo os vidros do carro cobertos com insulfilm, ele ainda conseguia enxergar sua família, mas eles não o enxergavam mais, lhe faziam sinais mas não na direção certa, e o carro deu partida. Atiq não falou nada com seu companheiro de viagem, que por sua vez também não era de conversa. Ele se sentia mal, não conseguia saber se estava grato a seu tio ou se estava ressentido por ele tê-lo empurrado para aquela viagem. Pensava que, se seus pais não tivessem morrido, ele não estaria aqui. No mapa mais ou menos seco, Atiq me mostra as primeiras etapas da jornada. Viajam o dia todo em uma paisagem de lama bege e craquelada. Quando a noite cai, o motorista os deixa, a ele e seu companheiro, diante de um armazém abandonado, dizendo que aguardem, vão vir buscá-los. Atiq pergunta quando, o motorista dá de ombros. O armazém fica no meio de uma região periférica, eles não sabem a periferia de qual cidade é, Atiq pensa ter sido Kandahar, examinando o mapa hoje. Não há como explorar os arredores, eles correriam o risco de perder o transporte seguinte. Resta aos dois homens conversar um pouco, o outro também é hazara, isso ajuda a se entenderem. Ele quer ir para a Alemanha, onde seus dois irmãos moram. Ele oferece a Atiq uma barra de cereal. Se não querem se afastar, não há lugar mais confortável para dormir que o chão gelado do armazém, e eles se revezam. O outro homem tem um casaco, um pulôver. Atiq treme e começa a imaginar que o frio será um problema, não entende por que sua família o preparou tão mal para enfrentá-lo. No meio da noite, são acordados pelo barulho de ferragens e pelos faróis de uma picape. Um sujeito desce dela e fala para eles entrarem. Entrarem onde? Na frente, do lado do motorista, já estão quatro pessoas, são os lugares mais cobiçados. Quando ele levanta a lona que protege a carroceria atrás, eles descobrem cerca de trinta pessoas apertadas como galinhas em gaiolas. Sem espaço, nenhum lugar onde se introduzir. O que aconteceu é simples: empurraram, empurraram, sempre se arranja um pouco de espaço empurrando um pouco mais, mas chega um momento crítico em que não dá mais para empurrar. Com a maior boa vontade do mundo não dá mais para apertar, e é preciso render-se ao óbvio: não há mais espaço. É isso que uma mulher, parada bem perto do limite com o lado de fora, segurando um bebê, lhes indica com um sorriso consternado. Atiq e o colega permanecem de pé, desamparados, esperando que se encontre uma solução, mas nem o motorista da picape nem seu ajudante parecem buscar uma. O motor está ligado, eles vão embora e deixá-los ali, Atiq e seu companheiro se penduram na parte de trás da picape. Por pelo menos cem quilômetros eles vão ficar ou de pé, agarrados às hastes de metal da carroceria, ou sentados na borda de trás da picape, que lanha as bundas e as pernas deles; nos dois casos, com o risco de caírem na estrada a qualquer momento. Atiq será testemunha de um acidente assim na última etapa da viagem, em uma outra picape, pois irão trocar de veículo diversas vezes. Desta vez, ele deu um jeito de encontrar um lugar nas gaiolas de galinhas. Ele sufoca mas consegue cochilar, pois quando se está apertado assim, formando uma massa compacta, a vantagem é que quase não dá para sentir os solavancos. Também não se passa mais frio. De repente um grito, uma freada brusca: é um garoto da sua idade que, como ele, se segurava num equilíbrio instável na borda e acabou de cair. Então, diz Atiq, me olhando bem nos olhos para o caso de eu duvidar dele, o motorista não para, ele passa por cima do garoto, o atropela e segue seu caminho sem se preocupar com os berros de um sujeito mais velho que, pelo que Atiq entendeu, é irmão do garoto. Algo me espanta nesse relato: para que o motorista atropele o garoto, ele precisaria engatar a ré, isto é, em vez de perder um minuto pegando-o de volta ele dedicou esse minuto a passar deliberadamente por cima dele: foi mesmo isso que aconteceu? Sim, diz Atiq, foi isso mesmo que aconteceu. Continuo perplexo. Já dirigi filmes e sinto que essa é uma das sequências que a rigor podem ser escritas em um roteiro, mas que, na hora H, se revelam impossíveis de incluir porque não se sustentam. No dia 1º de março eles alcançam a fronteira iraniana. Estão diante de uma barreira montanhosa impossível de se cruzar de carro, e a rampa a ser escalada é quase vertical. Diversas picapes afluem para esse ponto de encontro, Atiq agora integra um grupo de cerca de cinquenta pessoas, entre as quais apenas duas mulheres. Uma delas é aquela que tem um bebê cujo choro todos receiam. Os dois guias pagos pelo coiote para orientar o grupo são do Baluchistão, eles falam balúchi, que Atiq entende um pouco, mas não falará com eles. De modo geral, ao longo dessa viagem ele não falará com ninguém, ninguém falará com ele; Deus sabe, porém, que Atiq é um garoto sociável. Mas é assim: quando você compartilha uma situação difícil, quando precisa de algum conforto e na maior parte do tempo não há nada para fazer, as pessoas não se falam. Você espera, você tem medo, você fica calado. Retrospectivamente, em Istambul Atiq vai entender o seguinte: os quatro mil dólares que seu tio pagou são uma tarifa não muito elevada, dando direito a provisões mínimas e à travessia mais difícil e perigosa. Os mais ricos atravessam as montanhas por caminhos mais confortáveis: quanto mais você paga, menos você tem que escalar. Quanto a Atiq, ele enfrenta trinta e seis horas de caminhada exaustiva, desníveis enormes, campos de neve, usando um par de tênis vagabundos e apenas sua jaqueta de fleece na noite tão glacial quanto o chão, enquanto a maioria usa casacos. O que a tia dele e o marido tinham na cabeça ao lhe dar cinquenta dólares para comprar jeans e camisetas em vez de lhe dizerem compre um casaco, o mais quente possível, e luvas, e meias de caminhada, e ceroulas de lã para vestir por baixo do jeans? Um saco de dormir seria o ideal, mas ninguém tem porque é volumoso demais, aqueles que havia foram confiscados desde o início. Atiq veste todas as suas roupas, umas por cima das outras, é um pouco melhor do que nada. É assim que chegam, a pé, a Saravan. Começa a travessia pelo Irã, cujas etapas Atiq tenta me indicar no mapa mas logo desiste, porque ele não viu nada. O grosso da viagem ele fez no bagageiro de um ônibus — bom, não, ele corrige, não no bagageiro: em um esconderijo que foi adaptado *debaixo* do bagageiro, e onde eles passaram quarenta e oito horas, oito pessoas — trancados pelo lado de fora, deitados, sem poder sair nem se mexer. Em determinado momento alguém teve uma crise de pânico, foi horrível, mas Atiq agradeceu por estar nesse caixão sobre rodas quando ouviram policiais vasculhando o bagageiro, alguns centímetros acima deles, e retirando um menino que gritava e não foi mais visto. Levaram quatro dias para chegar a Teerã, onde ele passou quatro dias descansando. Um quarto, lençóis, banho quando quisesse, refeições, uma tomada para carregar o telefone, pessoas simpáticas que conversavam com ele: ele não sabia mais que isso existia. Ele bem que teria ficado por ali — viver em Teerã, por que não? Levar Parwana até lá? Mas não era o que pensava o tio de Atiq, nem o amigo do tio de Atiq. Ele deixou Teerã no dia 5 de março, e seu relato se torna ainda mais confuso de tantas mudanças de veículos, grupos que permanecem essencialmente os mesmos mas que, em função de cada etapa, não param de inflar e encolher. Todos são afegãos como ele e falam farsi, mas ninguém conversa. Viajam de noite, ele não vê nada do lado de fora, faz muito calor de dia e muito frio à noite, em 11 de março se veem na fronteira gelada do Irã e da Turquia, e de novo a montanha. Eles a escalam das oito horas da noite às três da madrugada, depois descansam até as seis da manhã, mas essas três horas de descanso são tão geladas que Atiq pensa em ficar ali, em morrer ali. O mais triste é que ele acha a montanha magnífica, há flores, seria maravilhoso se estivessem protegidos. Se fosse rico, Atiq compraria uma casinha na montanha, acenderia a lareira, haveria camas com cobertores pesados, assistiria à neve rodopiar pela janela, seria maravilhoso. Começam a descer pelo lado turco, e me dou conta, ao olhar o mapa, de que a cidade mais próxima da montanha, na margem de um lago, se chama Van, e ela é muito perto de Kars, aonde nunca fui mas que é carregada de um grande prestígio para mim porque é o palco de *Neve*, romance de Orhan Pamuk. E se eu fosse até lá? Se eu fosse a Van, se eu fosse a Kars, se eu fosse a Kandahar, se eu fosse a Quetta? Se eu fosse lá ver todos esses lugares? Se eu refizesse a viagem de Atiq? Ainda que eu a faça em condições infinitamente menos aventureiras e perigosas que ele, essa viagem poderia ser uma viagem de retorno, como a de Ulisses a Ítaca. No fim eu chegaria com o romper da aurora na casa adormecida, pousaria a mochila, acariciaria o gatinho que chamamos de Feta porque ele é branco e grego e eu pensaria pronto, cheguei, é isso, voltei para casa, e ainda que eu saiba muito bem que isso não vai acontecer, que fiz absolutamente tudo para que não houvesse a possibilidade de isso acontecer, me permito ser capturado durante alguns minutos por esse devaneio que Atiq de repente interrompe, me perguntando com preocupação: "*Are you ok?*". Eu digo que sim, estou ok, estava apenas pensando em coisas da minha vida. "*Sad things?*", pergunta Atiq — aparentemente, minha expressão não me deixa mentir. Atiq assente com a cabeça, de *sad things* ele conhece, agora ele tem uma *sad thing* para me contar, na verdade *a terrible thing*. A mulher com o bebê, aquela que está junto desde o início da viagem, aquela que veio espremida na primeira picape quando Atiq e o outro cara se perguntavam onde subir, a mulher com o bebê abandona o bebê. Isso acontece num momento em que ele chora, o coiote a repreende, ela tenta fazer com que ele fique quieto, vá tentar fazer um bebê ficar quieto. Ela não tem com que alimentá-lo. Não tem mais leite, ninguém tem leite. Deram bolinhas de ópio para que o bebê ficasse mais calmo mas ele continua a chorar, o coiote a ameaçar a mãe, então ela faz o que ele manda: abandona o bebê. Ela o coloca no chão, em um lugar plano e coberto de grama, e segue seu caminho deixando-o para trás. Ninguém pegou o bebê, ninguém o salvou, ninguém pode ajudar ninguém, cada um por si. "Esse foi", comenta Atiq, "o momento mais difícil da minha viagem. Não parei mais de pensar nisso. Não sei o que fazer com isso." Eu assinto com a cabeça. O que dizer? Alguns meses depois, em Paris, conto esse episódio para uma amiga que trabalha em uma ONG e ela me diz: "Sabe o que é, esses garotos obviamente viveram coisas terríveis, mas também disseram a eles coisas que precisam falar para ter o status de refugiado político. Existe um relato-padrão, e nesse relato-padrão o bebê entupido de ópio e depois abandonado aos urubus na montanha é um episódio obrigatório. Enfim, não estou dizendo que isso não aconteça, não estou dizendo que o garoto de quem você está falando não testemunhou isso, digo apenas que isso não deve acontecer todas as vezes". Está bem. E, de novo: o que dizer? Mas eu acredito em Atiq. Tomamos mais uma rodada de Mythos, chegamos ao fim da viagem. Passo dois dias nessa cidade fronteiriça de Van, que não parece mais ser uma cidadezinha adormecida, como no romance de Orhan Pamuk, mas um campo de refugiados a céu aberto, apinhado de jovens migrantes assim como Katmandu lota de gente fazendo trekking. Passo pela Turquia de ônibus, um ônibus noturno bastante confortável com TVs que exibem videoclipes e filmes de animais. Passo por Istambul, onde durante uma semana eles ficam abarrotados em um apartamento imundo, mas muito perto de um mercado aonde podem ir, se revezando. Atiq está agora em uma praia de onde se veem as luzes da marina de Bodrum, uma das mais luxuosas da Europa, onde atracam barcos que facilmente custam dez milhões de dólares. Foi nessa praia escura que Atiq conheceu Hassan, e o relato de um se sobrepõe ao do outro. Ele se lembra do episódio traumatizante da mochila que precisou ser jogada fora antes de subir no barco — alguém tentou reclamar e o coiote turco lhe disse: "Se não está satisfeito você não embarca, se você não embarcar eu atiro em você, e se eu atirar em você ninguém vai ficar sabendo". Eles tiveram medo durante a travessia, eles rezaram, mas as ondas não foram altas demais, eles tiveram sorte, e sorte também de aportar sem problemas em Lesbos, ao fim de quatro horas. Eles queriam fumar na praia, mas todos os fósforos e isqueiros estavam encharcados. Atiq tentou secar o meio maço de Player's que lhe restava. Como já faz mais de duas horas que estou ouvindo seu relato, perdi um pouco da atenção e não entendi muito bem como o grupo se deslocou, nem como ele se viu caminhando sozinho em uma estrada onde um casal de turistas franceses, que por sorte falava inglês, lhe deu uma carona. Consigo imaginar a impressão que Atiq causou neles porque já me vi na mesma situação: de repente diante de um jovem desprovido de tudo, quero dizer literalmente sem nada, que acabou de fazer uma viagem inimaginável, em condições inimagináveis, e o que foi que eu fiz, então? Paguei a ele uma bebida, um sanduíche, lhe dei vinte euros, um tapa nas costas dizendo para ter coragem e que com certeza ele ia sair dessa. É o que os turistas franceses fazem, e foi muito difícil para eles recusar o meio maço de Player's úmidos, o único bem de Atiq, que ele insistia em lhes dar em troca da Coca-Cola. Ele reencontrou Hassan e conheceu Hamid no campo de refugiados de Moria, em Lesbos, onde na época havia três mil pessoas, agora são dezesseis mil, pessoas cujas vidas e sonhos encalharam lá. Na qualidade de menores desacompanhados, Atiq, Hassan e Hamid foram transferidos para Leros. Como os quatro mil dólares pagos pelo tio para a viagem cobriam Quetta-Teerã, depois Teerã-Istambul, Atiq pensava que, uma vez na Europa, sua viagem teria terminado, bastaria pegar um ônibus para se encontrar com o tio em Bruxelas. Ele logo perdeu suas ilusões e hoje se pergunta, nos dias bons, quando vai chegar a Bruxelas, e nos dias ruins *se* vai chegar a Bruxelas, se não vai ficar apodrecendo de hotspot em hotspot, como um mendigo perpétuo diante da porta do verdadeiro mundo, da verdadeira vida. Estou tão impressionado com a inteligência, o encanto e a força de Atiq que lhe digo, com sinceridade mas também de um jeito um pouco leviano, que eu não me preocupo com ele: ele vai sair dessa. Atiq balança a cabeça: ele não tem tanta certeza disso.

A SONECA RUIM

Como estamos descansando com uma última Mythos dessas três horas de debriefing, Atiq me pergunta o que pretendo fazer com isso. Essa pergunta pertinente me deixa desconcertado. A resposta é: eu não sei. Não sei o que fazer disso, não sei o que fazer de mim mesmo, não sei o que fazer de nada. Respondo vagamente: um artigo. Mas quando vai ser publicado? Ele imagina que será até o fim da semana, e de preferência na internet, não num jornal. Eu me esquivo: preciso de mais tempo. Onde quer que esteja hoje, Atiq com certeza se esqueceu desse homem abatido, de camisa suja, mãos tremendo, que o acompanhou durante algumas semanas quando ele chegou à Europa e com certeza se surpreenderia ao saber que essa entrevista realizada no café Púchkin sobre sua arriscada viagem entre o Paquistão e a Grécia por fim veio à tona, quatro anos depois, em algo tão improvável quanto um livro sobre ioga — enfim, em algo que supostamente seria um livro sobre ioga e que depois de muitos avatares talvez seja, no fim das contas. Enquanto isso, Atiq se sente um pouco como se tivesse sido enganado. Erica, por sua vez, se preocupa com um e-mail que acabou de receber de uma associação humanitária, questionando os seus métodos: em sua oficina de escrita, ela não deveria ser aconselhada por um psicólogo? Seguir os protocolos aprovados? O fato é que essa espécie de terapia selvagem à qual submetemos os garotos os preocupa. Ao chegar ao Pikpa, nós os encontramos com cada vez mais frequência aferrados em sonecas que os deixavam grudados em suas camas, e temos uma dificuldade imensa em fazê-los ir até as duas mesas juntas para abrir os cadernos. Hamid é exatamente como se descreve em seu post: sempre sorridente, mas por trás desse sorriso totalmente esgotado, perdido. Quanto a Atiq, que é preciso buscar debaixo do chuveiro, onde passa tanto tempo quanto possível, ele diz que não quer mais falar do passado porque dói demais. O passado, em resumo, são os anos felizes de infância e adolescência em Quetta. Erica diz que ele não é obrigado a nada, que ele pode parar quando quiser, é ele quem decide, e apesar de sua evidente afeição por ela de repente ele parece exasperado. Desamparados, Erica e eu vamos deliberar no café Púchkin. Para ela, um dos motivos da crise é o desequilíbrio entre as nossas situações. Nós pedimos que eles contem as histórias deles, mas não entregamos nada das nossas. A distribuição é desigual demais.

KOTELNITCH

Quinze anos antes, dirigi um documentário em uma cidadezinha russa, Kotelnitch. As gravações se arrastaram por muitos meses, durante os quais minha pequena equipe e eu conhecemos uma boa quantidade de pessoas, das quais as mais interessantes, aquelas que tinham vocação para passar do status de simples pessoas para o de personagens, eram o chefe de polícia local e sua jovem esposa. Ele, Sacha, um jovem bonito, sedutor, mas também corrupto, alcoólatra, paranoico, num dia atrapalhava nosso trabalho de todos os modos possíveis, no outro fazia declarações de amizade eterna, à maneira russa. Ela, Anya, bonita, sonhadora, delicadamente mitômana, amava tudo que fosse francês, estava maravilhada com a nossa presença como se fôssemos — foi a expressão dela — os reis magos. Eles nos intrigavam, nós gostávamos bastante deles. E então aconteceu uma coisa atroz: Anya foi assassinada, cortada em pedaços com um machado por um louco, com seu bebê de oito meses. Correu o boato de que Sacha tinha algo a ver com aquilo. Nós filmamos o luto, a recepção do enterro, a tristeza e a consternação da família. Como os filmávamos fazia tempo, quase fazíamos parte da família. De volta a Paris comecei a montagem e, no processo, identifiquei correspondências entre o que tínhamos vivido em Kotelnitch e, na minha história pessoal, uma dessas coisas dolorosas chamadas segredos de família, que podem assombrar diversas gerações. Ao custo de muitas lágrimas e transgressões, de certo modo sepultei um morto, meu avô materno, que ninguém pôde enterrar nem chorar e que tinha se tornado um fantasma. Entremeei essas duas histórias: a deles, a minha. A família deles, a minha família, nossas tragédias. Terminada a montagem, voltei a Kotelnitch para mostrar o filme para aquelas pessoas que tinham se tornado os atores, Sacha à frente de todos. Eu estava apreensivo com a reação dele. Nós assistimos juntos à fita VHS que eu tinha levado, na televisão dele, tão velha que me surpreendi de ver as imagens coloridas. Quando acabou, Sacha me encarou por bastante tempo, em silêncio, e por fim disse: "É bom. Você não veio só pegar a nossa desgraça: você trouxe a sua".

UMA EXPERIÊNCIA DE PARTIDA E DE PERDA

Nunca um elogio ao meu trabalho me emocionou tanto. Eu, que acredito ser um homem ruim, nunca tinha tido, àquela altura, a sensação de ser um homem talvez não bom, mas justo. Conto isso a Erica nesta noite, na varanda; nossas conversas noturnas têm uma tonalidade muito mais confiante e íntima que as que temos no Pikpa ou no café Púchkin. Desenvolvo e detalho o que você acabou de ler. Na verdade conto a ela o filme todo, cena por cena, recitando quase integralmente os diálogos. O relato dura tanto quanto o filme inteiro, se eu me permitisse continuar ele duraria ainda mais, como a forma do tai chi quando se decide executá-la mais lentamente que de costume. Estou feliz em fazer isso, que me distrai da minha própria angústia, e Erica se revela um ouvido muito bom. "É isso!", ela exclama no final, "é assim que precisamos fazer! O que precisamos", ela continua, "é contarmos, também nós, uma experiência de partida e de perda, um momento em que nossa vida de repente ficou de ponta-cabeça." O entusiasmo de Erica me deixa desconfortável. O que eu poderia contar? Uma experiência de partida e perda, um momento em que a vida de repente ficou de ponta-cabeça, é exatamente isso que estou vivendo. Mas como confessar aos nossos alunos que estou infligindo isso a mim mesmo? Já repeti muitas vezes que é preciso respeitar os próprios sofrimentos, não relativizá-los, que a infelicidade neurótica não é menos cruel que a infelicidade ordinária, e ainda assim: diante da dor do degredo que esses garotos de dezesseis ou dezessete anos vivem, um sujeito que tem tudo, absolutamente tudo para ser feliz e dá um jeito de arruinar essa felicidade e a da sua família é uma obscenidade que não consigo lhes pedir que entendam e que dá razão ao ponto de vista dos meus pais, segundo o qual as pessoas não podiam se dar ao luxo de ser neuróticas durante a guerra.

RÁPIDO E DEVAGAR

Erica não tem reticências. Ela se joga. O projeto de contar uma cena significativa da vida dela, algumas páginas, dez minutos de leitura, para que os garotos entendam que ela também passou por provações, se transforma nos dias seguintes em uma espécie de autoanálise. Ela trabalha nisso de manhã, ela enche páginas de um caderno grande, idêntico ao que abre e deixa na mesa no começo das nossas oficinas, mas este é inteiramente dedicado a ela. Um caderno para os outros, um caderno para si mesma: gosto da ideia, ninguém ganha nada esquecendo de si. Noite após noite, durante nossas conversas na varanda, regadas pelo nosso costumeiro vinho branco ruim, ela lê para mim ou me conta passagens, como eu contei meu filme. Eu a escuto com amizade e interesse, ainda que me perca um pouco na longa e triste ladainha dos homens que ela amou e que a decepcionaram, ultrajaram, até o último, o baixista holandês por quem ela abandonou tudo que ainda podia abandonar, de maneira que essa mulher inteligente, generosa e correta não tem nada nem ninguém no mundo. Com exceção de uma irmã que ela sequer sabe se ainda está viva e de um filho que mora na Austrália e que não vê há anos, ela é completamente sozinha. Se amanhã ficar doente, não haverá ninguém para cuidar dela. Para preencher esse vazio, desde que foi parar em Leros há os garotos, que ela cerca de um afeto ao mesmo tempo delicado e voraz, e no momento também eu, que desde o primeiro dia ela trancou à chave em sua casa — um ato falho um pouco perturbador. Faço para Erica o papel de sparring partner, corroteirista, conselheiro literário. Ela deveria evitar, digo tão cautelosamente quanto posso, confiar aos garotos seus dissabores amorosos, porque eles vêm de uma cultura ao mesmo tempo austera e machista e ela corre o risco de ser mal--interpretada. Erica concorda, mas o conselho a desanima. Contar o quê, então? E de repente irrompe, como se fosse óbvio, e o mais surpreendente é que em três dias de nossa espécie de oficina de escrita ainda não tivesse irrompido. Erica vai contar como se separou da irmã. Essa irmã, Claire, é esquizofrênica. *She was*, ou *she is*, ela hesita. Seus problemas psiquiátricos começaram cedo, e enquanto Erica sempre foi uma aluna brilhante desde o jardim da infância, Claire nunca pôde ir à escola. Alternava longos períodos de prostração e breves períodos de agitação, que toda a família receava porque ela podia se tornar violenta, com os outros e mais frequentemente consigo mesma. Certa vez ela se fechou num armário com um machado e tentou arrancar um braço fora. Apenas uma coisa a tranquilizava, a música. Ela começou a tocar piano quando criança e, ainda que logo tenha parado de fazer aula, continuou a tocar quase todos os dias, durante toda a vida. Ela tinha o dom, diz Erica, sabia muitas peças de cor, com predileção pelas obras de muita virtuosidade; sua preferida era a *Polonaise* heroica de Chopin. Eu levantei a cabeça, Erica confirmou: "Sim. Sabe, é uma grande prova de confiança tê-la ouvido com você. Normalmente eu a escuto sozinha". Eu pergunto, surpreso: "Ela sabia *mesmo* tocá-la?". "Sim, ela sabia. Com notas erradas, mas muito rápido, mais rápido que o tempo indicado. Era isso que ela adorava, tocar essa peça o mais rápido possível, então ensaiava, ensaiava, precisou se dedicar a isso várias horas por dia, durante anos, com um cronômetro. Todos os grandes pianistas a tocam em cerca de sete minutos, Rubinstein, Pollini, Arrau, Guilels, escutei todos, comparei-os, o que vai mais rápido é Horowitz, seis minutos e quinze segundos, não tenho certeza de que exista um motivo para tocar tão rápido, parece que Chopin detestava que a tocassem rápido demais, mas ainda assim é o meu preferido porque é ele que toca o mais próximo de Claire — enfim, você entendeu o que quero dizer. Uma vez, ela conseguiu tocá-la em cinco minutos e quarenta segundos." Perguntei para Erica: "Por acaso ela não tentava tocá-la também *o mais devagar possível*?". "Não, só muito rápido. Era na vida cotidiana que ela ia muito devagar. Sua vida toda era desacelerada. Levar uma colher do prato à boca poderia demorar cinco minutos, e durante esses cinco minutos você não tinha acesso algum a ela. Ao passo que, ao escutá-la tocar, você estava com ela. Era a única maneira de estar verdadeiramente com ela. E então nossos pais morreram, os dois, em um acidente de carro." "Juntos? Como os de Atiq?" "Sim, como os de Atiq. Eu morava em Boise, eles e Claire em Kansas City. Ninguém sabia o que fazer com Claire, então encontraram uma família de acolhimento para ela, pessoas muito boas que tinham um piano. Eu ia visitá-la uma vez por mês. Fiz três visitas, a cada vez eu a achava mais retraída, mais silenciosa. Ela não me via mais. Estava cada vez mais lenta, o percurso da colher do prato até a boca demorava um tempo infinito. Às vezes eu tinha a impressão de que ela estava completamente imóvel, a colher suspensa no ar a determinada altura, depois a outra. Um dia, fiquei com ela durante toda uma tarde, observando-a, e entendi que essa tarde, quatro ou cinco horas, era o tempo que ela precisava para executar esse movimento, cobrir os trinta ou quarenta centímetros entre o prato e a boca. Fiquei me perguntando se ela desaceleraria ainda mais, se chegaria o momento em que um gesto tão simples exigiria dela um dia inteiro, e depois disso, por que não mais ainda? Ela não tocava mais piano, pelo contrário, não tocava de modo algum. Foi a lentidão que a levou, se sentia atraída por ela como por um abismo. Na última vez em que estive lá, fui embora pensando que, ainda que aquelas pessoas fossem mesmo boas, seria preciso encontrar outra solução. Eu não sabia que era a última vez que a veria. No dia seguinte me telefonaram e disseram que ela tinha desaparecido. E, sabe, Emmanuel, ela nunca mais foi encontrada. Nunca mais. Fizeram todas as buscas que podem ser feitas, ela nunca mais foi encontrada. Uma mulher de quarenta e cinco anos, obesa, sai na rua, sendo que ela nunca sai: ela não poderia ir muito longe, ela deveria ter sido encontrada em cinco minutos, mas não. Ninguém tem sequer uma hipótese sobre o que poderia ter acontecido com ela. E é tudo. Isso aconteceu há dezesseis anos." Para dizer alguma coisa, pergunto: "Era sua irmã mais nova ou mais velha?". "Temos a mesma idade", Erica me responde com um tom de obviedade. "Somos gêmeas." Fico em choque. "O quê? Vocês eram gêmeas? Mas você não tinha me contado..." Erica faz um gesto vago, um pouco irritado, como se fosse um detalhe medianamente significativo que pode tanto ser omitido quanto mencionado, sem que mude muita coisa no relato. "Sim, somos gêmeas", como se dissesse "Sim, nós duas gostamos de jardinagem". E agora ela me pergunta, ansiosa: "Você acha que conta como uma história de partida e de perda? Você acha que eles vão gostar?". Respondo que não tenho certeza se nossos garotos gostam de histórias tristes assim, pessoas que têm vidas muito difíceis costumam preferir as histórias alegres e os happy ends, mas que, quanto a mim, fiquei tocado. No dia seguinte, no Pikpa, começamos com exercícios sem grandes pretensões, mais exercícios de inglês que de narrativa, e depois Erica ataca. A voz dela treme um pouco mas seu tique está mais tranquilo, ela não vigia a Sombra por cima do ombro esquerdo. "Agora é a minha vez", ela diz, "de contar para vocês a minha história. Uma história que nunca contei a ninguém porque não senti que estivessem prontos para entendê-la. Com exceção de vocês. Mas talvez não seja um bom momento. O que vocês acham?" A pergunta é meramente formal, mas Hamid, com seu costumeiro sorriso que esconde o choro, responde baixinho: "Não, não é um bom momento".

A NOITADA NA CIDADE

Três dias depois de me contar a história de sua irmã gêmea, Erica anuncia casualmente, como se falasse de uma compra na mercearia, que decidiu ir a Brisbane, na Austrália. É onde mora seu filho, a quem não vê faz dez anos. Ela conta comigo, em sua ausência, para mediar a oficina e morar na casa. Não há como recusar. O dia da partida chega muito rápido, eu a encontro menos, ela passa muito tempo lá em cima, em seu quarto, sem dúvida fazendo as malas. Ela decide organizar uma festa de despedida com os garotos. Todos juntos, nós a acompanharemos até o barco. Eu me arrependo de não ter tido essa ideia antes: é mais agradável para uma pessoa solitária que seus amigos organizem uma festa em sua homenagem do que ter de organizá-la ela mesma. Ainda que eu não seja mesquinho, me falta, sobretudo nesse momento, imaginação na generosidade. Sem contar o Samsung Galaxy, ainda na gaveta da minha mesa de cabeceira, ofereci aos garotos apenas algumas Mythos no café Púchkin, maços de cigarros, cartões de telefone. Se soubesse o que comprar, eu compraria. Erica entende isso, e na manhã de sua partida me diz com autoridade: "Emmanuel, suponho que você seja mais rico que eu…". Eu confirmo: "Sim, sua suposição está correta", e combinamos que todas as prodigalidades que ela imaginar nesta noite sou eu que vou pagar, e isso me parece perfeito. A balsa sai às onze da noite, às sete nós saímos para buscar os garotos no Pikpa. Sem saber quanto tempo vai durar a viagem, sobre a qual permanece evasiva, imagino que precisaremos de um táxi para *a* ou *as* malas de Erica. Ela desce com uma mochila estilo saco de lona no ombro. "Isso é tudo?" É. Estou pasmo. Eu, que não gosto de carregar nada muito volumoso e para quem se tornou uma questão de honra não despachar malas em viagens de avião, encontrei minha mestre. Também me admira que ela viaje com uma mochila e não uma mala de rodinhas, como todo mundo faz hoje em dia. A mala de rodinhas é prática, não se pode negar, mas ela priva a viagem de qualquer aspecto romântico, para mim é um dos acessórios menos sexy do mundo, e minha estima por Erica é reforçada ainda mais por essa mochila de lona flexível, maleável, que sem esforço ajeito no meio das minhas pernas na frente da scooter. Quando chegamos ao Pikpa, Mohamed e Hussein, que são os integrantes do nosso grupinho, bem atrás de Hamid e Atiq, trazem nos ombros um menininho e uma menininha, as crianças mais novas de uma família de sírios que conheço sem conhecer de verdade, quer dizer, sei seus nomes mas os confundo, e eles estão brincando de torneio medieval, os garotos são os cavalos e as crianças seus cavaleiros, todos se divertindo feito loucos. A festa começa bem. Os quatro se arrumaram, suas calças e camisetas estão impecáveis. Eu, que neste momento da vida sinto prazer em ficar sujo, vesti sob ordens de Erica uma camisa limpa. Quanto a ela, usa um de seus vestidos justos de noite, que combinam tão pouco com o lugar, a estação do ano e a perspectiva de uma viagem quanto com seu corpo de lenhadora, mas que adoro porque é a Erica, e eu adoro a Erica. Adoro mesmo ela, sim, eu a amo, para ser sucinto, e começo a perceber que estou triste porque ela vai embora. Nós tínhamos chamado um táxi, em que ela sobe com Hamid, Hussein e Mohamed, enquanto proponho a Atiq que dirija minha scooter. Seu rosto se ilumina. Eu poderia ter lhe dado essa alegria há muito tempo e isso nunca me ocorreu, ainda que ele tenha me dito várias vezes que adorava dirigir suas motos em Quetta, que trocava todo ano. Isto posto, é inútil me lamentar: Atiq ainda está aqui, posso lhe emprestar minha scooter tanto quanto ele quiser, tanto quanto eu quiser, desta vez escapamos do sabor amargo do tarde demais. Ele dirige de um jeito nervoso e seguro. Sentado atrás dele, no lugar de Erica, me inclino sobre seu ombro para lhe contar que dirijo tão devagar que isso já virou uma lenda na minha família e que meus filhos, quando eram pequenos, propuseram que fizéssemos uma festa de arromba no dia histórico em que ultrapassei um carro. Atiq dá uma gargalhada e, enquanto seguimos, vento nos cabelos, me pergunta o nome dos meus filhos. É a primeira pergunta que me faz desde que nos conhecemos. Para isso foi preciso que estivéssemos juntos nessa scooter, ele na posição dominante do motorista, eu na subalterna do passageiro, o que permite que ele se interesse por mim. Ele faz ainda outras perguntas sobre a minha família. Além do fato de uma scooter pilotada em boa velocidade numa estrada em zigue-zague não ser o melhor lugar para confidências, penso em não chateá-lo com minhas lamúrias, então respondo aquilo que acho que ele gostaria de ouvir, porque é encorajador, porque é a isso que ele aspira e que espero que ele alcance: a família, sim, está tudo ótimo, tenho uma casa bonita, um bom trabalho, está tudo bem — e, afinal de contas, alguns meses antes era verdade.

MOLENBEEK

Não tirei foto alguma durante minha estadia em Leros, mas Erica e os garotos não pararam de tirar fotos ao longo desta noite inteira, e eles me enviaram algumas. A maioria mostra a primeira etapa da nossa noitada na cidade, na varanda do hotel mais chique, ou do único hotel chique de Leros. A garçonete, nada entusiasmada com essa mesa de jovens refugiados, anota os pedidos de má vontade. Ela diz que quem pede vinho ou cerveja tem direito a azeitonas e amendoins, mas não quem pede suco de laranja ou refrigerante. Essa hostilidade a princípio intimida os garotos, mas, como Erica e eu não damos a mínima e demonstramos isso, como fica claro que nós a faremos trazer majestosamente todo o estoque de azeitonas e amendoins da casa se assim nosso capricho exigir, isso os anima e encoraja. Nas fotos pode-se ver sua excitação, sua alegria de estar juntos, de sair por algumas horas de seu torpor intranquilo. Também se vê, na relação entre Atiq e Hamid, algo que me faz pensar no filme de que mais gosto de Visconti, *Rocco e seus irmãos*. Os dois personagens principais, dois irmãos, são interpretados por Renato Salvatori e Alain Delon. Renato Salvatori é um ator corpulento, de uma virilidade rústica, e bem-apessoado. Delon, nesse filme e nessa idade, talvez seja o homem mais bonito que já se viu no cinema: é sobrenatural. Bem, o filme todo mostra que Renato

Salvatori tem um carisma monstruoso, que basta que ele apareça para que mulheres, homens e animais sejam fulminados e caiam de amores por ele, enquanto Delon, na sombra desse irmão mais velho avassalador, é o irmãozinho tímido, melancólico, que não chama a atenção de ninguém. Desde o início fiquei impressionado com a semelhança entre Hamid e Delon e com sua melancolia, impressionado também com a vitalidade e o charme de Atiq, que no entanto é bastante mal-apanhado. Durante essa longa sessão de aperitivos, falamos do futuro deles, mas não no mesmo tom que no Pikpa. Lá, falar de si é como fazer uma tarefa da escola, aqui é uma conversa normal, não entre alunos e professores mas entre seres humanos normais. Hamid, que deve se juntar a seu irmão na Bavária, quer ser contador, Hussein e Mohamed não me lembro mais, de modo geral não lembro muita coisa sobre Hussein e Mohamed. Quanto a Atiq, ele é aguardado na Bélgica pelo famoso tio que trabalha em um restaurante, aquele que pagou quatro mil dólares por sua viagem. Sei de tudo isso há algum tempo, mas pela primeira vez me interesso de verdade, não de modo abstrato. Pela primeira vez faço perguntas precisas, concretas, como há pouco pela primeira vez Atiq me perguntou sobre mim e sobre minha família enquanto dirigia a scooter. Eu adoraria saber quem é o tio que trabalha em um restaurante. Como é seu rosto, se ele tem uma família, que tipo de comida é servida em seu restaurante, se ele é empregado ou patrão. Minha curiosidade agrada a Atiq, é como se nesta noite nós realmente nos conhecêssemos. Sim, o tio tem uma família, dois filhos, um menino de doze anos, Sadiq, e uma menina de oito, Zahra. Ele tem uma casa, não um apartamento, uma casa de verdade, com um jardim. Lá Atiq vai ter seu quarto e um computador, algo bastante necessário já que ele quer se tornar programador. No que diz respeito ao restaurante, Atiq não sabe se seu tio é o patrão ou não, e tenho a impressão de ter levantado uma questão que ele nunca se fez e que de repente o preocupa. Pois não vai ser a mesma história, seu futuro não vai ser o mesmo se ele desembarcar na casa de um tio que montou seu negócio e reina, clemente e enérgico, sobre um pequeno mundo de garçons diligentes e clientes fiéis, ou na casa de um pobre-diabo que recebe por baixo dos panos para lavar a louça numa cozinha cheia de baratas. Ele procura no seu telefone a foto do cardápio do restaurante e me mostra. O restaurante se chama Sole Mio e é uma pizzaria, o que faz as chances de um afegão ser o patrão diminuírem, mas quem sabe? Olho distraidamente para o endereço sem esperar que ele me diga alguma coisa, pois conheço Bruxelas muito mal. No entanto o nome chama minha atenção, porque o restaurante do tio de Atiq não fica em Bruxelas, mas em um subúrbio de Bruxelas chamado Molenbeek. Bem, esse nome Molenbeek, pelo menos neste momento em que estou falando, é conhecido mesmo por pessoas tão sumariamente informadas quanto eu por ser um poço de jihadistas. Muitas pessoas que cometeram atentados terroristas cresceram em Molenbeek, passaram por Molenbeek ou em algum momento se esconderam em Molenbeek. Essa reputação é terrivelmente injusta com a maioria dos habitantes de Molenbeek, que não tem nada a ver com o jihadismo, e o tio de Atiq certamente faz parte dessa maioria de cidadãos pacíficos, mas não consigo me impedir de pensar que, em um grupo de quatro ou cinco adolescentes tão cativantes e desprovidos de tudo como os nossos, talvez um entre eles, não suportando mais ser expulso de todos os lugares e tratado como um cão, vai parar de acreditar que tem uma chance de se tornar contador na Baviera ou cientista da computação na Bélgica e vai se radicalizar, como se diz, e vai se explodir para que com ele exploda o maior número de pessoas como nós.

O QUEBRA-MAR

Do hotel somos levados pelo táxi, reservado para nossa noite, até um restaurante à beira-mar, também chique. Pedimos uma refeição festiva, os melhores e maiores peixes. Bebo demais, sabendo que no dia seguinte vou me arrepender disso, fazer o quê. Chega a hora de irmos até o porto esperar a balsa. É 15 de agosto, mesas compridas foram estendidas no cais. Há uma pequena orquestra, lanternas. Muitas pessoas, turistas e locais misturados, dançam sirtaki. Crianças jogam bombinhas. É tudo muito alegre. Como não há mais lugar nas varandas dos cafés, nos sentamos nos degraus do quebra-mar, que não é de cimento como na maioria dos quebra-mares, mas revestido de placas de mármore preto com magníficos veios, polido pelo tempo. Atiq tira os tênis. Depois de alguns passos, solta uma exclamação de alegria e acena para nós, indicando que deveríamos imitá-lo. É nossa vez de nos descalçarmos, Hamid, Hussein e eu. É nossa vez de nos extasiarmos. É maravilhosamente agradável caminhar descalço sobre essas placas tão lisas que, muitas horas depois do pôr do sol, ainda conservam o seu calor. Nós rimos, fizemos graça da nossa alegria, exageramos um pouco. Relembrando meus antigos reflexos de tai chi, mostro aos garotos como deslizar o pé o mais devagar possível sobre o chão, depois passar o peso de uma perna para a outra, o mais devagar possível também, como se transferisse mel de um recipiente a outro. A ideia de ir o mais devagar possível os diverte. Eles se entregam. Apenas Erica e Mohamed não participam, porque Mohamed está deitado ao lado de Erica com a cabeça nos joelhos dela, como uma criança. Ela acaricia o rosto e os cabelos dele por muito tempo, e ele segura a mão dela, que beija e acaricia também por muito tempo, e é óbvio que para ela isso também faz um bem imenso porque havia muito tempo que ela simplesmente não tocava em ninguém nem era tocada por ninguém. Os dois estão bem. Até esta noite eu não tinha sentido nenhum sinal de proximidade particular entre Erica e o tímido Mohamed, mas está claro que, para ela, será ele o mais difícil de deixar, e que para ele vai ser muito difícil deixá-la. As luzes da balsa surgem ao largo. Ainda que ela pareça estar ainda muito longe, nós sabemos que vai chegar rápido e que é a hora da despedida. Erica chama os garotos, que fazem um círculo em volta dela e de Mohamed, ainda aconchegado em seus joelhos. Ela desliza o zíper da mochila de lona e tira dela quatro pacotes, embalados com papel de presente e fitas vermelhas. Eles os desembrulham: um pulôver branco para Mohamed, luvas forradas para Atiq, um cachecol para Hamid, um gorro de esqui para Hussein: as roupas quentes que lhes faltaram durante a viagem, com que seus pais não lhes guarneceram. Ela pede que cada um experimente o seu, para ter certeza de que acertou o tamanho. Diz em qual loja podem trocar se não tiverem gostado, ou se a cor não agradar, e os aconselha a ir até lá comigo para o caso de o vendedor tratá-los mal. Eu me pergunto duas coisas ao mesmo tempo. Qual loja, em Leros, venderia luvas forradas e gorros de esqui? O que ainda pode ter na mochila de Erica, depois de esvaziada de todos esses presentes? Ela está indo para a Austrália apenas um pouco menos equipada que nossos garotos quando vieram para a Europa. A balsa atraca, a parte de trás contra o cais. Como sempre, admiro a precisão e a rapidez da manobra, efetuada não por uma bateria de computadores mas por apenas um sujeito, lá no alto da cabine de pilotagem, que estaciona essa cidade flutuante como eu faço uma baliza com um Fiat 500. A escala deveria durar uma hora, mas foi reduzida para dez minutos. Erica se levanta, Mohamed também, ele não tem alternativa. Ela nos abraça, um depois do outro. As pessoas não se abraçam da mesma maneira se vão ficar longe por dez dias, um ano ou o resto da vida, mas Erica não diz nada a esse respeito e nós sentimos que seria descabido lhe fazer essa pergunta. Quando chega a minha vez, antes de se dirigir à passarela com a mochila nos ombros, ela me diz: "Eu te mandei o seu presente. Você vai ver, é lindo".

MARTHA

Preto e branco, plano aberto: filmada a partir dos bastidores de uma sala de concerto, uma mulher de vestido preto com bolinhas brancas, sentada de costas diante de um piano. Ela pousa os dedos sobre o piano, começa a tocar. Já ouvi a *Polonaise* heroica o suficiente nos últimos tempos para reconhecê-la desde o primeiro compasso. Segundo plano: os dedos correm sobre as teclas. Haverá apenas três ângulos, o terceiro é o rosto da pianista, de frente. É uma mulher muito jovem, de uma beleza estonteante — a beleza estonteante do jovem Delon em *Rocco e seus irmãos*. Também a ela reconheço imediatamente, pois é uma das minhas pianistas preferidas, e não apenas minha. É Martha Argerich, ela deve estar com vinte anos, talvez até menos, e já tem essa cabeleira preta solta, nunca presa, que terá a vida toda. Seu nariz é reto, seus lábios, carnudos, as pálpebras, baixas e pesadas. Ela é selvagem, sensual, intensa, indomada, genial. Eu a escuto, eu a olho me perguntando por que, antes de ir embora, Erica me mandou o link para esse vídeo, sem nenhum comentário além do assunto do e-mail: 5'30". O cursor indica que o vídeo dura seis minutos e quarenta segundos. Agora conheço de cor a *Polonaise* heroica, posso acompanhá-la na minha cabeça do começo ao fim, o que me deixa à vontade para me maravilhar com o jeito como Martha Argerich toca, muito rápido (seis minutos e quarenta segundos: mais que Horowitz, menos que todos os outros) mas nunca apressada, inacreditavelmente potente e aérea. É arrebatador ver seus dedos correrem sobre as teclas, mas isso não é nada em comparação com as expressões que percorrem seu rosto ao longo da música. Concentração ao extremo, abandono ao extremo. No minuto 4'30" chega-se àquela notinha, muito alta no céu, a partir da qual a guirlanda se desenrola. Ela está em uma espécie de transe lânguido, suspenso. A indicação de Chopin para essa passagem é *smorzando*, uma indicação muito rara que significa "se extinguindo". Martha Argerich se extingue ao vivo ao se esmerar nessas notas dos sonhos, mas ela sabe e nós sabemos que nesse ponto o grande tema da *Polonaise* vai voltar, e que esse retorno estrondoso é o momento mais elevado da obra. Estamos em 5'15", quinze segundos antes dos 5'30" que Erica me indicou especificamente, e me pergunto o que vai acontecer, e eis o que acontece: são as últimas notas da guirlanda antes que o tema retorne, grandioso e regozijante, pelo lado direito das teclas, pelo lado direito da tela. Martha Argerich é levada por esse retorno do tema, ela entra nele como um surfista entra em uma onda. Ela se abandona totalmente a ele, não permanece mais dentro do enquadramento, faz um movimento com a cabeça que a leva a sair, pela esquerda, com sua massa de cabelos negros, ela desaparece por um instante e quando volta para o enquadramento depois do movimento de cabeça ela sorri. É isso... Dura um tempo muito curto esse sorriso de menina, esse sorriso que vem ao mesmo tempo da infância e da música, esse sorriso de pura alegria. Dura exatamente cinco segundos, de 5'30" a 5'35", mas durante esses cinco segundos nós vislumbramos o paraíso. Ela esteve lá, só ela, por cinco segundos, mas cinco segundos bastam, e ao vê-la nós temos acesso a esse lugar. Por tabela, mas temos acesso a ele. Nós ficamos sabendo que ele existe.

AQUILO QUE FICA DO LADO ESQUERDO

Como Erica havia previsto, assisti a esse vídeo muitas vezes nos dias seguintes à partida dela. Eu ainda o escuto e vejo com frequência. Mostro às pessoas de quem gosto. Depois de ter lido o capítulo anterior, imagino que você tenha digitado "martha argerich polonaise heroica" e o visto também. Talvez ele também lhe faça bem. Talvez você também tenha enviado o link para pessoas de quem gosta. Ele nos lembra que, como diz Hervé, existe um lado escondido das coisas. O algoritmo do Google sugere às pessoas que viram e curtiram esse vídeo um documentário sobre a pianista dirigido pela filha dela, que, ainda que a admire desmedidamente, tem bons motivos para se ressentir dela, de tão neurótica, despótica, tóxica, uma mãe tão terrível quanto poderosa. É reconfortante que o céu não se abra apenas aos santos, aos sábios, aos assíduos do zafu, mas a todos os outros membros da família lamentável e magnífica dos neuróticos, a nós a quem os cães negros assaltam. Cada vez que, logo antes do tema grandioso e regozijante da *Polonaise* retornar, vejo Martha Argerich escapar do quadro para a esquerda, como se fosse buscar alguma coisa nas trevas, bem longe atrás de si, e depois trazer esse sorriso de pura alegria, obviamente penso em Erica e no que essas imagens significam para Erica. É a história da vida dela: ir buscar a Sombra em algum lugar à sua esquerda, a Sombra e a loucura de Claire, e o desaparecimento de Claire, que evaporou em algum lugar à sua esquerda, e que continua a viver em algum lugar à sua esquerda, no limite do seu campo de visão, muito perto mas para sempre fora de alcance. E o que dizem a ela, juntos, a música e o rosto de Martha Argerich quando ela toca essa música aos vinte anos, o que por sua vez ela diz a mim, é que desse lugar à esquerda pelo qual Claire foi engolida pode-se sair vivo, plenamente vivo. Existe a Sombra, mas também existe a alegria pura, e talvez a alegria pura não possa existir sem a Sombra, e então vale a pena viver com a Sombra. O presente de Erica é me dizer que a alegria pura é tão verdadeira quanto a Sombra. Não, não mais verdadeira, mas tão verdadeira quanto, e isso já é muito, e é uma boa notícia para alguém que, como eu, acredita que a Realidade última é a pequena e assustadora marina de Raoul Dufy.

UM BRAÇO MORTO DA VIDA

Como Erica me disse que na sua ausência eu deveria ocupar o quarto dela, subi até lá com minha mochila. Tinha visto esse quarto apenas uma vez, quando ela me levou para conhecer a casa assim que cheguei, ele me pareceu agradável e, sim, ele é: espaçoso, aberto dos três lados, com uma pequena varanda e uma vista. No entanto, continuei no meu quarto de criança. Continuei a dormir na minha cama pequena demais para uma pessoa. Eu estava dormindo pouco e mal, comecei a dormir mal porém mais. Meus dias eram todos iguais: acordar tarde, uma xícara de chá e depois um pouco de ioga na varanda, um café no porto, depois ia para o Pikpa. Sem Erica, a oficina tinha perdido completamente o foco introspectivo e terapêutico: tornou-se um curso de inglês com redações sobre assuntos inofensivos, mas eu o conduzia com seriedade. Depois eu ia boiar e tirar um cochilo na praia. Ficava por ali até quase a hora do jantar, que eu comia invariavelmente no café Púchkin, conversando com Svetlana Sergueievna, que se tornou minha principal interlocutora. Ela não é russa, na verdade, mas bielorrussa e originária de Pripiat, essa cidadezinha de que todo mundo ouviu falar pela primeira vez em 1986 por ser a mais próxima da usina de Chernobyl. Um primo de Svetlana fazia parte dos liquidadores que soldaram o sarcófago acima do reator. Ele morreu alguns meses depois em condições atrozes, todo o seu corpo se esfacelando. Muitos membros da família desenvolveram câncer e uma vizinha de Svetlana deu à luz um menininho que tinha o aspecto de um saco sem olhos nem orelhas, com uma fenda à guisa de boca e sem ânus. Nos primeiros meses de vida dele, ela se perguntava que palavras ela encontraria, quando chegasse o momento, para explicar a ele por que ele era assim, por que ele jamais conheceria o amor, por que Deus havia permitido tamanha infelicidade. Felizmente ele morreu muito rápido. Como Deus foi clemente comigo! Eu pensava nos meus próprios filhos, tão bonitos e talentosos, tão cheios de vida. Com exceção de Jeanne, às vezes, eu não dava mais notícias a ninguém e não as esperava mais. Não mandava nem recebia e-mails, não escutava mais mensagens. Também não tinha notícias de Erica. Eu estava mal, mas melhor. Eu me sentia longe de tudo, em um braço morto da minha vida e, de uma maneira bizarra, em segurança. Flertei um pouco, sem sucesso, com uma das lindas gêmeas de Turim que trabalhava como voluntária no Pikpa. Na vida real, ela estudava na Scuola Holden, uma escola de técnica narrativa fundada pelo escritor italiano Alessandro Baricco, que é a melhor que existe no mundo em matéria de creative writing. Eu disse a Susanna, ela se chama Susanna, que se a escrita era sua vocação eu não entendia por que ela não a ensinava aqui, em vez de jardinagem. Ela me respondeu que não se sentia pronta, eu observei que desse ponto de vista ela jamais estaria: o argumento a levou a refletir. Aluguei uma segunda scooter para Atiq, demos umas voltas juntos pela ilha. Eu queria levar os garotos à praia, que é na verdade a melhor coisa a se fazer numa ilha grega, mas eles enrolaram, inventaram motivos para não ir. O verdadeiro motivo, acho, é que eles não sabem nadar.

VISTO DO CÉU

Uma noite jantei com Elfriede e Moritz, o casal de arqueólogos austríaco, e me arrependi de ter tomado Moritz, em algum momento, por um personagem sádico de Haneke, pois, eu poria de verdade minha mão no fogo por isso, ele é um homem justo, infantil, sem malícia, e Elfriede é igual. Esse jantar no café Púchkin foi não apenas amistoso, mas muito instrutivo para mim, pois ao longo de sua estadia Elfriede e Moritz tinham se interessado pelo passado da ilha e particularmente por essa arquitetura tão estranha, tão radicalmente diferente do estilo das ilhas gregas, que tinha me intrigado quando cheguei, mas sobre a qual não procurei saber depois. Na época da ocupação italiana, nos anos 1930, me explicaram Elfriede e Moritz — eles falavam um de cada vez, um começando a frase que o outro terminava, num uníssono emocionante —, cogitou-se tornar Leros uma base naval. Mussolini tinha enviado para lá dois representantes eminentes da arquitetura fascista que construíram grandes prédios modernistas como o Pikpa para a futura guarnição da base, além de uma centena de pavilhões dispostos em círculos concêntricos. Essa espécie de cidade utópica havia permanecido abandonada entre o fim da guerra e os anos 1960, quando ela primeiro se tornou um lugar de banimento e tortura de prisioneiros políticos, sob a junta chamada "dos coronéis"; depois, com os coronéis depostos, veio a ser um hospital psiquiátrico, o maior hospital psiquiátrico do país, abrigando na base naval os pacientes previstos e os marinheiros e suas famílias em quantidades equivalentes, ou seja, cerca de mil pessoas. Todo mundo sabia que os pacientes desse hospital eram tratados de maneiras abomináveis, permanecendo nus na maior parte do tempo, marinando no mijo e na merda, lavados uma vez por semana no pátio com jatos d'água, maltratados pelos enfermeiros — todos habitantes da ilha; o hospital era a primeira e quase única fonte de emprego. Depois de trinta anos dessa atividade, e de um relatório escrito por Félix Guattari que qualificava o hospital como a vergonha da psiquiatria europeia, ele foi fechado, os loucos dispersados e a cidade utópica abandonada retomou seu aspecto deserto, silencioso, esmagada por um sol sem calor, que lembrava os quadros de Giorgio de Chirico. Ela voltou a funcionar com a crise dos refugiados. Onde haviam confinado os loucos agora confinaram os migrantes, e os habitantes da ilha que outrora foram enfermeiros começaram a trabalhar para ONGS, que por sua vez se tornaram o principal empregador de Leros. O relato de Elfriede e Moritz me deu o que pensar. Essas quatro camadas de história da ilha eram uma coisa bastante carregada, explicando as vibrações ruins que eu tinha percebido assim que cheguei, e quando eu disse isso os dois riram: não era tudo. No fim da guerra houve uma ocupação alemã muito breve, uma quinta camada de apenas alguns meses, da qual restou apenas um vestígio: um tipo de baixo-relevo de dez metros de diâmetro, profundamente gravado em um maciço rochoso na ponta da ilha, visível apenas do céu mas, enfim, para quem sobrevoa Leros de helicóptero, é a primeira coisa que se vê. Essa coisa é uma suástica.

Com o fim do verão, Elfriede e Moritz voltaram para Viena, não antes de fazerem como Erica e distribuírem, um a um, presentes modestos mas notavelmente cheios de imaginação, uma coisinha diferente e personalizada para cada um. Susanna e Roberta, as gêmeas bonitas, também foram embora. Quase pedi para Susanna mandar lembranças minhas a Baricco, que conheço um pouco, mas me abstive desse name-dropping que não usei na minha vã tentativa de sedução, o que é louvável. Depois dessa onda de partidas, vi o momento em que eu me tornaria uma espécie de móvel no Pikpa, ou esse personagem fantasmagórico tão bem descrito por outro escritor que adoro, Geoff Dyer: o morador mais velho do lugar. "Eu era o único a ter consciência desse status", ele escreve, "pela simples razão de que ninguém tinha ficado por tanto tempo. Você chega, você vê um monte de gente que já estava lá antes que você chegasse. Você não tinha como saber que eu já estava lá quando eles chegaram. Você não tinha como saber que eu ainda estaria lá quando eles fossem embora, e que você também iria embora..." Eu não esperava mais nada da minha estadia, também não via um motivo para encerrá-la. Um dia, no entanto, algo aconteceu. Era hora do almoço. Bandejas de alumínio foram distribuídas como sempre cheias de arroz, nesse dia com peixe. Eu comia sozinho à sombra de um plátano grande, olhando distraidamente, no fundo do pátio, Hamid brincando com três das crianças da família síria numerosa. Hamid sempre é muito amável com as crianças, muito atencioso, ele realmente se interessa por aquilo que interessa a elas, e elas, obviamente, o adoram. Sob a direção dele, eu os via passar de uma perna para a outra muito devagar, rindo de sua própria lentidão, e de repente entendi que Hamid estava lhes ensinando tai chi. O pouco de tai chi que eu havia ensinado a ele, em menos de cinco minutos, em cima das placas quentes e lisas do quebra-mar na noite da partida de Erica, mas apenas com esses cinco minutos já se tem com o que trabalhar. Hamid e seus pequenos alunos estavam claramente contentes com o que faziam, e pensei que talvez houvesse ali algo a experimentar.

Não abri oficialmente uma oficina de tai chi, registrada no calendário do Pikpa, mas nós, um grupo pequeno, acabamos por nos encontrar todos os dias no pátio para praticar. Quem batia cartão eram Atiq e Hamid, às vezes Mohamed, e as crianças sírias. Para minha grande surpresa, porque isso me parecia uma ideia a princípio bastante abstrata, todos adoravam esse jogo que consistia em encontrar o caminho mais longo entre dois pontos. Eles passaram a descrever longos circuitos, às vezes de olhos fechados. O problema era medir o comprimento do caminho que cada um percorria, mas há aplicativos para isso, que foram baixados por quem tinha smartphones. Era divertido ver as crianças caminhando em câmera lenta no pátio de recreação, ao mesmo tempo sérias e prestes a explodir em risos a qualquer momento. Eu me lembrava dos passeios nos caminhos delimitados do centro Vipassana no Morvan e pensei que isso que se improvisava aqui no Pikpa, de um jeito infantil e casual, estava mais próximo da verdadeira meditação do que nossas intermináveis inspeções das narinas, sentados em nossos zafus. Mas, mal pensei isso, me ocorreu que, se por acaso fosse possível fazer isso aqui, essas inspeções das narinas teriam bastante sucesso também. Eu não estava enganado. Seria um exagero dizer que todo mundo no Pikpa passou a prestar atenção ao trajeto do ar em suas narinas, mas o exercício intrigou Hamid, intrigou Mohamed, intrigou Elias e Dina, duas das crianças sírias. Ele os intrigou e sobretudo os fez rir, para eles era como uma variante inédita deste jogo que todas as crianças adoram: tapar o nariz e segurar a respiração pela maior quantidade de tempo que conseguir. Tudo isso deu ainda mais certo, acho, pois já não era eu quem ensinava, mas Hamid, que como eu já disse era o ídolo das crianças. Eu passava um pequeno briefing pra ele, como quem não quer nada, cada vez que pagava uma Mythos no café Púchkin. Nós dois íamos ao píer onde os clientes de Svetlana Sergueievna amarram seus barcos e eu mostrava a ele um movimento que nós executávamos juntos, como eu havia feito outrora com o Papai Noel canadense para domesticar o lobo, e depois eu me sentava ao pé do grande plátano, no pátio de recreação, para observar Hamid e, de longe, escutá-lo.

As if you pour honey inside of your leg...: como se você despejasse mel no interior da sua perna. Ele era um professor maravilhoso.

TRINTA ANOS PARA NADA?

Fazia meses que eu não lia nada além do conto de George Langelaan, mas um dia, no café Púchkin, abri a pasta de papelão em que eu havia escrito, em maiúsculas, *A expiração*, e comecei não a ler, a bem dizer, mas a percorrer esses duzentos mil caracteres em notas sobre a ioga, o tai chi, a meditação, todas essas obsessões que ocuparam metade da minha vida, e para quê? A resposta tinha tudo o que era preciso para me fazer mergulhar na melancolia. Trinta anos buscando a calma e a profundidade estratégica, trinta anos dizendo a mim mesmo que minha vida era uma saída da confusão e a construção paciente de um estado de maravilhamento e serenidade, trinta anos acreditando nisso apesar dos tombos e das depressões e, na chegada, quando a velhice se aproxima, quando você tem uma casa, uma família, tudo para ser sábio e feliz, você se vê deitado em posição fetal, sozinho, numa cama pequena demais para uma pessoa, na casa vazia de uma mulher sozinha que foi embora sem deixar endereço e está perdida, ela também, em algum lugar do hemisfério Sul. Nada muito extraordinário, no cômputo geral. Isso não é uma propaganda muito boa para a ioga. Mas não estou certo em dizer isso: a ioga não tem culpa de nada, o problema sou eu. A ioga leva à unidade, eu é que sou dividido demais para isso. Um dia, caminhando em nossas trilhas na montanha, acima do Levron, Hervé e eu nos colocamos esta pergunta: todo mundo pode fazer ioga? Todo mundo tem uma via de acesso à unidade, à luz, a essa zona secreta e irradiante em seu interior? Naquele momento, nós concluímos que sim: essa via de acesso pode estar escondida mas existe para cada um, ou a ioga não seria a ioga. O pensamento do Levron tendia ao happy end. Ainda assim: uma pessoa esquizofrênica como a irmã de Erica pode fazer ioga? Uma pessoa cujo núcleo está quebrado? Uma pessoa como eu, em que uma metade é inimiga da outra?

OS BONS E VELHOS CACHORROS

Esses pensamentos são melancólicos, mas não eram dolorosos. Eles não me impediam de me dedicar à minha rotina, de preparar com Hamid as aulas de tai chi que ele dava para os pequenos sírios, de levar uma vida desprovida de planos e por esse motivo relaxante. Eu me sentia como um soldado ferido, nada contrariado por se encontrar nos fundos de um hospital decrépito, malcuidado, mas sossegado. Sentado em minha poltrona habitual no café Púchkin, sorvendo sem pressa minha Mythos, eu deixava meus pobres pensamentos patéticos e esfarrapados marinarem com tranquilidade. Seguia o curso deles sem lhes dar atenção demais. Conhecia de cor os mais obsessivos, os mais tóxicos, e quando os via se aproximar eles não tinham mais o efeito de demônios que queriam devorar minha alma, mas o de bons e velhos cachorros que, como o "pobre coitado" que meus filhos tanto amaram na época dos nossos verões em L'Arcouest, querem lambê-lo sem parar, pôr suas patas em cima de você, e que você jogue um graveto que vão trazer ofegando e abanando o rabo pedindo que comece tudo de novo imediatamente. Pois eu jogava e jogava de novo os gravetos, o graveto da ostentação, o graveto do ódio de si mesmo, o graveto do tarde demais e do gosto amargo do tarde demais, e então chegava o momento em que dizia basta e mergulhava de novo na sonolência, deixando os bons e velhos cachorros irritantes dando voltas em torno de mim, um pouco decepcionados. Depois de começar a dormir muito, comecei também a dormir bem. Dormia na minha cama, dormia na praia, dormia no café. Os bons e velhos cachorros rosnavam em sua sonolência. A sesta se tornou nossa forma de meditação.

MIJAR E CAGAR

Esta forma de meditação está faltando na lista de definições que fui acumulando no meu dossiê sobre a ioga. Eu estava com preguiça de examiná-lo a fundo, mas pensei que uma boa maneira de percorrê-lo seria fornecer a lista dessas definições, que segue aqui. A meditação é estar sentado, em silêncio, imóvel. A meditação é tudo aquilo que passa na consciência durante o tempo em que se está sentado, em silêncio, imóvel. A meditação é fazer nascer dentro de si uma testemunha que observa o turbilhão dos pensamentos sem se deixar levar por eles. A meditação é ver as coisas como elas são. A meditação é se descolar da sua identidade. A meditação é descobrir que você é outra coisa além dessa voz que diz incansavelmente: eu! eu! eu! A meditação é descobrir que você é outra coisa que não o seu ego. A meditação é uma técnica para minar o ego. A meditação é mergulhar e permanecer no que a vida tem de contraditório. A meditação é não julgar. A meditação é prestar atenção. A meditação é observar os pontos de contato entre o que é você e o que não é você. A meditação é o fim das flutuações mentais. A meditação é observar essas flutuações mentais chamadas vritti para acalmá-las e por fim extingui-las. A meditação é estar a par de que os outros existem. A meditação é mergulhar dentro de si e cavar túneis, construir barragens, abrir novas vias de circulação e empurrar alguma coisa para o nascimento e desembocar no grande céu aberto. A meditação é encontrar em si uma zona secreta e irradiante, onde se está bem. A meditação é estar em seu lugar onde quer que se esteja. A meditação é estar consciente de tudo o tempo todo (essa definição é de Krishnamurti). A meditação é aceitar tudo que se apresenta. A meditação é não contar mais histórias para si mesmo. A meditação é desencanar, não esperar nada, não buscar fazer o que quer que seja. A meditação é viver no momento presente. A meditação é mijar e cagar quando você mija e caga, nada além disso. A meditação é não acrescentar nada. É isso. Li e reli essa lista de definições, sobre as quais não encontro nada para repetir. Com exceção da de Krishnamurti, elas não vêm dos livros mas, na minha pequena escala, de uma experiência em primeira mão. Existiria uma definição que englobaria todas as outras? Uma que seria mais geral? Uma que se parecesse com a montanha quando se chega ao fim da viagem? Você se lembra? No início da viagem, a montanha ao longe parece uma montanha. Ao longo da viagem, ela se reveste de mil aspectos, ela parece mil coisas, porém não mais uma montanha. E no fim da viagem ela de novo parece uma montanha, mas diferente: ela *é* a montanha. Onde estou na viagem? Estou me aproximando da montanha, estou ainda muito longe dela? E se eu precisasse escolher uma dessas definições, qual seria?

Depende do momento. Hoje, neste começo de outono de 2016, em que me demoro em Leros sem mais motivos para ir embora do que para ficar, prefiro esta: a meditação é mijar quando se está mijando e cagar quando se está cagando. Como é mais ou menos o que eu faço, sem acrescentar a isso muitos comentários, tenho às vezes a impressão divertida de meditar para sempre. Não estou nem feliz nem triste, jogo gravetos para os bons e velhos cachorros, o graveto da ostentação, o graveto do ódio de si mesmo, o graveto do tarde demais e do sabor amargo do tarde demais, e é bastante surpreendente mas o fato é que me sinto quase bem.

V
Continuo a não morrer

PAUL EM GUADALAJARA

A última vez que vi Paul Otchakovsky-Laurens, meu editor durante trinta e cinco anos, foi em novembro de 2017, na feira do livro de Guadalajara, no México, na qual estivemos como convidados. Ele foi com a esposa, Emmie Landon, que é também, e igualmente há quase tanto tempo quanto ele, uma das minhas melhores amigas. Pouco mais de um ano depois do meu retorno de Leros, eu estava significativamente melhor e nós três nos divertimos muito. Testemunha disso é um vídeo curto, em que estamos em uma cantina com outros amigos, escritores e editores cada um de um lugar diferente, todos rindo, falando besteira, numa descontração de congressistas uma vez encerradas as conferências e mesas-redondas. Vê-se Paul e Emmie se olharem como costumavam se olhar e como nunca vi na minha vida toda algum outro casal se olhar — eu sei, falei a mesma coisa sobre Bernard e Hélène, mas Bernard e Hélène tinham acabado de se conhecer, enquanto esse encantamento dos primeiros tempos do amor perdurava, intacto, fazia vinte anos para Paul e Emmie. Também se vê Paul, virado para mim, falar comigo como se tentasse me convencer de alguma coisa, e era exatamente isso que ele estava fazendo, porque um pouco antes de nos unirmos a essa turma festiva aconteceu a cena que é o tema deste capítulo. Paul, Emmie e eu combinamos de nos encontrar no bar do hotel. Como cheguei primeiro, tirei meu tablet da bolsa e aproveitei o que uma das minhas amigas chama de "tempo intersticial" (ela detesta esses momentos sem ocupação, eu gosto bastante deles) para responder alguns e-mails. Paul então chega, eu digo que vou levar só um minuto. "Fique tranquilo", ele me responde, "não precisa ter pressa", e começa a digitar no telefone. Um pouco de tempo intersticial corre em paz, de repente é interrompido pela voz estupefata, quase alarmada de Paul: "Mas, Emmanuel, o que você está fazendo? Que jeito é esse de digitar?". Levanto a cabeça, sem entender. "Não é possível: você digita *com um dedo só*?". "Hum, sim, eu digito com um dedo só. Sempre digitei com um dedo só." "Não, espere", prossegue Paul, cujo estupor, em vez de se acalmar, vai aumentando, como se ele aos poucos se desse conta da enormidade da coisa. "Você quer dizer que escreveu todos os seus livros, para não falar dos artigos e roteiros, *com um dedo só*?" Mais tarde, depois da morte dele, Emmie vai me contar que Paul digitava muito bem, sem olhar nem o teclado nem a tela, e que ele se orgulhava dessa aptidão — aptidão que eu desconhecia do mesmo modo que ele desconhecia minha falta de aptidão até esta noite em Guadalajara. Mas ele a descobriu, e essa revelação o afunda em um misto de perplexidade e hilaridade, bastante próximo, me parece, daquilo que se experimenta ao consumir cogumelos alucinógenos. Nós nos conhecemos há trinta e cinco anos, ele publicou doze livros meus, ele é padrinho do meu filho Gabriel, que por esse motivo recebeu até o fim dos dias dele todos os livros que saíam pela editora P.O.L, nós passamos férias juntos e ele não sabia disso: que eu digito com um dedo só, o indicador direito, sem nem sequer a ajuda do indicador esquerdo ou do dedão para a barra de espaço. Passada a primeira onda de perplexidade e hilaridade alucinógenas, chega o momento das perguntas e tentativas de explicação. Paul não consegue entender como é possível que eu não tenha aprendido datilografia e respondo que, agora que estou pensando nisso, sim, admito, é um pouco surpreendente. Mesmo. Eu poderia ter aprendido, com certeza, mas o fato, não menos certo, é que não aprendi. Simples assim. Ninguém até esta noite se assustou com isso. Nenhuma das mulheres com quem vivi se mostrou estupefata como Paul. Não digo que nenhuma tenha deixado de reparar, claro que não, mas o fato de eu digitar com um dedo só, para elas, assim como para os meus filhos, era um motivo de piadas carinhosas, exatamente como o fato de eu dirigir muito devagar e usar a quarta marcha, inclusive na estrada, com mais ou menos a mesma frequência com que uso um assento ejetável. Era um motivo de piadas carinhosas, às quais eu me prestava com prazer, mas nunca passou disso. Ninguém nunca me disse que eu poderia aprender, que eu deveria aprender, que, sobretudo considerando que a minha profissão era bater à máquina, aprender a fazer isso corretamente poderia ser útil e até mudar a minha vida. Por que é que eu não aprendi? Não foi uma hostilidade da minha parte a qualquer tipo de inovação, à maneira de Alain Finkielkraut, que não tem nem endereço eletrônico, nem computador, nem telefone, e que, quando retraduziram com o verdadeiro título *A reclamação de Portnoy* [*Portnoy's Complaint*], de Philip Roth, que na adolescência ele tinha lido com o título incorreto de *Portnoy e seu complexo*, suspira dolorosamente: "Eu nunca vou me acostumar". Não, não tenho nada contra a inovação, nada contra a tecnologia, ainda que eu não seja um paladino nesses campos, simplesmente isso da datilografia não sei como explicar, mas não aconteceu. Não houve ocasião, e depois aprendi a me virar. Um pouco como as pessoas que não tiraram carteira de habilitação na idade em que normalmente se faz isso e deixam o momento passar, depois é tarde demais. "Sim", Paul objetou a essa objeção, "com a diferença de que, no seu caso, é como se você não soubesse dirigir e *ao mesmo tempo* fosse campeão de Fórmula 1." Nas horas seguintes, ele comunicou sua descoberta a Emmie, o que a divertiu igualmente, e depois a quem quisesse escutar ao longo do jantar. Quanto a mim, ele não me largava, e nesse vídeo curto e precioso, que é a última imagem que tenho dele, ele se inclina na minha direção com a expressão de alguém que argumenta com veemência, e me lembro com que veemência, na verdade, ele insistiu durante a noite toda para que eu aprendesse datilografia. Ele inclusive pegou o telefone para procurar um método — "Esse aqui parece bom, typing.com" — e eu dizia sim, talvez, por que não, mas ao mesmo tempo para quê? Cheguei aos sessenta anos, escrevi tudo o que escrevi com um dedo só, agora é tarde demais para mudar, e depois o que isso mudaria, se eu mudasse? Paul não me deixava desanimar: "Você não imagina o tempo que vai ganhar com isso". Faltava consistência a esse argumento de ganhar tempo, ninguém escreve livros para ganhar tempo, e Paul, que sabia disso melhor que qualquer pessoa, o abandonou rápido. Deixamos o assunto quieto, por um momento ele pareceu resignado que eu persistisse em minha falta de habilidade, e foi só mais tarde naquela noite, quando fomos para uma segunda cantina, mais escura, mais animada, mais barulhenta, e passamos da tequila para o mescal, que em determinado momento, apoiado no bar, ele se vira para mim, os olhos brilhando — preciso falar disso, do jeito como os olhos de Paul brilhavam — e me diz, gritando para que eu o escute: "Sabe, se você aprender a datilografar, você não só vai escrever mais rápido, você vai escrever *de outro jeito*".

"O ATO MAIS IMPORTANTE DA SUA VIDA"

Paul era, como eu, um bêbado sentimental e efusivo, muito russo, e a ele ocorria, como a mim, de se perguntar no dia seguinte se não tinha exagerado, e disso resultavam telefonemas cheios de meandros devido à sua delicadeza e boa educação. Nós não precisávamos nos telefonar em Guadalajara, pois durante quatro dias nos vimos da manhã à noite, mas no almoço do dia seguinte, um desses almoços mais ou menos oficiais em que se tenta fugir dos lugares marcados para ficar com seus amigos, ele me perguntou com aquele ar preocupado que eu conhecia tão bem, seu ar de ressaca, se eu não tinha levado a mal aquilo que na véspera ele me disse na cantina, se eu não tinha concluído que os meus livros, aos olhos dele, poderiam ser dez vezes melhores e que, pela lógica, eram consequentemente dez vezes menos bons do que poderiam ter sido se eu tivesse quebrado um pouco a cabeça, isto é, se eu tivesse aprendido datilografia. Respondi para Paul que eu não estava magoado com ele, pelo contrário, mas que era exatamente isso que ele tinha dito, que nós dois tínhamos dito no balcão da cantina depois de passar da tequila para o mescal — pois na época eu ainda bebia e de repente constato que, sem ter decidido isso, sem jamais ter associado uma coisa à outra, foi depois da morte de Paul que parei totalmente, e acho que para sempre, de beber. Do instante em que passamos do "você vai escrever mais rápido" para o "você vai escrever *de outro jeito*", abrimos a porteira das especulações alcoolizadas. "Digitar no teclado", argumentava Paul no balcão da cantina, "transformar o seu pensamento em palavras e frases que você digita no teclado, é o ato mais importante da sua vida. Se você modifica as condições desse ato, isso não pode se dar sem consequência. Obrigatoriamente mudará alguma coisa na sua maneira de escrever, criará obrigatoriamente novas conexões neurais. Sim, você vai escrever de outro jeito, é impossível que você não escreva de outro jeito." É nesse momento da embriaguez que nos ocorre a ideia, com o brilho da evidência, de que aquilo que eu escrevesse com dez dedos seria dez vezes melhor do que aquilo que escrevo com apenas um. Eu tinha desdenhado do argumento da velocidade, dizendo que não ligava para digitar rápido, mas na verdade eu ligava sim, uma vez que pertenço a essa espécie de escritores que se ocupa principalmente de transcrever aquilo que lhes passa pela cabeça — tarefa que exige ao mesmo tempo paciência e velocidade. Não é muito complicado escrever, dizia Thomas Bernhard, basta inclinar a cabeça e deixar cair sobre uma folha de papel tudo aquilo que tem dentro dela. Concordo, mas para apanhar o máximo daquilo que cai a melhor coisa é ir rápido, e depois de um momento de ceticismo acolhi com entusiasmo a ideia, típica de Paul, de que existia uma solução técnica, e acessível por ser técnica, para progredir nessa arte. Eu digo "típica de Paul", acrescento que é típica minha também, porque ele e eu compartilhávamos não apenas o gosto pelos momentos de efusividade alcoólica mas também a convicção de que estamos na terra para melhorar e que é possível melhorar, não importa qual seja o material disponível, como dizia Lênin, desde que você se aplique séria e assiduamente. Se você pensar bem, esse traço não é tão comum, é outra fronteira daquelas que dividem a humanidade. Quase todo mundo tem um ideal de si, uma versão melhorada de si mesmo, mas configuram uma categoria específica de pessoas aquelas que, para se aproximar desse ideal e torná-lo menos evanescente, têm a disposição para aquilo que Montaigne e os antigos que vieram antes dele chamavam de exercício — ou *meditatio*. Paul não praticava nem meditação nem ioga, em matéria de exercício físico ele fazia duzentas flexões todo dia ao amanhecer, porque ele acordou durante toda a sua vida ao amanhecer e até antes do amanhecer, e essa prática esportiva tão pouco diversificada, flexões e apenas flexões, era um motivo de zombaria carinhosa para nosso amigo Olivier Rubinstein e para mim, como uma dieta que consistisse de apenas um alimento e que lhe dava um torso extremamente poderoso sobre pernas que continuavam finas — mas é claro que Emmie gostava disso, e nada mais importava para

Paul. Ele não praticava nem meditação nem ioga, mas quando falei para ele do meu projeto de livro sobre a ioga, em vez de dar de ombros com uma perplexidade vagamente irônica, como a maioria dos meus amigos fez ao longo deste trabalho, ele demonstrou a curiosidade mais viva e menos blasée — não apenas, acho, porque ele por princípio se interessava pelos meus projetos, mas porque ele se interessava de uma maneira geral por todas as disciplinas que buscavam formar a alma. É por isso que acho ao mesmo tempo impressionante e nada impressionante que, antes de morrer, ele tenha me legado como um último presente a convicção de que datilografar corretamente, com meus dez dedos, poderia ser minha forma pessoal e última de ioga.

O JEITO COMO OS OLHOS DELE BRILHAVAM

Paul morreu no dia 2 de janeiro de 2018, em uma estradinha de Guadalupe, onde ele passava férias com Emmie. Ele tinha sessenta e quatro anos, a silhueta e o entusiasmo de um adolescente, estava perdidamente apaixonado. Acredito, sempre acreditei, que cada um de nós tem em torno de si algumas pessoas, podem ser cinco, podem ser dez, não muito mais que isso, que são aquelas pessoas com quem se atravessa a vida. Ao lado de Emmie, Hervé, Olivier, Ruth e François, Paul fazia parte dessas pessoas, desse pequeno grupo essencial com quem faço a travessia, e sua morte foi o primeiro grande luto da minha vida, até agora impressionantemente preservada nesse aspecto. Foi para ele que mandei o primeiro romance que escrevi, e apenas para ele, sem conhecê-lo, porque a P.O.L era a casa editorial de Georges Perec. Desde 1984 ele publicou todos os meus livros e é muito estranho para mim terminar este aqui sabendo que ele não vai lê-lo. Às vezes me perguntavam como nós trabalhávamos juntos, que tipo de observações ele fazia em um manuscrito, se ele intervinha muito... Não tanto assim, na verdade. Paul considerava o livro uma coisa orgânica, de pegar ou largar, não formatar. Tinha a convicção de que aquilo que se toma por defeito quando se está com o nariz enfiado no livro se revela frequentemente, em retrospecto, o que torna uma obra singular e inimitável. Enfim, é claro que ele fazia observações, e observações ponderadas, mas outros podem fazer, e fazem, e farão, observações ponderadas, não eram as observações ponderadas que para mim tornavam Paul único. O que para mim tornava Paul único é o jeito como os olhos dele brilhavam quando eu lhe entregava um manuscrito. É a certeza de que ele o leria *imediatamente* e me telefonaria no meio da noite, quando o tivesse terminado, e se ele não me telefonasse no meio da noite isso significaria que ele tinha morrido — e é, aliás, o que vai acontecer hoje: Paul não vai me telefonar no meio da noite porque ele morreu. Eu terei, tenho um outro editor, Frédéric Boyer, que conheço há vinte anos, que como eu é um autor da casa, e um amigo, mas nunca mais nada do que eu escrever será *desejado* por ninguém como era por Paul. E não sou o único que poderia dizer isso. Claro, tínhamos uma relação particular: construímos nossas vidas juntos, éramos grandes amigos, sabíamos, senão tudo, ao menos muito um do outro. Mas o jeito como os olhos dele brilhavam, acredito que todos os autores que ele publicou o conheceram — ou ele não os teria publicado. Era mais uma das coisas tão extraordinárias dessa editora pequenininha e do seu fundador: os autores de livros que vendiam quinhentos exemplares durante toda a sua carreira eram objeto da mesmíssima consideração e da mesmíssima fidelidade exigente que aqueles cujas imensas tiragens pagavam todas as contas. Os olhos de Paul brilhavam por seus livros da mesma maneira amorosa. Da mesma maneira ciumenta, da mesma maneira possessiva, porque Paul também era ciumento e possessivo, e seria uma pena, tendo chegado até aqui, deixar passar em branco a história, que me encanta, de *L'Élegie de Chamalières* [A elegia de Chamalières] e de seu autor, Renaud Camus. Não se zangue, por favor. Não vista o casaco, não vá embora batendo a porta. Sente-se novamente. Se você sabe de quem se trata, você pensa muito mal de Renaud Camus e eu também, juro a você, não se preocupe. Se você não sabe, digamos resumidamente que ele é hoje um ideólogo de extrema direita, inventor da teoria da "grande substituição" (dos bons franceses nativos pelos negros e árabes) e inspirador dos supremacistas brancos que até na Nova Zelândia abrem fogo na saída das mesquitas invocando sua doutrina. Isso posto, é interessante saber que, por volta do fim do século passado, Renaud Camus era um escritor para uns happy few vanguardistas, oriundo das mesmas paragens de Roland Barthes e Andy Warhol, conhecido graças a um clássico atemporal da literatura gay, *Tricks*, e graças a um monumental *Journal* [Diário], do qual Paul, ano após ano, era o indefectível editor — e eu, também, um dos leitores indefectíveis. Com a faca no pescoço, continuarei dizendo que Renaud Camus era um escritor fora de série e que sua atual loucura não pode mudar nada, o que está feito está feito. Nós éramos amigos na época e ambos contávamos entre os pilares da editora P.O.L, pode-se até mesmo dizer que entre os elementos do seu DNA. Agora, a história. Paul publica há vinte anos *tudo* que Renaud Camus escreve, devemos estar em uns cinquenta volumes que agradam um círculo bem reduzido de leitores sem trazer estritamente retorno algum, num abismo financeiro, mas Paul não liga para isso, ele acha que Renaud Camus é um grande escritor e que o trabalho dele é publicar um grande escritor quando identifica um, e publicar *tudo* que esse grande escritor escreve. Bem, eis que um dia Renaud Camus, que mora no departamento de Gers, aceita a proposta de um pequeno editor da comuna de Lectoure, seu vizinho e especializado na história local, de escrever um livrinho de umas trinta páginas intitulado *L'Élegie de Chamalières*, pois Renaud Camus, como Valéry Giscard d'Estaing, é nativo de Chamalières, departamento de Puy-de-Dôme. É uma publicação tão modesta, tão discreta, tão local, que, de completa boa-fé, Renaud Camus nem mesmo pensa em avisar Paul, seu principal editor. Mas Paul fica sabendo e isso o deixa enlouquecido. E ele convoca Renaud Camus a Paris, porque é preciso que ele se explique. "Sabe o que é terrível, Renaud?", ele desfere a Renaud Camus, sem que este tenha tido sequer tempo de se sentar quando entra no escritório de Paul. "O que é terrível, e me deixa puto, não é apenas que você publicou *L'Élegie de Chamalières* em outra editora. É que *L'Élegie de Chamalières*, e você sabe muito bem disso, é o *seu livro mais bonito*." Renaud não esperava tudo aquilo, ele nunca tinha pensado que se podia ter em tão alta conta, dentro da sua obra, esse livrinho escrito de qualquer jeito em uma tarde, e mais em nome da boa vizinhança do que para enriquecer a literatura, mas seria conhecer mal Paul para imaginar que ele se ateria a esse julgamento, já turbinado pelo café. "Você leu ou assistiu a *Fahrenheit 451*?", ele prossegue. "Você se lembra da história? Esse mundo onde os livros são proibidos, onde o Estado manda queimar os livros? Você lembra que nesse mundo existem grupos de resistentes que, na clandestinidade, decoram os livros proibidos? Cada um decora um, apenas um, cujo nome passa a ser seu. Ele não se chama mais Pierre ou Paul, não, a partir de agora e para toda a eternidade ele se chama *Três contos*, ele se chama *Un héros de notre temps* [Um herói do nosso tempo], ele se chama *Uma temporada no inferno*. Você se lembra, Renaud?" Renaud assente, sem ousar adivinhar o que vem a seguir — e vem. "E, então, sabe qual é o problema, Renaud?", conclui Paul. "No mundo de *Fahrenheit 451*, eu me chamaria *L'Élegie de Chamalières*!" (Agora você talvez tenha entendido melhor do que estou falando quando falo do jeito como os olhos de Paul brilhavam.)

COM OS MEUS DEZ DEDOS

Posso ser acusado de muitas coisas, mas não de falta de empenho. Estou de férias em Belle-Île e todos os dias dedico cinco ou seis horas, trancado no meu quarto de hotel, a progredir nesse método typing. com que Paul havia tão veementemente me aconselhado, um ano e meio antes, em Guadalajara. Passei do primeiro nível, aquele em que você se familiariza com a posição das letras sem precisar ainda se preocupar em formar palavras. Aprendi a me virar com as oito primeiras do teclado francês, as da fileira do meio, q s d f à esquerda, j k l m à direita, com as pequenas marcas entalhadas embaixo das teclas f e j. Acrescentei as duas letras do meio, g e h, que alcanço agora com os indicadores esquerdo e direito, o primeiro a partir de sua base no f, o segundo, de sua base no j. Isso me tomou muito tempo, muito esforço, vivi momentos terríveis de desencorajamento diante da ideia de que duas outras fileiras de letras me aguardavam em seguida, depois as maiúsculas, sem falar nas teclas distantes como # ou * e essas coisas que nunca usei na vida, cuja existência conheço como conhecemos a existência de nêutrons e prótons, digamos: os "atalhos do teclado". Continuei, entretanto, encorajado por uma espécie de elfo que de tempos em tempos ao longo do método me parabeniza por eu ser um "guerreiro do teclado" (em inglês: *keyboard warrior*) ou um "datilógrafo frenético" (*fiery typist*). Assim meu mindinho esquerdo aprendeu, a partir do q, a alcançar o a no alto, o w embaixo e, ainda mais distante, o @ e o & no alto (eu frequentemente os confundo), por fim a tabulação e a tecla da maiúscula à esquerda. Quanto ao meu mindinho direito, ele comanda as teclas —) ^ p m; =. Utilizar os mindinhos é entrar no círculo fechado dos datilógrafos que *realmente* utilizam seus dez dedos. É uma revolução, que precede estas outras revoluções: digitar sem olhar o teclado, depois digitar sem olhar nem para a tela — como Paul sabia fazer, como eu com certeza jamais saberei. Não alcancei, não vou alcançar tais alturas, mas eu progrido, sempre se progride quando você se esforça. É assim com todos os aprendizados: o da forma do tai chi, o da postura de ioga e, claro, o do piano, que suponho ser bastante próximo, uma vez que se trata de dominar um teclado. Coisas que lhe parecem impossíveis, absoluta e definitivamente fora de alcance, se tornam pouco a pouco possíveis, quase sem que se perceba. Das letras passei sem sentir, com meus dez dedos indolentes e inábeis, para as palavras, depois das palavras para as frases, das frases para os parágrafos e agora dos parágrafos para o texto — dito de outro modo, que ouso dizer apenas agora, quando isso já é passado, para a literatura.

"NÃO ESTOU ESCREVENDO, MEUS AMIGOS: ESTOU FAZENDO EXERCÍCIOS DE DATILOGRAFIA"

Se reservei um quarto de hotel em Belle-Île, é porque Ruth e Olivier alugaram uma casa aqui e porque, estando perto deles, tenho ao mesmo tempo o prazer da solidão e o de sua companhia. Quando os encontro na praia ou, quase todas as noites, me convido para jantar na casa deles, me perguntam se estou progredindo, se estou feliz, e percebo que são eles que estão felizes, porque depois de três anos de depressão e de deriva, dos quais eles foram as testemunhas mais próximas, parece não apenas que estou melhor mas também que voltei a escrever. Um escritor que passa seis horas por dia trancado no quarto quando todo mundo está nadando ou passeando, o que mais ele poderia estar fazendo? Jogando paciência? Videogame? No entanto, eu me resguardo. Protesto: "Não, meus amigos, vocês não entenderam! Não entenderam mesmo! Se passo seis horas por dia trancado na frente do computador não é para escrever um livro, não estou pronto para isso, acreditem em mim, é apenas para digitar. Sem brincadeira, amigos, não estou escrevendo: estou fazendo exercícios de datilografia".

"ALL WORK AND NO PLAY MAKE JACK A DULL BOY"

"E o que são esses seus exercícios de datilografia?", me pergunta Olivier, debochado. "*All work and no play make Jack a dull boy?*" Você se lembra? O mantra terrível de Jack Torrance em *O Iluminado*. Esse escritor fracassado que aceita o emprego de vigia no imenso hotel Overlook, isolado de tudo durante o inverno, e se instala lá com a esposa e o filho pequeno, esperando que o isolamento e a folga forçada lhe permitam concluir o romance que há anos arrasta, sem mais acreditar nele. Toda manhã ele vai para uma das salas do hotel e, como eu em meu quarto em Belle-Île, passa horas datilografando. Sua esposa pergunta se ele está progredindo, se ele está feliz, ele responde que sim, mas ele não parece estar nem um pouco feliz, não parece mesmo que as coisas estão progredindo. O rosto dele está cada vez mais sorridente, as sobrancelhas circunflexas de Jack Nicholson ficam cada vez mais diabolicamente arqueadas, e suas repetidas visitas ao assustador quarto 237 naturalmente não reabilitam seu equilíbrio psíquico. Tudo isso preocupa tanto sua esposa que, na ausência do marido, ela se embrenha em seu escritório e dá uma olhada na folha enfiada no cilindro da máquina de escrever. Nessa folha, a frase: "*All work and no play make Jack a dull boy*". Frase difícil de traduzir, porque é preciso respeitar ao mesmo tempo seu sentido e seu ritmo de cantiga ameaçadora, a legendagem sugeriu "Trabalhar sem brincar torna Jack um menino triste", o que na verdade não é muito convincente, mas não tenho nada melhor a propor. Não é exatamente a frase que torna esse momento do filme assustador, mas a repetição dela. Pois ela se repete vinte ou trinta vezes na folha presa no cilindro, mas também centenas, milhares de vezes nas folhas organizadas em pilhas ao lado da máquina de escrever. Centenas, talvez milhares de folhas preenchidas por essa frase, repetida ao infinito: "*All work and no play make Jack a dull boy*".

O COPIÃO

O mantra assustador de *O Iluminado* me acompanhou durante toda a minha vida. Mais de uma vez me identifiquei com seu herói lamentável. Conheci sua aridez proibitória, seu terror, sua crueldade, sua loucura sombria e circular. Já me vi diante do espelho fazendo as mesmas caretas que ele. Mas neste verão, não. Neste verão recebo despreocupadamente a brincadeira de Olivier. Pois, sob a proteção do meu novo mantra — *eu não estou escrevendo*, lembra?, *estou fazendo exercícios de datilografia* —, comecei a copiar e reunir os arquivos à primeira vista disparatados que viriam a compor este livro que você está lendo: o arquivo sobre o Vipassana e sobre a ioga, o arquivo sobre minha depressão e sobre minha internação no Sainte-Anne, o arquivo sobre minha estadia em Leros. Juntar tudo do começo ao fim é o primeiro trabalho que se faz ao montar um filme. No jargão da profissão, chama-se isso de copião, e ninguém gosta de se ver diante de um copião. Ninguém em sã consciência acredita que disso vai sair alguma coisa assistível — nem legível, no caso de um livro. E depois, uma vez superada a vontade de desistir de tudo, você começa, você junta, justapõe, corta, acrescenta, inverte, testa... Pouco a pouco essa espécie de magma começa a se parecer com alguma coisa, muitas vezes com alguma coisa que você não tinha previsto. Alguns artistas adoram isso, que não se pareça com algo que eles tinham previsto, outros não, isso os deixa perturbados. São duas famílias. François Truffaut dizia que um filme é um processo de perda. Entre a ideia que se tinha antes de começar e o resultado, pode haver mais ou menos discrepâncias: se há poucas, o filme é bem-sucedido, se há muitas ele é um fracasso. Pensam assim os artistas do controle, os demiurgos que, como Hitchcock ou Kubrick, acreditam dobrar o real de acordo com sua vontade e seu sonho. Para outros, entre os quais me incluo, é o oposto: quanto menos o filme ou o livro se parece com o que haviam imaginado, mais longo e caprichoso se revela o caminho entre o ponto de partida e o de chegada, mais o resultado os surpreende, mais eles ficam satisfeitos. É a viagem que conta, não o destino — ou, como dizia Chögyam Trungpa: "O caminho é o objetivo". Muitas coisas imprevisíveis, algumas terríveis, aconteceram entre meu projeto inicial de livrinho simpático e perspicaz sobre a ioga e isso que comecei a montar no meu quarto de hotel em Belle-Île, sob o disfarce de exercícios de datilografia. E agora seis meses se passaram, o livro chegou ao fim. Quer dizer, praticamente chegou ao fim. Resta fazer uma espécie de epílogo. Fechar alguns parênteses que, para ser correto, não posso deixar abertos, passar uma vassoura antes de fechar a loja. Arrumar, finalizar, fechar. Comecemos por encerrar Leros.

SENTAR-SE POR UM MINUTO EM SILÊNCIO

Numa manhã de outono, acordei com vontade de ir embora, uma vontade que ainda na véspera não havia me ocorrido. Devolvi minha scooter, paguei alguns meses de aluguel adiantado pela de Atiq, me despedi de todo mundo no Pikpa, depois fechei a casa, deixei a chave, segundo as instruções de Erica, na moldura de madeira do relógio de luz e à noite peguei a balsa para Atenas. Já embarcado, ao perceber que tinha esquecido o Samsung Galaxy na gaveta da minha mesa de cabeceira, me perguntei quem abriria essa gaveta, e quando. Nunca mais tive notícias de Erica. Ela nunca respondeu meus e-mails, nunca mais postou no Facebook. Ela desapareceu, em algum lugar à esquerda do mundo… "Ela desapareceu em algum lugar à esquerda do mundo": é um tipo de frase um pouco cheesy, um pouco falsa, que podemos nos sentir tentados a escrever a respeito de um personagem de romance, o tipo de frase que eu normalmente cortaria já na primeira releitura, mas, depois de ter pensado sobre isso, prefiro mantê-la e deixar minha consciência mais leve confessando que Frederica *é* um personagem de romance. Com isso quero dizer que existe um modelo distante para ela, com quem dei algumas aulas no Pikpa, tive uma bebedeira memorável e escutei a *Polonaise* heroica de Chopin, mas todo o resto eu inventei. É isso que acontece, acredito que fatalmente, assim que você começa a mudar os nomes: a ficção assume o controle e, como dizia Emmanuel Guilhen, esta é uma porta que se abre para todas as janelas. A mulher dos gêmeos também é, parcialmente, uma personagem de romance, e adoro imaginá-las, Erica e ela, passeando de braços dados em algum lugar à esquerda do mundo, em algum lugar no hemisfério Sul, contando suas vidas de personagens de romance.

Esta é uma questão que sempre me coloquei com frequência, principalmente quando trabalhei com os Evangelhos: existe um critério que nos permita adivinhar se uma história que lemos é verídica ou ficcional? Se um retrato, em um museu, é de uma pessoa real ou de um personagem imaginário? Não sei a resposta, mas me parece que intuitivamente, sem conseguir explicar, nós sentimos. Eu, em todo caso, sinto. Hamid e Atiq são os nomes verdadeiros dos garotos e tenho notícias verdadeiras deles pelo Instagram. Um está na Alemanha, o outro, na Bélgica, e eles parecem bem. São estudantes sorridentes, com amigos, atividades esportivas, festas de aniversário, projetos. Depois de quase terem se tornado párias, eles voltaram a ter o nível social que tinham em seus países e certamente vão se tornar o que desejavam: contador e programador. A viagem perigosa que fizeram para a Europa, a estadia encalhada em Leros, devem pouco a pouco ser apagadas de sua memória, como as imagens de um sonho no qual às vezes me pergunto se terei um lugar. Com certeza não. Se deixei alguma lembrança em Leros, acredito que tenha sido no coração de Svetlana Sergueievna. No dia da minha partida, nos sentamos em uma sala um pouco escura e deserta àquela hora no café Púchkin. É um costume russo, quando alguém vai viajar, sentar-se com ele e ficar um momento em silêncio, cada um rezando para que aquela não seja a última vez, para que Deus permita que haja um reencontro. Então as pessoas se levantam, se beijam, se deixam sem mais delongas. Svetlana Sergueievna desenhou na minha testa um sinal da cruz. Eu me senti como se ela fosse a minha mãe, ainda que deva ser ligeiramente mais jovem que eu. Eu adoraria me inspirar nesse ritual para me despedir deste livro e desejar boa sorte a todos nós, a ele, a mim, a você, leitor. Virada a última página, que não está longe, nós poderíamos nos sentar um minuto juntos. Fechar os olhos, fazer silêncio, ficar um pouco tranquilos. Não se esqueça de apagar a luz ao sair.

UM POUCO DE SAL

O lítio é um metal alcalino que faz parte da tabela periódica dos elementos e que, administrado na forma de sal, revelou a partir dos anos 1970 uma eficiência impressionante no tratamento dos transtornos de humor. Tomo lítio todos os dias agora, e ao tomá-lo penso em uma reflexão melancólica do poeta americano Robert Lowell, que sofreu do tipo mais agudo de psicose maníaco-depressiva até receber a prescrição de lítio: "De qualquer modo, é perturbador pensar que enfrentei e provoquei tanto sofrimento porque faltava um pouco de sal no meu cérebro. Se o tivessem me dado um pouco antes, eu poderia ter tido uma vida feliz ou pelo menos normal em vez desse longo pesadelo". Eu não diria algo tão radical assim, pois, ainda que pense isso às vezes, a minha vida não foi um longo pesadelo, mas eu também faço parte dos doentes bipolares que respondem bem ao lítio. Ele torna os meus altos menos altos, os meus baixos menos baixos, e tenho tanto medo de me ver de novo diante da pequena marina de Dufy que estou disposto a tomá-lo, obedientemente, até o fim dos meus dias.

O TERMINAL

Como de costume, estou adiantado: meu voo para Lisboa está previsto para daqui a uma hora. Não tenho nada contra, acredito já ter dito, o tempo intersticial, e me disponho a aguardar tranquilamente perto do portão de embarque, no terminal 2 do aeroporto de Ponta Delgada, nos Açores. Tirei da minha bolsa um romance de Cormac McCarthy que comprei para a viagem porque cheguei, no meu próprio livro, à minha internação no Sainte-Anne, mais precisamente ao momento em que uma jovem mulher que não me lembro de ter conhecido na unidade protegida me garante não apenas que nós nos conhecemos lá, e até nos conhecemos bem, como também que lá conversamos longamente sobre Cormac McCarthy, do qual, como ela, sou um leitor apaixonado. Pensei que este seria o momento de ler Cormac McCarthy, nunca se sabe para onde esse tipo de pista pode levar. Talvez nesse livro, *Meridiano de sangue*, eu depare com alguma coisa absolutamente essencial para o meu. Por mais talentoso que seja Cormac McCarthy, que isso seja dito, tenho bastante dificuldade em lê-lo, porque, havendo me tornado para minha grande surpresa um leitor quase exclusivamente de poesia, tenho bastante dificuldade em ler romances. Retomando pela terceira vez a mesma página que, como se diz, eu não estava registrando, começo a resmungar para mim mesmo um poema, como faço com bastante frequência, neste caso um poema de Catherine Pozzi. Já citei alguns versos dela, que arduamente tentei traduzir para Erica. Catherine Pozzi era uma figura da vida mundana parisiense do entreguerras, esposa de um dramaturgo então célebre, Édouard Bourdet, e amante de Paul Valéry, que a fez muito infeliz. Da relação deles nasceram seis poemas com uma inspiração apaixonada e mística que fazem dela, na minha opinião, um cruzamento improvável e fulgurante de Simone Weil e Louise Labé, e é um desses poemas, "Ave", que recito para mim mesmo na sala de embarque:

Très haute amour, s'il se peut que je meure
Sans avoir su d'où je vous possédais,
En quel soleil était votre demeure
En quel passé votre temps, en quelle heure
Je vous aimais

Très haut amour, qui passez la mémoire
Feu sans foyer dont j'ai fait tout mon jour
En quel destin vous traciez mon histoire
En quel sommeil se voyait votre gloire
*Ô mon séjour...**

Quando chego a esse verso, levanto a cabeça e percebo, parada diante do bar, a uma dezena de metros, a mulher dos gêmeos. Eu a olho sem que ela me veja, menos emocionado que surpreso. Vim aos Açores para uma conferência, mas ela não sei, não pensei mesmo que, agora vivendo no hemisfério Sul, ela poderia muito bem morar aqui. Não nos vimos nem nos falamos há três anos. De acordo com o princípio segundo o qual meu desejo definha se sua realização não é mais verossímil, raramente penso nessa mulher que amei apaixonadamente. Ela paga e pega o café, depois se dirige para uma das mesas altas de plástico branco em volta do bar para bebê-lo. É então que ela me vê. Eu tive todo o tempo de observá-la sem que ela me visse, ela não. Ou quem sabe teve, talvez. Talvez ela tenha me visto primeiro, enquanto eu tentava ler Cormac McCarthy. Seja como for, nossos

* Em tradução livre: "Amor tão imenso, se eu morresse/ Sem nunca saber de onde você veio,/ Em qual sol fazia sua morada,/ Em qual passado, o seu tempo, em qual hora/ Eu te amava,// Amor tão imenso que ultrapassa a memória,/ Fogo sem controle do qual fiz meus dias,/ Em qual destino você traçava minha história,/ Em qual sono se via sua glória,/ Ó minha paragem...". (N. T.)

olhos se cruzaram sem que nada, absolutamente nada, indique que ela tenha me reconhecido. Ela varre com os olhos a fileira de poltronas onde estou sentado, seu olhar flutua distraidamente pelos ocupantes, depois volta para seu copo de café. Como ela não me olha mais, eu a olho, pronto para retomar minha expressão de indiferença caso ela levante os olhos, e ao mesmo tempo certo de que ela sente meu olhar sobre ela. Depois de terminar o café, ela se afasta da mesa alta e se dirige a uma fileira de poltronas distante da minha. Há poucos viajantes na sala de embarque, ela pode se sentar onde quiser, e claro que não vai pegar uma poltrona ao meu lado, mas me pergunto se ela vai escolher se sentar de frente para mim ou me dar as costas. Ela se senta longe, mas de frente, tira da bolsa um livro que começa a ler — sem muito mais concentração do que eu, ao menos é o que suponho. Que sinal ela está me enviando ao escolher — pois é obviamente uma escolha — se sentar de frente para mim, em vez de me dar as costas? Será que está deixando uma porta entreaberta? O que aconteceria se eu me levantasse, fosse até ela, a tomasse pela mão? Será que sairíamos juntos do terminal, como antigamente saímos da estação de Genebra, para um desses hotéis Sheraton ou Sofitel que existem nas proximidades de todos os aeroportos, pedir um quarto na recepção e subir os dois no elevador, sem dizer palavra, até o quarto onde nos trancaríamos e desapareceríamos do radar por algumas horas? Não sei o que aconteceria se eu me levantasse, fosse até ela, a tomasse pela mão. Mas tenho certeza de que esse roteiro que conto para mim mesmo ela também conta para si, sabendo, ela também, que eu o conto a mim mesmo, e essa certeza de ter um acesso sem limites aos pensamentos dela, às fantasias dela, e ela às minhas, torna a situação extraordinariamente erótica. Não há sequer a necessidade de ir até um quarto de hotel: durante essa meia hora que passamos na sala de embarque, a maneira como nos olhamos, com uma indiferença fingida, ou não nos olhamos absolutamente, a maneira como cada um, sem se olhar, tinha consciência da presença do outro, a maneira como nos cruzamos, nos aproximamos, nos afastamos, nos evitamos, é uma maneira de fazer sexo cuja força teria enfraquecido com a consumação. Quando começamos a embarcar, deixei que ela se aproximasse primeiro do balcão, não me levantando antes do último minuto, e me perguntei como lidaríamos se o acaso nos colocasse um ao lado do outro, o que — eu ia dizer: felizmente — não aconteceu. Ao ir para o meu lugar, no fundo da cabine, passei por ela. Estava com os olhos baixos, fixados no livro, mas não tenho dúvida alguma de que me sentiu passar a seu lado, a alguns centímetros, e que seu corpo e sua alma estavam agitados do mesmo modo que o meu corpo e a minha alma. Passei o voo recitando a mim mesmo a continuação do poema de Catherine Pozzi. Queria que uma espécie de telepatia fizesse esses versos voarem do meu coração para o dela:

Quand je serai pour moi-même perdue
Et divisée à l'abîme infini
Infiniment quand je serai rompue
Quand le présent dont je suis revêtue
Aura trahi

Par l'univers en mille corps brisée,
De mille instants non rassemblés encore,
De cendre aux cieux jusqu'au néant vannée,
Vous referez pour une étrange année
Un seul trésor

Vous referez mon nom et mon image
De mille corps emportés par le jour,
Vive unité sans nom et sans visage,
Cœur de l'esprit, ô centre du mirage
*Très haut amour.**

---

* Em tradução livre: "Quando a mim mesma nada tiver a oferecer/ E dividida em um abismo infinito/ Quando estiver infinitamente consumida/ Quando o presente de que me revesti/ Tiver abandonado// Pelo universo em mil corpos despedaçados/ Mil instantes ainda não reunidos,/ Nos céus, cinzas até o nada exauridas,/ Por um ano estranho você refará/ Um único tesouro// Você refará meu nome e minha imagem/ De mil corpos levados pelo dia,/ Unidade viva sem nome nem rosto,/ Coração do espírito, ó centro da miragem/ Amor tão imenso". (N. T.)

O desembarque do avião foi realizado pela dianteira, ela desceu bem antes de mim. Pensei que, como eu, ela faria uma escala para Paris, que seguiríamos a viagem juntos até o aeroporto de Roissy, e temi que essa situação mágica se tornasse inevitável, imposta, cansativa. Mas, seja porque Lisboa era seu destino final, seja porque ela ia para algum outro lugar, não reencontrei a mulher dos gêmeos na sala de embarque para Paris, nem a revi mais nesse dia.

UMA CITAÇÃO

Patrice estava ali, abraçava sua mulher em vias de morrer e, independentemente do tempo que ela levasse para isso, ninguém duvidava de que ia abraçá-la até o fim, de que Juliette em seus braços morria em segurança. Nada me parecia mais valioso do que essa segurança, essa certeza de poder descansar até o último instante nos braços de alguém que nos ama plenamente. Hélène me contou o que Juliette dissera à irmã delas, Cécile, na véspera, quando ainda era capaz de falar. Dizia estar satisfeita, que sua vidinha tranquila tinha sido uma vida bem-sucedida. No início achei que era uma frase consoladora, depois que estava sendo sincera, por fim que era verdade. Pensei na famosa frase de Fitzgerald: "Toda vida é, sem dúvida, um processo de demolição", e dessa vez eu não achava que fosse verdade. Pelo menos, nunca achei isso de qualquer vida. Da de Fitzgerald, talvez. Da minha, talvez — eu temia isso mais na época do que hoje. Porém, quando Juliette julgava a sua, eu acreditava nela, e o que me fazia acreditar nela era a imagem daquele leito de morte no qual Patrice a abraçava. Eu disse a Hélène: sabe, aconteceu alguma coisa. Se me fosse dado saber, não muitos meses atrás, que eu tinha um câncer, que ia morrer em breve, e eu me fizesse a mesma pergunta que Juliette, será que minha vida foi bem-sucedida?, eu seria incapaz de responder como ela. Teria dito que não, minha vida não tinha sido bem-sucedida. Teria dito que tinha feito coisas bem-sucedidas, tido dois filhos bonitos e que estão vivos, escrito três ou quatro livros nos quais o que eu era tomou forma. Fiz o que pude, com meus recursos e meus bloqueios, lutei para fazê-lo, é um balanço positivo. Mas o essencial, que é o amor, me terá faltado. Fui amado, sim, mas não soube amar — ou não consegui, é a mesma coisa. Ninguém pôde descansar confiantemente no meu amor e não descansei, no fim, no amor de ninguém. Eu teria dito isso, ao anúncio da minha morte, antes do tsunami. E então, depois do tsunami, eu escolhi você, nós nos escolhemos, e não é mais a mesma coisa. Você está aqui, perto de mim, e se eu tivesse que morrer amanhã poderia dizer como Juliette que minha vida foi bem-sucedida.

"NINGUÉM PÔDE DESCANSAR NO MEU AMOR, EU NÃO DESCANSAREI NO AMOR DE NINGUÉM"

Perdoe-me por ter citado a mim mesmo, e tão longamente. Essa página está no meu livro *Outras vidas que não a minha*. Eu o escrevi há doze anos. Não apenas acreditava em tudo que escrevi nele, de todo o meu coração, de toda a minha alma, como continuei a acreditar nisso com confiança durante os dez anos que foram os melhores da minha vida. Sabia que um amor assim é raro e que quem o deixa passar está condenado ao arrependimento e ao sabor amargo do tarde demais. Nesse ponto onde tantos fracassam, eu acreditava ser bem-sucedido.

Não foi o que aconteceu.

A ÁGUA GENTIL

Você continua a não morrer tanto quanto consegue. Você continua a não morrer, mas seu coração não está mais lá. Você não acredita mais. Você acredita que já gastou sua cota e que nada mais vai acontecer. Um dia, no entanto, alguma coisa acontece. O desconhecido, que você espera e de que duvida, toma a forma do rosto de uma desconhecida específica, que você começa a conhecer e com quem caminha em uma trilha de montanha em Maiorca. O tempo está bom, muito ameno para esse começo de primavera. Em um refúgio onde fizemos uma parada, enchemos nossas garrafas e a mulher que cuida do refúgio exalta a excelência dessa água de fonte que ela chama de *água gentil. Gentil*, em espanhol, quer dizer "suave". A mulher do refúgio fala da água suave, mas essa água *gentil*, nesse dia, se tornou para nós o codinome da alegria. Um pouco depois, nos afastamos da trilha para descansar em uma grande pedra branca e plana na beira de um riacho. Bem perto, garante a jovem mulher que começo a conhecer, que começo a amar, das fontes da água gentil. De volta à cidadezinha, em casa, ela faz um pouco de ioga. Não a ioga solene, não a ioga meditativa consagrada à extinção das vritti, à saída do samsara ou à construção, no tempo, de uma vida em estado de serenidade e maravilhamento. Não a ioga a que eu pensava dedicar este livro, explicando com solenidade que não se podia confundi-la com uma ginástica vulgar, mas a ioga que mulheres jovens como ela praticam no mundo todo por considerar uma ginástica maravilhosa. Não precisam de Patanjali e não têm vontade alguma de sair do samsara porque o samsara é outro nome também para a vida e, ao contrário do que dizem Patanjali e os seus, está tudo bem com a vida. Apenas bem, claro, mas bem. E eu a considero generosa por ainda me dar uma chance, tendo em vista minha bagagem. A jovem mulher agora faz uma postura chamada *adho mukha vrksasana*. Essa postura não é muito difícil quando se tem o hábito de ficar de ponta-cabeça. Ela posiciona as mãos esticadas no chão perto da parede e joga uma perna ao ar, depois a outra, contra a parede. Faz isso sem preparação, com um único movimento, como alguém que, ao ver uma parede, e está contente, opa, joga as pernas para o ar com leveza, sem preocupação, como se dançasse. O vestido de verão dela escorrega para baixo, deixando descoberta sua barriga bronzeada. Ela agora desgruda os pés da parede e aponta os dedos dos pés para o céu. Está com os pés no ar, a cabeça para baixo, ninguém fica bem com a cabeça para baixo porque o sangue desce e congestiona o rosto, mas ela não, seu rosto está, pelo contrário, fresco, alegre. Equilibrada sobre os braços esticados, as pernas esticadas em direção ao céu, a barriga descoberta, ela sorri para o homem que ela também começa a amar, e esse homem, nesse momento da vida dela e da minha, sou eu, e sei que a marina de Dufy me aguarda, sei que não vou escapar dela, mas nesse dia eu não dou a mínima, nesse dia estou completamente feliz por estar vivo.

1ª EDIÇÃO [2023] 7 reimpressões

ESTA OBRA FOI COMPOSTA PELA ABREU'S SYSTEM EM ADOBE GARAMOND
E IMPRESSA EM OFSETE PELA LIS GRÁFICA SOBRE PAPEL PÓLEN DA
SUZANO S.A. PARA A EDITORA SCHWARCZ EM FEVEREIRO DE 2025

A marca FSC® é a garantia de que a madeira utilizada na fabricação do papel deste livro provém de florestas que foram gerenciadas de maneira ambientalmente correta, socialmente justa e economicamente viável, além de outras fontes de origem controlada.